# 彼らの物語

## 日本近代文学とジェンダー

飯田祐子 著

名古屋大学出版会

# 彼らの物語　目次

## 第II部　男と男　語られる「女」・語られない「女」

第十章　『明暗』〈嘘〉の物語・三角形の変異体……277

序章

# 隠喩としてのジェンダー

本書は、ジェンダーという概念を用いた日本近代文学研究であり、また日本近代文学を対象としたジェンダー分析である。ここで用いるジェンダーという概念は、「性差にかんする知」というジョーン・スコットの定義[1]を採用している。それは、男と女という二項対立によって構成された文化的制度を生産する、「肉体的差異に意味を付与する知」である。肉体的差異という生物学的な性別を指す用語としてはセックスという用語が使われるが、それとは異なり、ジェンダーは文化的に構築された性差を扱う際に使われる用語である。現在では、あたかも本質的に存在するかのように理解されてきたセックスとしての性差もまた、ジェンダーによって作り出されていることが指摘されている[2]。すべての身体を男か女のどちらかに分類するという、実際には多様な現実を無視した行為によって、セックスとしての性差はつくられているからだ。ジェンダーとは、そのような身体をも含めたすべての意味生産に関わる、強力な解釈格子として機能している。あらゆる事態、あらゆる事柄は、本質的に何らかの意味を持つわけではない。それは分節化され意味づけられて理解される。その際に、驚くべく広く深い範囲にわたって、性差・ジェンダーは付与される。意味が付与される瞬間に、物事はジェンダー化（性差を帯びること）するのである。ジェンダー・ニュートラル（意味に性差が付与されていない状態）な世界などない。かりに中立のようにみえるとしても、そこにある「一般」と「普遍」は「男」を意味し「女」を含んではいない。文学という領域もまた、ジェンダーから自由ではありえない。というより、「文学」という領域は、男を語り女を語り、恋愛を語り家族を語る中で、多様な現実をジェンダー化する強力な装置として成立し続けてきたのである。具体的な作品と、作品を作品として成立させている「文学」という制度について、それぞれのジェンダー化の様相を明らかにすることが、本書の目的である。

ジェンダーという概念が文化分析概念として用いられるようになったのは一九七〇年代以降である（日本では八〇年代後半。日本近代文学研究にフェミニズム批評が登場するのは一九八六年以降である）。それは、フェミニズムが文法用語から生み出した用語である。文学研究とフェミニズムという二つの領域を重ねることには、よく知られているように批判があった。批判の基軸は、一つには文学の価値自立性を、もう一つには研究における客観性を重要視また自明視する立場であった。フェミニズム批評は、性の政治学という政治性を文学研究に導入したからである。それゆえ、フェミニズム批評が認知される過程では、政治という概念の再定義と「文学」という領域の再定義が重要な意味をもった。フェミニズム批評自体もそれらの再定義に大きく貢献したわけだが、政治についての公／私や政治／

文化といった旧来の二項対立による狭い定義が崩され、そしてその文学領域への導入、つまり文学の政治性また研究の政治性という問題が分節化されるに至ったことが、フェミニズム批評の認知に大きく関わっている。フェミニズム批評が認知されるためには、「文学」という領域を扱う枠組み自体が変化することが必要であった。

本書は、ジェンダー分析を試みるフェミニズム批評の一実践であるが、その認知の過程における以上の困難をふまえ、また問題意識と立場を明確にするために、迂遠ではあるが、はじめに「文学」自体についての分析の前提をめぐって、日本近代文学研究における理論的推移と本書の立場を説明しておきたいと思う。本書の有効性を説明するために必要だと考えるからである。

## 一　文学研究と政治性

さて、大きな結節点となったのが、記号論・構造主義の導入であることはいうまでもない。前田愛が「一種の知的な鎖国状態ないしは自閉症的な症状がひどくなってきた」「せめて記号論や構造主義のアウトラインだけでも承知しておくことは、常識に属する時期に入っているのではあるまいか」と批判したのが一九八〇年。[3] 八〇年代前半には、この導入をめぐる議論が盛んになされた。

それ以前の典型といえば、一九七〇年前後より際だった対立を付与された作家論と作品論の二つの立場であるが、両者の立場は、「文学」「作品」「作者」という概念を自明の揺るぎない前提とする点で同じ枠組みを持つ。対立点は「作品」を取り扱う手続きにあり、作家論の立場では、作者の内面が投影された、作者の意図を読むための媒体として作品を扱い、作品論といわれる立場では、作家の自注や伝記的事実などとは一旦手を切り、自立した価値と体系を持つ一つの「世界」として扱うとされた。しかし、後者の立場も、作品から時代と作者へ、そして文学史へと展開されることが理念とされたわけであり、二つの立場は同じ枠組みにのっとっている。作品論で提唱される作品の自立性とは、「文学」の価値をより強固に定立するため、またそれを生み出した作家の価値を定立するための作業の前提であったわけである。

　構造主義が導入されてから、作家論／作品論という二分法とは質を異にしてテクスト論という用語が生まれた。日本近代文学研究でテクストという言葉が頻出しだすのは一九八五年以降である。ただし、作品論とテクスト論という概念の質的な差異は、その時点で明確に意識されていたわけではない。例えばテクスト論の代表的な論者とされる石原千秋は、作品論の提唱者三好行雄の論について「三好氏の提唱した作品論が、実は人格主義に支えられた作家論であった[4]」と批判し次のようにいった。「人間の営みの一つである文学に価値を想定することなしには研究が成り立たないのも事実」「作品論が論として自立するためには、常にオマージュであるべきだろう。「作品」の新しい価値の発見のない読み換えや、表現についての新しい〈知〉の発見のない作品論など何の意味もないからである」。ここには、文学の価値はやはり透明な前提として存在している。作品についての態度は、「作品を作者や「歴史」に向かって任意に開かれてはいない、閉じられた言語世界と見なすことが前提となる」と説明され、「作品」という単位の自立性が「作家」を対立項として捉えられており、この点でも三好の作品論と同質であった。

しかし、一方でもう一人の代表的なテクスト論者小森陽一は、同じ八五年、次のようにいう。「〈読み〉という行為が、〈作品〉としてのテクストと諸テクストの集合としての読者の意識との相互葛藤的なかかわりである以上、作家の伝記的事実や歴史的・文化的状況などの外側のデータを、いくら切り捨てたところで、純粋に〈作品〉の内部だけを記述できるわけではない[5]」。「テクスト」という概念を明確に語るこの一節は、「作家」と「作品」を対立的にとらえる枠組みを根本的に破棄する。重要なのは読者の登場である。小森は、ヤーコブソンのコミュニケーション理論を文学の領域に当てはめ[6]、これらの関係を説明する。話し手は作者であり、メッセージが作品となり、聞き手が読者ということになる。テクストという〈引用の織物〉として文学作品を取り扱うということが、それを読む行為を前景化し、読書による作者から読者への意味の伝達は、複数の複雑なコードとコンテクストによって作品から意味が生産される過程としてとらえられることになるのである。作品は、作家の自己表現でもないし、それ自体として自立した世界でもなくなるが、「作家」という単位も「作品」という単位も無くなるわけではない。それらは、一つの伝達回路の異なる要素として理論的に分節化され、関係づけられたのである。以後、こうした回路に関係づけられたテクストという概念が分析の前提とされることになる。

九〇年代に入って、次にコミュニケーション理論から参照された、より重要な点は、非対称なコミュニケーションという概念であった。[7] 非対称なコミュニケーションという考え方が、共通の解釈コードを持たない「他者」の存在を浮き彫りにしたが、[8] これを文学領域に当てはめれば、作者と読者のコードのずれが問題にされることになる。より正確にいえば、作者と読者の持つコードがずれるというだけではなく、読者のコードがそれぞれに多様だということが問題になるだろう。また、作品＝テクストは、それぞれの読者のコードによって多様な意味を産出する場として捉えられることとなる。振り返れば、その意味で、「作家」や「作品」といった価値を前提として提唱し、「作品」の全体像や意味を一義的に決定することは、作者と読者の間の亀裂を隠蔽し、また読者の多様性を無化する行為であったことがわかる。そうした分析が、共感の磁場に安易によりかかる危険を避けることは非常に難しい。

ただし、もう一つの安易な分析は、それとは逆にテクストの多様性を結論とする分析である。脱構築の安易な取り込みによる、そうした〈テクストの多様性〉の称揚は、たとえば漱石作品の分析にも横行している。しかしそれらは、漱石作品に〈存在論的な混沌〉を主題として取り出した作品論的分析のそれに、質的には非常に似た世界を提示することになる。どちらの立場においても、その性質が漱石作品の特質として高く評価されるという事態も似ている。テクストの多様性は論の前提なのであり、結論ではないはずだ。

この安易さを脱出するため、コミュニケーション理論から導入すべきもう一つの点は、コミュニケーションという行為を成立させるルールがあるということである。言語行為をゲームにたとえたのはウィトゲンシュタイン[9]だが、理論的には話し手と聞き手の間には必然的に亀裂が生じながらも、それでもコミュニケーションが成立していると両者に了解されるのは、そこに一定のルールが存在しているからである。両者がそのルールにのっとっているからこそ、ゲームが成立するのである。作者から読者へ文学作品の意味が受け渡されるという事態が可能になるのは、同様にそこにルール・制度が存在しているからに他ならない。そして、この制度は決して普遍的に定立しているものではない。どんなゲームのルールにも歴史性がある。同様に、「文学」の制度にも歴史性がある。

さて、こうして漸く、「文学」の政治性を問う立場に辿り着く。テクストを〈引用の織物〉とするバルトの次に参照すべきなのは、テクストを〈関係の束〉とするフーコーの分析であろう。[10]フーコーの〈知の考古学〉がおこなった言説の歴史性分析は、〈知〉の権力性を明らかにする作業であった。制度やそれが生産する〈知〉の歴史性を分析することで明らかになる最も重要なことは、制度が普遍的なものでなく、ある特殊性・偏向性を持っているということだ。にもかかわらず、〈知〉は常に真理として生産される。ここに、広い意味での政治性がある。「文学」という領域における〈知〉の生産にも同様に普遍性ではなく政治性がある。「文学」という領域を分節化し成立させる〈知〉にも同様に政治性がある。フーコーが提示する分析の枠組みの中で、歴史性と政治性という二つの概念は密接に繋がる。

こうした理論的枠組みを前提とすれば、テクストもしくはテクストの束を、ある立場によって閉じて分析する際には、その分節化を可能にする前提となっている制度を明らかにし得る分析が要請されることになる。具体的には、たとえば「作品」の構造を成立させる制度自体の分析、また「文学」という領域の制度とその成立過程についての分析が要請されるだろう。[11] そして、そうした分析に際して重要なのは、論者の立場を明確に示すことだろう。テクストの複雑さ多様さを原理的に前提としたうえで、そこから或る事態を分析抽出するためには、そうした分析水準（方法と目的によって分節化される）の明示が必要となるはずだ。研究の政治性に対する自己言及と言い換えてもいいだろう。文学という制度の政治性・歴史性を分析することは、研究の政治性への自覚に繋がる。

以上、日本近代文学研究の動向をふまえながら、本書における「文学」分析の前提について述べた。現在の研究状況からすれば既に大仰な表現なのだろうが、それでも勇気を持ってここで確認しておきたいのは、〈作品を面白くすることが文学研究である〉という前提を破棄することが必要だということである。もちろん〈作家を称揚することが文学研究〉という前提も破棄される。それは、分析結果の一つとしては有り得るのだろうが、普遍的な前提なのではない。〈面白さ〉は、読者によってそれぞれに異なるのである。〈面白さ〉を生み出す、または生み出してきた制度を明らかにする作業が要請されている。

## 二　ジェンダー概念の有効性

さて、繰り返せば、読みは本来多様なのであり、しかし歴史的に構築された制度に枠取られている。フェミニズム批評は、そうした「読み」の場の政治性を前景化する。その出発点は、女性読者という特殊な読者の発見にあった。それゆえ〈女性の視点〉を設定することがフェミニズム批評の立場の始まりとなり、男性作家の批判と、女性作家や女性の物語の発見が目的とされたが、本書ではそうした立場ではなく、ジェンダーという概念を用い、性差をめぐる制度が構造化されるその過程を明らかにすることを目的としている。ジェンダーという用語は、一九七〇年代に、文法用語から、生物学的な性差決定論を退け社会的・文化的な構築物として性差を考えるための概念として再発見された語であり、さまざまな文脈においてさまざまな定義のもとに使用され、今では一見使い古されたかのような感さえある。しかし、この概念は、現在の文学研究においてなお／こそ、その有効性が再認識されており、ジェンダー理論と呼ばれる新しい理論を形成している。まずは、欧米のフェミニズム批評の変遷を追い、本書で採用しているスコットの「性差にかんする知」という定義がどのように有効なのかを述べたいと思う。

　エレイン・ショーウォーターによる『新フェミニズム批評』での整理[12]を参照したい。サンドラ・ギルバートの言葉を引用して述べられているように、フェミニズム批評の自覚は「文学における、文学に関する女性の体験が、男性の体験とは違う、という一見単純な発見」によって目覚めたものだといえる。それを始発とするフェミニズム批評は、それゆえ〈女性〉の視点からの文学テクストの再読を試みてきた。男性作家のテクストにおける「女性嫌悪的な文学の実践」の「暴露」が中心となった初期（フェミニスト・クリティーク）。ただしこれは、男性のテクストを対象にするという意味で男性中心主義的であったといえ、また「女性の犠牲化をやむなく執拗に話題にすることで、それを当然としてしまう傾向」に陥るという問題があった。それをふまえて、書き手としての女性に関わる問題系に目を向け、女性作家のテクストについての再読がなされたのが第二期（ガイノクリティクス）である。ショーウォーター自身の仕事『女性自身の文学』[13]を含め「女性作家が自分自身の文学をもっていること」と「女性の書きものの連続性」が発見され、豊かな成果が得られた。

しかし、ここで問題になるのは、そうした〈女性〉の視点からの再読自体の、文学研究全体における周縁性である。〈女性〉の視点からの再読は、普遍性を持つと考えられていた規範に対する鋭い批評性を持ち得たが、特殊な領域として囲い込まれる危険性を常にはらんできた。ショーウォーターが第三段階として示唆する「文学研究の基礎概念についてのラディカルな」「修正＝見直し（リヴィジョン）」、またその後提唱されるようになる「ジェンダー理論」は、〈女性〉の領域に問題を閉ざすのではなく、こうした周縁性を脱出し、ジェンダーという概念を用いることで、さまざまなテクストを再読することを目指したものである。ジェンダーがそうした可能性を持つのは、それが文化構築における性差の機能を問うことを可能にする概念であるからであり、その点で、女性作家のテクストも男性作家のテクストもそれぞれに扱うことを可能にするからである。ただし、一口に文化構築における性差の機能といってもその位相はさまざまなのであり、改めてジェンダーという概念の可能性を拓くためには、その定義自体について考える必要がある。

スコットの『ジェンダーと歴史学』は、表題どおりフェミニズム歴史学についての著作であるが、ジェンダーという概念の再定義を試み、その上で、言説分析における重要性・有効性を理論化しており、言説分析としての文学研究を考えるうえで、非常に示唆的である。

ポスト構造主義における「意味」の生産に関する議論とフーコー的な系譜学に可能性をみるスコットは、前述の通りジェンダーを「肉体的差異に意味を付与する知」としてとらえている[14]。問題とされるのは、「ジェンダーのようなヒエラルヒーがどのようにして構築され、あるいは正当化されるのか」ということである。「起源ではなく過程について、単一ではなく多数の原因について、イデオロギーや意識ではなくレトリックや言説について研究すること」が目指される。スコットが明らかにしようとするのは〈女性〉の問題ではなく、〈男／女〉というカテゴリー自体の、複雑に入り組んだ成立の過程、利用の過程、その機能の過程である。そこには、家族関係や両性の具体的な関係に限定しきれない、(広い意味での)権力闘争としての政治性があることをスコットは明らかにする。ジェンダー概念は、さまざまな社会関係の構築と正当化に利用されてきたという。たとえば労働階級、その成立には〈男／女〉というジェンダーがメタファーとして機能している。外交・戦争といったハイ・ポリティクスの領域でも、ジェンダーはメタファーとして機能してきた(これを彼女はジェンダーの正当化機能という)。ジェンダーは、こうした意味で、先に述べたような性をめぐる問題系が付与されてきた周縁性を払拭する概念といえるだろう。スコットはジェンダーを二つの部分に分けて定義している[15]が、以上の意味においてジェンダーとは、一つには「権力の関係を表す第一義的な方法」なのである。

さらにスコットのジェンダー理論において重要だと思われるのは、もう一つの定義として述べられているように「両性間に認知された差異にもとづく社会関係の構成要素」としてジェンダーをとらえる点である。これにはさらに四つの局面が設定されている。(1)表象を誘い出す、文化によって用意されたシンボル。(2)シンボルの意味を解釈しその隠喩的可能性を制限する規範的概念。(3)親族システムなどに限定されない広い意味での政治性。(4)主観的アイデンティティ。繰り返し引用すればジェンダーは「肉体的差異に意味を付与する知」なのであり、それはメタファーとして利用され、規範によって意味を特定され、政治的な社会関係の構築を正当化する機能を果たしてきた（レトリックにおける）カテゴリーなのである。[16] しかしまた、それはそうした言説の水準と位相を異にする主観的アイデンティティの構築においては、さまざまな条件のもとで複雑な様相を呈する。(4)の局面は、そうした水準を設定するものである。こうした複数の局面を設定することは、言説の意味作用を複雑なものとして分析し、かつその水準と実体の水準との差異を明確化するうえで、重要かつ有効だと思われる。

たとえば、〈主体としての女〉の発見について（これは女性史や先のガイノクリティクスにおいて目指されたことである）、それが実体としての複雑な多様性を一枚岩化する危険性をスコットは指摘する。実体としての女は、さまざまな条件によって多様に存在している。それを〈女〉という一つのカテゴリーに集約してしまうこと、さらにいえば分析自体が（実体を抑圧し）固定的なカテゴリーを再生産してしまうことを問題化しているわけである。彼女がジェンダーという概念を持ち出すのは、そうした多様な実体としての現実とレベルを分けて、言説における意味生産に関わるメタファーとしての性差の機能を問うためである。規範化されたメタファーの水準では、ジェンダーは典型的には固定的な二項対立として利用され、固定化した意味生産に寄与する。おさえておかなければならないのは、ジェンダーの意味生産におけるそのような〔複雑な〕「過程」を明らかにしていくことによって、彼女が目指すのは、ジェンダーの二項対立そのものの歴史性を明らかにすることだということだ。そして、普遍的・本質的なジェンダー構造というものが無いことを明らかにすることによって、ジェンダー構造の可変性を論理的に明らかにすることである。実体としての多様性を抑圧せず、そして論理的には可変な、ただし具体的な意味作用としては固定化した意味生産に利用されるカテゴリーとして、ジェンダーを分析すること。文学テクストを、文化を構築しているテクストの束の、その複雑な意味生産の「過程」の中でとらえようとするとき、スコットが提示するジェンダーの概念は十分に有効な概念となるはずである。

## 三　日本のフェミニズム批評

以上、欧米のフェミニズム批評の整理から、スコットのジェンダー定義を採用する根拠を述べてきたが、日本近代文学におけるフェミニズム批評の流れをまとめ[17]、現在の日本近代文学研究においても、それが有効な概念と考えられることを指摘したいと思う。

欧米のフェミニズム批評は一九七〇年代に始まるが、日本での始まりは八〇年前後、その後大きく展開し始めるのは八六年以降である。日本においては、その始まりの遅さのためであろうが、ある立場からある立場へと変遷したというよりは、複数の立場が連立する形で展開してきており、以下のように、四つの立場に分けることができる。

第一に挙げるべきなのは、やはり、駒尺喜美『魔女の論理　エロスへの渇望』（エポナ出版、一九七八・六）、同『魔女的文学論』（三一書房、一九八二・七）等を代表とする、男性作家作品の批判である。この立場は、欧米同様フェミニズム批評の出発点となったが、九〇年代に入ってからも依然展開され続けている。上野千鶴子・小倉千加子・富岡多恵子による『男流文学論』（筑摩書房、一九九二・一）、江種満子・漆田和代編『女が読む日本近代文学』（新曜社、一九九二・三）、江種満子・関礼子他『男性作家を読む　フェミニズム批評の成熟へ』（新曜社、一九九四・九）などがある。〈女の視点〉で読むという立場をとるものである。

第二に、同様に〈女の視点〉という問題に繋がるのが、女性作家についての批評である。作家論的な方法とも結びつき、この立場での研究には成果が多い。水田宗子による一連の研究『ヒロインからヒーローへ　女性の自我と表現』（田畑書店、一九八二・一二）、『フェミニズムの彼方　女性表現の深層』（講談社、一九九一・三）、『物語と反物語の風景　文学と女性の想像力』（田畑書店、一九九三・一二）、またある種の共同作業が成立したかのように集中して分析が進んだ対象として樋口一葉があり、西川祐子『私語り樋口一葉』（リブロポート、一九九二・六）、三枝和子『ひとひらの舟』（人文書院、一九九二・六)、関礼子『樋口一葉を読む』(岩波ブックレット、一九九二・六)、同『姉の力　樋口一葉』(筑摩書房、一九九三・一二)、新・フェミニズムの会編『樋口一葉を読みなおす』(学芸書林、一九九四・六)などがある。また金井景子『真夜中の彼女たち　書く女の近代』(筑摩書房、一九九五・六)、関礼子『語る女たちの時代　一葉と明治女性表現』(新曜社、一九九七・四)は書く女の多様な有り様を浮かび上がらせた。

「文学」という領域を扱うことに、より自覚的な第三の立場として、フランス系フェミニズム批評に近い、女性的エクリチュールの分析を試みる立場がある。絓秀美「国民的想像力のなかの「女」」「「父」の審級」「鏡のなかの「女流」」(『批評空間』五／六／七、一九九二・四／七／一〇)、千田洋幸「〈作者の性〉という制度―『伸子』とフェミニズム批評への視点―」(『東京学芸大学紀要　第二部門』四五、一九九四・二)などがある。第一および第二の立場との差異は、ひとつには論者の性が男性であることからも分かりやすいように〈女性の視点〉を設定する分析ではないという点、もうひとつには、前の二つの立場が作者の性を問題にしたのに対し、この立場では主に、テクストの、エクリチュールの性が問題にされる点である。ファロゴセントリズム(男根言語中心主義)[18]を男性性とし、それを破壊するものに女性性をみる。

第四の立場は男性性分析という立場である。「特集〈男性〉という制度―日本近代文学のなかの男性像―」(『日本文学』四一―一一、一九九二・一一)、千田洋幸「性／〈書く〉ことの政治学―『新生』における男性性(マスキュリニティ)の戦略―」(『日本近代文学』五一、一九九四・一〇)などがある。〈女性の視点〉を導入する論でない点では第三の立場と同様である。ここでは、「女性」の記述に対して、「男性」の記述が試みられる。

以上、一から四まで、基本的に現れてきた順に従ってまとめてきたが、その問題点について考えたい。一と二に共通するのは〈女性の視点〉によるものだということである。女性の物語の発見と言いかえてもいいだろう。両者の立場は、抑圧／被抑圧という二項対立を分析に持ち込む点で質的には重なるものである。それが男性作家の作品に用いられれば前者の男性批判に、女性作家の作品に用いられれば後者の抑圧された女性の物語の発見ということになる。後者の延長には、女性の登場人物に焦点を当てた作品内における女性の物語の発見という変異体もある。この二つの立場による研究が多くを占めているが、批判も少なくない。〈女性の視点〉を設定することは作品を狭隘にするという批判、また女性論者に多いが、論者自身の「女」にカテゴライズされることへの違和を下敷きにした、「女」を一枚岩的に扱うことへの批判があった。たとえば、「「女の視点」というものは、その女性の家父長制社会における苦しみの有無を計る踏み絵なのか」（石丸晶子「展望「女の視点」・「男の視点」覚え書き」『日本近代文学』四二、一九九〇・五）、「素朴に〈女〉として実在していられるくらいならそもそも文学研究の世界に入ってくるわけがなかった」（高桑法子「展望　文学と女性学」『日本近代文学』四四、一九九一・五）、「ことさら「女性の視点」を意識するとかえって読みが偏狭になる」（種田和加子「展望　複数の性への夢想―フェミニズム文学批評との距離―」『日本近代文学』四七、一九九二・一〇）などである。

次の問題点は、すべてに共通している。それは、男／女の記号内容を充塡してしまうことで、記号内容の真実らしさを補強してしまうという点である。男性の作品とはどのような作品か、また女性の作品とはどのようなものか、女性の物語とはどのようなものか、エクリチュールにおける男性性とは女性性とは、そして、男性の物語とは。いずれも、その内容を明らかにすることが求められている。とくに、第一、二、四の立場においては、それぞれの性の中味は実体的にとらえられ、女ならばこう男ならばこうというように、本質論的な生物学的根拠ではなくとも、文化的な根拠を男／女という二項対立に与えてしまう。生物学的な性差を意味するセックスと文化的な性差を意味するジェンダーという水準を分けるにあたっては、両水準の繫がりを主張する生物学的本質主義と、両水準の切断を主張する文化的構成主義が対立したが、結局のところ性差に文化的な根拠を与えてしまう分析は、文化的本質主義ともいうべきものとなってしまう。そして、加えて大きな問題は、歴史的な変化やその変化の過程を分析することが困難になるという点である。先に述べたように、問われるべきはジェンダー化の過程と構造である。「何か」ではなく「どのように」へと問題の設定を変える必要がある。

そして、最も大きい問題は、第二の立場における女性が「書く」ことを論ずる立場以外においては、日本近代文学という領域におけるこのシステムの歴史性・特殊性について言及することができないということである。家父長制を大枠とする男／女＝強者／弱者＝公／私といった二項対立、女性のモノ化といった身体論的な男／女＝見る／見られる＝能動／受動などの二項対立を参照する反映論、そうした既存の他領域の分析結果をなぞるだけに終わってしまう。第三の立場にしても、参照されるのは、男／女＝ロゴス／非ロゴス＝統一アイデンティティ／多層アイデンティティ＝イデオロギー／小説エクリチュールといった、見慣れた二項対立であり、枠組み自体が問われることはない。男／女＝中心／周縁という二項対立が持つ力学に容易に陥っている。分析中に女性性としてとりあげられる属性は、周縁にあるからこそ高く評価されているのであり、男／女という二項対立はその力学とともにそっくり温存されている。[19] こうした反映論の反復から脱しなければならない。従来のフェミニズム批評に向けられた批判の多くは、この点に問題を指摘してきた。フェミニズム批評を実践する側からも「フェミニズム批評は、どうあれば、それが文学的な営みでありうるのか」（漆田和代「フェミニズム批評に引裂かれて」『群像』四七-一〇、一九九二・一〇）といった疑問が提出された。これらの批判は文学研究と政治性を相容れないものとして考える立場によるものであるため、先に述べたように、まず政治性そのものの再規定をする必要があるが、そのうえで、やはり反映論ではなく「文学」という領域での事情について考える必要はあるはずだ。たしかに「文学」という領域は独自性をもつ領域とされてきたからだ。その独自性を成立させるジェンダー・システムの有り様を分析しなければならない。そのような意味で「文学」という領域での固有な展開を考えることは、「文学」を他領域と切り離すこととは違う。他領域との関係の中で、「文学」を考えることになるのである。

さて、こうした限界（ただし、第二の立場が生み出す成果は今後も大きなものだと考えられる）を越えてゆく理論的な可能性をジェンダー理論は明確に提示している。

重要なのは第一に、「両性間に認知された差異にもとづく社会関係の構成要素」としてジェンダーをとらえることである。つまり男と女という記号・カテゴリーをそれぞれにとらえるのではなく、一対をなすものとして取り扱うことである。それにより、枠組みの記号内容を埋めることではなく、性差の記号によるシステムが存在しているということ、それが構造化される過程を分析することが可能になる。女性の物語という、ジェンダーの片方だけに目を向けるのではなく、一対のメタファーとして扱うことで、先の〈女性の視点〉を設定することについての批判は解消される。ジェンダー論の有効性は、例えば男性研究者が関わりやすいといった点でも認められている。ジェンダーのメタファーの構造を分析するのに、〈女性の視点〉という問題設定は必要でないからである。[20] 第二に、その点でこの〈男／女〉という枠組み自体の成立の歴史性を問うことが可能になる。二つの記号のメタファーとしての機能、レトリックとしての機能を分析することにより、文化的本質主義に陥ることを避けることができる。また言説の水準と実体の水準を分けることで、現実の複雑さを前提としたうえで、単純な二項対立として立ち現れる過程を記述することが可能になるだろう。そして第三には、日本近代文学という領域における性差の文化システムを分析することが可能になる。反映論を脱出する可能性をジェンダー理論は拓いている。

フェミニズム批評やジェンダー論が新しい潮流でなくなった今、ことにこの第三点目は重要である。

それは、一つには、フェミニズム批評やジェンダー論が帯びる周縁性を払拭するためである。先にも述べたように、スコットは、ジェンダーという概念を設定し直すことで、歴史学の中心的な問題系の周縁に限定されて論じられる弊を覆した。日本近代文学研究においても、ジェンダーの問題が対象領域を区切るような形で、具体的には家族や性や女の領域に限定して扱われがちであるという状況は同様に認められる。近代文学には家族や性といった問題がむしろ中心の主題になっているという特殊事情があるが、研究の対象に家族や性がとりあげられるとき、それらはそのものとして扱われるというより、何かの象徴として扱われてきた。自我とそれを抑圧する社会にはじまり、個と規範、不定形な存在とそれを分節する言葉、論ずるに足る重要な事柄はそれぞれの時代の文脈における何かであって、既述された文学史に、文学と家族や性のシステムとの関連についての議論が入り込む余地はない。また、男／女という問題では、(とりわけ男性作家の作品を扱う場合) 普遍に対称される狭さ・低さを付されもする。こうした対象の持つ限定性・周縁性が、ジェンダー論自体を特殊化・限定化・周縁化するという事情は、近代文学研究においても共通していると思う。それゆえ、一見ジェンダーとは無関係にみえる「文学」的事象について、ジェンダー分析を試みることが必要となる。

これに加えて、もう一つ、家族や性のシステムあるいは女の状況を扱う場合、他の研究領域、例えば社会学や歴史学における家族や性あるいはジェンダーに関する理論を援用するために、ある種の紋切り型の分析結果が繰り返し提出されてしまうという問題がある。先にも述べたように単なる〈反映〉や〈加担〉としてではなく、「文学」という領域自体のジェンダー・システムを扱うことは、こうした状況を打開するのに有効なはずだ。この点でも、ジェンダー・システムが問題領域を限定して存在するのではなく、ありとあらゆる場にそれぞれの形で生じているのだということを論じる試みが必要だろうと考えている。同時に、男／女というメタファーが機能する過程を、いかに個別具体的なものとして分析するかが、ジェンダー理論の導入の成果を決定するだろう。文学という領域を対象とする以上、この領域における個別具体的な過程を記述することが求められることになる。

## 四　本書の目論見

以上を理論的な前提として、本書では、日本近代文学のジェンダー化の過程とジェンダー化した構造の分析を試みる。焦点を絞ったのは、明治三十年代から大正中期である。この約二十年間というのは、日本の近代文学が、現在と同様の文学をめぐるシステム、つまり、作家の顔や内面を反映したものとしての作品が書かれ、その作家の内面を読む存在として読者がおり、作品を流通させるさまざまな媒体によって作者から読者へ内面が受け渡されるというその回路を支えるシステムが整えられていく時期にあたる。最近の研究で明らかにされてきたように[21]、そうした変化を決定的なものにしたのは明治四十年代・自然主義だと思われるが、本書で指摘したい重要なことは、こうした変化にともなって、文学という領域に対する評価そのものが変化したということである。以前の「文学」は、簡単にいえば、一方で特殊な矜持が付与され（たとえば文士に貧乏は付き物といった）、他方で遊戯に過ぎないというマイナス評価を付与されていたといえる。このように両義性を帯びるのは、中心に対する周縁として「文学」が位置していたからだろう。その周縁性ゆえ、例えば坪内逍遙は「日本の小説は筋骨逞しき四十以上の男が（略）其全力を傾注し命懸けでする仕事たるに足るかどうか」（「功名心と日本の小説」『趣味』明四一・七）という疑問を呈したわけである。

明治三十年代から四十年代への移行とは、単なる「文学」の内容の変化にとどまらない、このような「文学」の帯びた両義性を払拭することを意味していたと思われる。つまり、芸術という価値が（国益に直接回収されない）一つの特権的な価値として認知されその一形態として文学が認知されていくことによって、社会の中心と対立する周縁的な領域なのではなく、社会の大勢から離陸した特権的な領域として重要視されていくのである。

本書はこの過程を記述することを目指すものだが、とくに指摘したいのは、この過程において、ジェンダーというメタファーが重要な役割を果たしているということ、そして、特権的な領域として成立した『文学』は男性ジェンダー化した読者共同体によって支えられるものであることである。先にも述べたように、明治四十年代自然主義期における均質化した「読者共同体」の成立については既に指摘がある。しかし、その偏りについては明らかにされていない。文学が特権性を獲得することは、文学が普遍性を獲得することを意味してもいたが、実はその普遍性には偏りがあるということを、ここではジェンダー構造の分析によって明らかにしたいと思う。明治四十年代以降生み出される、読者と作者の密接な繋がりによって支えられる「日本近代文学」のシステムにおける、ジェンダー構造を明らかにすることが本書の最も重要な目的である。「文学」が芸術として特権的な地位に昇る過程は、再び逍遙の言葉をかりていうと、「筋骨逞しき四十以上の男が（略）其全力を傾注し命懸けでする仕事」へと文学が変質していく過程に他ならない。特殊な領域から特権的な領域へと発展していく過程で、ある種の他者が発見され放棄されるという、アイデンティティの形成過程と類同的な軌跡がみられるが、その他者にあたるのは〈女性読者〉であった。〈女性読者〉の獲得から排除を経て、文学は価値ある重要な領域として自立していく。本書ではその過程を明らかにする。つまり、ジェンダーというメタファーは、この自立を可能にする装置として機能したわけである。

具体的な内容を示しておこう。第II部と第IV部では、一人の作家の名でまとまったテクスト群を分析し、第III部で大正期について分析した。第I部で明治三十年代から四十年代について分析し、第III部で大正期について分析した。すなわち夏目漱石のテクストをとりあげる。第I、III部で「文学」という領域全体の構造分析をめざし、それの具体的なテクスト分析を第II、IV部で試みるという構成になっている。時代の動きの分析とともに、個別の作品におけるそれとの重なりとずれを読んでみようと思う。

第I部は、明治後半期の「文学」の変質の過程について論ずる。第一章では、まず明治三十年代の分析を試みた。現在では女性読者と通俗という二つの特徴が付与される「家庭小説」というジャンルに注目し、そうした評価が形成されてくる変遷を辿る。三十年代の「文学」が抱えた問題を〈理念〉と〈実体〉の乖離（国民の趣味を育成するというあるべき文学と実際に書かれている「不健全」な作品との乖離）として整理し、「家庭小説」がその難問を解決するジャンルとして高い評価を受けたこと、その評価が三十年代後半に至って、〈芸術〉と〈通俗〉という二項対立の成立とともに急落していくことを確認する。想定される読者層は、この評価の変遷に合わせて、〈紳士・女性・子供〉という「家庭」の構成員全体（不健全な文学を《読まない読者》）から、〈女性〉（芸術を《読めない読者》）へと限定化されていく。それは〈女性読者〉の理念的・抽象的な排除（実体としては女性読者は常に存在している）を用意するものとなった。そして〈女性読者〉の抽象的な排除が決定的なものとなるのは、四十年代自然主義においてである。第二章では、その自然主義が果たした「文学」をめぐる変質を、文学と金の関係の再設定に焦点を絞り分析した。四十年代の変質とは文学と金の対立関係を解消するものであり、小説家を職業（賃金を得る労働）の一つとすることにある。それは、作者と読者の境界を取り払うと同時に、職業の有無という基準で読者の中に新たな境界を設ける効果をもたらした。同質化・均質化した（ともに職業を持ち生活に苦しむ、「男性」化した）《読める》（=《書ける》）読者共同体の発生と、《読めない読者》（職業を持つ苦しみに共感し得ない〈女性読者〉）の抽象的排除がおこる。文学はこの過程において男性ジェンダー化する（ジェンダー化した構造において男性の側に割り振られる）。夏目漱石の『道草』を、この転換を語り込んだテクストとして分析した。第三章では、以上で分析したように「文学」という領域が男性ジェンダー化した読者共同体に支えられていることを前提に、具体的に『煤煙』と『峠』という二つのテクストをとりあげ、読むことと書くことの密接な繋がりを確認するとともに、そうして作り上げられる均質化した共同体への、作家主体の関わり方を分析した。息子達の共同体に参加したテクストと参加しないテクストの二つのあり方を指摘した。

第II部では、夏目漱石のテクストをとりあげる。本書では漱石のテクスト群を、第I部と第III部で分析した時代における具体的事例として位置づけている。対象の選択と本書の方法に因果関係があるわけではない。すなわち、漱石のテクストに特殊にジェンダーの問題が存在しているととらえるのではなく、漱石のテクストにもジェンダーの問題が存在するということを論じることが重要だと考えている。漱石という作家も他の作家同様、同時代の動きの中で書いたのである。もちろんその間に完全な照応関係があるわけではない。時代との照応ではなく交渉を読みたいと思う。第四章では、最初の新聞小説『虞美人草』をとりあげ、新聞小説としての時代との繋がりをみた。『虞美人草』は新聞小説を否定する新聞小説であるといえる。その微妙な綱引きを読もう。また、漱石テクストに固有な図式である漱石的三角形（男二人と女一人からなる三角形）の始発として、『虞美人草』を位置づけた。「男」二人を物語り「女」を他者化し排除するこの図式は決定的に〈ホモソーシャル〉[22]な物語であり、明治四十年代以降の「文学」の男性ジェンダー化した風景を象徴しているといえる。その意味で、この固有性は同時代に重なっている。第五章では、『三四郎』をとりあげ、漱石テクストにおいて他者化された「女」がどのように語られているかを分析する。『三四郎』は「女」をあからさまに〈謎〉として語る初めてのテクストであり、語り手と登場人物の二つの水準を区別して〈謎〉が捏造される構造を分析した。また、それが同時代の〈新しい女〉の語られ方と関係していることを補足した。第六章では、明確な漱石的三角形の一例として、『行人』を読む。他者化した「女」についてはほとんど語られることなく、二人の男の物語が語られていることを確認しよう。この三角形は『こゝろ』でさらに展開されるものであるが、『こゝろ』については第九章で扱う。

第III部では、もう一度「文学」全体の分析に戻り、大正期を対象にする。大正期には、男性ジェンダー化した明治末期の読者共同体がより均質化し安定して「文学」を支えている。その有様を『こゝろ』的三角形の再生産にみた。『こゝろ』に語られた三角形は、(『こゝろ』自体が孕んでいる亀裂とは無関係に)より単純化されて大正期に繰り返し引用されている。繰り返せば、二人の男とそれに挟まれた一人の女からなる漱石的三角形は単純化すれば決定的に〈ホモソーシャル〉な図式であるゆえ、大正期の均質な文学共同体を象徴する話型として機能していると思われる。第七章では、『こゝろ』的三角形が再生産されていることを確かめ、その有り様と大正期の「文学」的テーマとの関わりを論じた。『こゝろ』的三角形の生産する均質性は、大正期の「渾然」という価値と質的に重なると考えられる。また『こゝろ』的三角形の引用という類似性が無視され、逆に「独創」という価値のみが前景化していることに注目し、この時期における、(原型を)読むことを前提として書きまた読むという文学的「快楽」の構造について述べた。第八章ではさらに、『こゝろ』的三角形が『こゝろ』(三角形の勝者の物語)とは逆転する形(三角形の敗者の物語)で再生産されており、それが原型との水準の違いを「渾然」化した参加型の模倣(もう一つの視点からの語り直し)であること、またテクストの語り手と聴き手と読者の水準の差異が「渾然」化されていることを指摘し、こうした特徴がやはり均質な読者共同体の属性と深く関わることを示した。

第Ⅳ部では、再度、漱石のテクストを扱う。第九章では、『こゝろ』について論じる。『こゝろ』が〈ホモソーシャル〉な三角形の代表作であることは、既に繰り返し指摘されているので、ここでは『こゝろ』的三角形とは直接関係しない水準で、(男と男の関係ではなく)異性愛(男と女の関係)の書き込まれ方をみることにする。〈ヘテロセクシュアル〉な「恋愛」が超越的に意味生産を拘束していることを指摘する。『こゝろ』は〈ホモセクシュアル〉な欲望すら読み込まれる男と男の関係の前景化した作品だが、異性愛の強制性はそこにもはっきりと読むことができることを示そうと思う。最後に第十章で、『明暗』をとりあげる。漱石の最後の作品である『明暗』では、女二人に男一人が挟まれる三角形が描かれ、漱石的三角形が特殊に変形していることが読める。『明暗』は男と女の関係について語る作品であり、排除され続けた「女」が、その他者性を維持したまま、それゆえのある可能性を託されて語られていると考えている。

以上、明治三十年代から大正中期までを対象として「日本近代文学」のジェンダー構造の変容過程を記述することを目指したい。「文学」という価値が成立していく過程において、ジェンダーというメタファーがいかに機能したのかを分析したいと考えている。夏目漱石のテクストは、そのようにジェンダー化した「文学」という場における、一つの例でもある。重なりとずれを読みたい。

性差をめぐるメタファーには、一見ジェンダーとは無関係にみえるさまざまな事態が関わっている。繰り返すが、逆に言えば、一見ジェンダーとは無関係にみえる「文学」的な主題も、ジェンダー化しているということである。複雑な現実における一つの水準の分析として、ジェンダーという概念を導入し、それと「文学」の関わりを明らかにすることが本書の目的である。

(1)ジョーン・W・スコット「序論」(『ジェンダーと歴史学』一九八八、荻野美穂訳、平凡社、一九九二・五)。
(2)ジュディス・バトラー「セックス/ジェンダー/欲望の主体」上・下(『ジェンダー・トラブル』一九九〇、荻野美穂訳、『思想』八四六/八四七、一九九四・一二/一九九五・一)。
(3)前田愛「展望 最近思うこと」(『日本近代文学』二七、一九八〇・一〇)。
(4)石原千秋「解説—作品論のために—」(『夏目漱石Ⅲ』有精堂、一九八五)。
(5)小森陽一「展望 沼亀モーラの幻影」(『日本近代文学』三三、一九八五・一〇)。
(6)小森陽一「聴き手論序説」(『成城国文学論集』二〇、一九九〇・三)、「聴き手論序説(二)」(同二一、一九九一・八)など。
(7)それまでのコミュニケーションモデルは、共通のコードやルールがあるということが暗黙の前提とされた、対称的な関係におけるコミュニケーションをモデルとしていた。つまり、メッセージは発信者から受信者に共通のコードに則って正しく伝わるものと想定されている。それに対して、非対称的な関係を前提としてコミュニケーションが理解される場合、メッセージは互いのコードやルールを学びあう中で、ようやく伝わることになる。比較的スムーズなコミュニケーションが成立する場合もあれば、ディスコミュニケーション(コミュニケーションに障害がある状態)に陥る場合もある。
(8)「**他者**とは、自分と言語ゲームを共有しない者のことでなければならない。そのような他者との関係は**非対称**である」(「他者とはなにか」『探究Ⅰ』講談社、一九八六・一二)という柄谷行人の議論などを参照されたい。
(9)ウィトゲンシュタイン『哲学探究』(一九五三、藤本隆志訳、『ウィトゲンシュタイン全集』第八巻、大修館書店、一九七六・七)。
(10)M・フーコー『知の考古学』(一九六九、中村雄二郎訳、河出書房新社、一九八一・二)など。たとえば、「一冊の書物の周縁は、決してはっきりしてもいなければ、厳密に区切りがついてもいない。(略)関係の束として理解された書物の統一性は、此処と彼処では、同一なものと見なされることはできない。(略)その統一性たるや、可変的で相対的なものだからだ。問われるや否や、それは自己の明証性を失う。それは自己自身で示すことはできず、ただ、言説の複雑な領野から出発してのみ、自己を構築することができる」(「言説の規則性」)とする。

(11) たとえば『文学』での特集、「メディアの政治力―明治四〇年前後―」(季刊四-二、一九九三・四)、「メディアの造形性」(季刊五-三、一九九四・七)を参照されたい。

(12) エレイン・ショーウォーター「序論―フェミニズム批評の革命―」および「フェミニズム詩学に向けて」(『新フェミニズム批評』一九八五、青山誠子訳、岩波書店、一九九〇・一)。

(13) E・ショウォールター『女性自身の文学』(一九七七、川本静子他訳、みすず書房、一九九三・三)。

(14) 前掲注(1)。

(15) 「ジェンダー 歴史分析の有効なカテゴリーとして」(前掲注(1)参照)。

(16) 確認しておきたいが、ここでメタファーというのは、〈女〉という概念が実体を離れて使用されるということのみを意味(あるいは批判)しているわけではない。水田宗子は「暗喩(メタフォア)としての女性」について、次のような形で問題化した。「フェミニズム文学批評の第一歩は、文学作品という広義の文化的テキストにおける表現や言説の中で、暗喩としてしか存在し、機能しない女性像を、生きる主体としての女性の目から読み直すことに始まり、それを通して多くのことを発見してきた」(「「書く」女性と「読む」女性―フェミニズム文学批評の課題―」『日本文学』三六-一、一九八七・一)。水田はその後も、メタファーの機能を〈女〉のモノ化や、意味の固定化の問題として論じてきているが(『物語と反物語の風景 文学と女性の想像力』田畑書店、一九九三・一二)、本書の立場は、それとは異なる。メタファーという場合、あくまでも男/女という一組になったものとしてのジェンダーを問題化する。〈女〉同様〈男〉もメタファーとして使用されている。問題にしたいのは、そのようにして、性差がレトリックとして使用されるという事態そのものである。

(17) 日本のフェミニズム批評のまとめとして、北田幸恵「フェミニズム文学批評の「現在」(日本編)」(水田宗子編『ニュー・フェミニズム・レビュー』二、学陽書房、一九九一・五)、それを改稿した「日本のフェミニズム文学批評の「現在」」(『日米女性ジャーナル』一六、一九九四・五)、大河晴美「フェミニズム批評の動向」(『新日本文学』五四四、一九九三・一〇)などがある。参照されたい。

(18) ファロセントリズム(男根中心主義)とロゴセントリズム(言語・論理中心主義)を重ねた概念。ジャック・

デリダが発展させた。

(19) また同時にこうしたエクリチュール論が依拠する脱構築の枠組みからいえば、女性性と名づけられたそれは性の制度をも逸脱するはずのものとなり、それが女性性と名づけられる根拠が霧散するという自己撞着に陥ってしまう（小原眞紀子「〃女の書きもの〃をめぐって—M・デュラスと岡本かの子—」『群像』四八-一〇、一九九三・一〇）。

(20) ただし、このような女の多様性そのものについて考える場合にも、ジェンダーという概念は有効である。実体としての女の多様性を前提とし、にもかかわらず〈女〉というカテゴリーが一枚岩的に機能するという事態を分析するための概念だからだ。逆にいえば、これらの問いに示されるような実体の多様性を確認するためにこそ、カテゴリーの機能を分析する必要があるのである。

(21) 前掲注(11)特集。

(22) 〈ホモソーシャル〉の概念については第六章第六節でより詳細に論じている。参照されたい。

＊ 漱石テクストの引用は、『漱石全集』（岩波書店、一九六五～六七）により、旧字を新字に改め、ルビを省略した。

# 第Ⅰ部
# 「文学」と読者共同体

第一章

# 境界としての女性読者

## 《読まない読者》から《読めない読者》へ

### 一　「家庭小説」と通俗と女性

あるカテゴリーの意味づけが時間の流れとともに変化していくということは、それぞれの意味づけが歴史性を持つということと、カテゴリーと意味の関係が本質的には無根拠だということを示すだろう。本章でとりあげようとしている「家庭小説」は、そうした意味づけの変化がきわめて短い間におこったカテゴリー、日本近代文学のひとつのジャンルである。明治三十年代におこったこの変化は、このジャンルに該当する作品自体の変化であるとともに、作品の評価、そしてこのジャンルそのものについての評価の変質でもある。作品やジャンルに関する評価が時代の要請に従って変化することは珍しいことではないが、家庭小説において特徴的なのは、作品とジャンルの位相にずれがあるということ、またそれぞれの評価における変質がそれ自体多層的であるということだ。このずれや多層性は、「家庭小説」というジャンルの境界性の証左として考えられるだろう。一般的に、境界にあるものは多義性を帯びやすい。ここでは「文学」の中心からみた境界性であるが、もちろん同時に確認しておかなければならないのは、「文学」の価値自体が大きく変質しているということである。むしろ「文学」という価値の変質を可能にしたのが、境界としての家庭小説の文学史における機能だったと考えるべきだろう。ここで論じてみたいのは、「文学」のアイデンティティ形成そのものにおけるジェンダー化の変容過程である。ジェンダーは、ありとあらゆる場において有徴な記号として機能しているが、その機能の仕方は一定ではないのであり、近代文学という領域においても当然変化がある。その変化をおってみたい。

さて、家庭小説という概念が登場したのは明治二十年代の末である。代表作といわれる徳富蘆花『不如帰』、菊池幽芳『己が罪』『乳姉妹』、中村春雨『無花果』が出始めるのは三十二年を過ぎてからである。角書きとして家庭小説という名称が登場するのは三十六年で、『乳姉妹』はその最初の新聞小説として知られる。単行本としては、三十九年あたりから「家庭小説○○」という表題の小説がかなり出ている。(1) また、翻訳の中にも家庭小説の角書きを持つ別の系統の作品群がある。『家庭小説未だ見ぬ親』(2) など、今では児童文学に範疇化されている作品である。概念の登場と代表作、そして量産された「家庭小説」、さらに別系統の「家庭小説」。これらの間には時間的なずれがあり、また質的なずれが生じている。本章で重要視するのはこれらのずれと重なりであるが、まずは、先行の研究を整理することからはじめたい。

家庭小説は読者、とくに女性読者の問題と結びつけて説明されている。たとえば、瀬沼茂樹は「家庭小説は家庭婦人を主な読者とする（略）近代文学の発生にともなって生まれてきた新種の「婦女童蒙の玩弄物」というような性質をもっている読物であると考えられる」という。[3] 瀬沼も引用している加藤武雄「家庭小説研究」[4]でも、「通俗小説のうち、特に、家庭の読物としてふさはしいやうな小説、それを家庭小説と云」い、「家庭小説といふ言葉は、予想された読者の種類によつて規定された言葉で、材料から規定された言葉では無い」としたうえで、「家庭小説は、より多く女性の読む小説である」とする。また、瀬沼が「玩弄物」と評したように、家庭小説は基本的に文学的価値の低いジャンルとして扱われている。典型的には「低級な通俗な家庭小説」[5]と説明される。そして、「低級な婦女子の涙を誘ふ、安価な新聞小説となつて、文学作品として大きな価値を有することが出来なかつた」[6]という表現に示されるように、対象となる女性読者と通俗性は、家庭小説というジャンルの中できっちりと結び合わされている。ただし、注意しなければならないのは、「現代の通俗小説作家の書いてゐる八十パーセントまでは、家庭小説と言つていい」[7]と説明しうる大正期家庭小説については、このような特徴・評価が妥当なものといえたとしても、明治三十年代に登場し始めた家庭小説については当たらないということである。

加藤の論とほぼ同じ一九三〇年頃、日夏耿之介は「今でこそ家庭小説とて、文壇作者等の軽視を買つてゐるものゝ、当時は文壇の一部の強大の勢力であつた」といい、「二十年代三十年代に、文壇は今日のいはゆる通俗物も芸術物も一まとめにして、文壇所産として扱つてゐるのが、自然派前後を境として、文壇の芸術小説と新聞や雑誌の通俗小説と判然と二通りに別れるに至つた」という[8]。家庭小説が通俗ジャンルとして定位されるのは、「芸術」がアイデンティティを確立したその時なのである。また、出始めの家庭小説は「通俗」ではなかったのと同じく、読者は女性に限定されてはいなかった。尾崎秀樹が指摘するように、「今では家庭小説といえば、通俗的な恋愛小説として受けとめられるが、もともとは老いも若きもともにたのしめる家庭の小説といった内容のものであり、いわゆる深刻小説と対置される作品をさしていわれた[9]」のである。

一例として、明治三十四年九月の『帝国文学』が「家庭小説」の登場を「喜ぶべき現象」として説明する文章を引用しよう。「社会の改良は、家庭の改良に在り、家庭の改良に、大勢力を有するは、家庭小説なり、而して上下あらゆる家庭が、好んで之を読まんとするの傾向を示す、小説家の奮励一番すべきはこの時也、世人をして小説が社会に及ほ(ママ)すの、真勢力を知らしめ、小説を以て社会の木鐸となすの理想、此好期を逸して、又何れの時にか、之を達するを得む」。ここにおける読者は「上下あらゆる家庭」であって、とくにジェンダー化されたものではない。そして、小説家が揃って制作に励むことを強く期待されるジャンルである家庭小説は「通俗」なのではなく、逆に「理想」を実現するジャンルとされている。代表作となる『不如帰』や『己が罪』は、女性読者のみに歓迎されていたわけではなく、むしろ男性読者が読める小説であるということが、その評価の核となっていたのであり、家庭小説を通俗的ジャンルとしてそれに女性読者を結びつける評価は、後につくり出されたのである。

本章では、こうした評価の転換の過程と意味を丁寧に辿ってみたいと思う。先にも述べたように、家庭小説における転換は、「文学」という価値の変質そのものと関わっている。「文学」の芸術的価値を定位させたことが、家庭小説の文学史における機能である。後に詳述するが、「理想」とはいっても、家庭小説におけるそれは、一般の読者に忌避される小説を読者に受け入れさせるという役割が重要視されており、その点で非常に価値両義的な要素を含んでいる。こうした両義性は家庭小説の境界性による。

そして、こうした過程と「女性読者」の繋がりについて、「文学」の成立の過程の中で、どのように「家庭小説」を経由して「女性」と「通俗」が結びついたのか、その過程を明らかにしたいと思う。ここであらかじめ注意しておきたいのは、問題にする「女性読者」は、実際の女性読者ではないということだ。実体としての読者、つまり誰が実際に読んでいたのかというレベルと、抽象的理念としての読者像のレベル、つまりどのような読者が想定されていたのかというレベルを分けようと思う。実体としての女性読者は昔も今も、存在してきたし存在している。そのことと、「女性読者」が何かを代表し、ある意味づけや評価を受けることとは、レベルが異なる問題である。初等教育の一般化による識字率の上昇、女性への高等教育の充実化にともない、女性読者は数量的には増加の一途を辿ったわけであるが、それに比例して「文学」が女性読者に普遍的に開かれてきたわけではない。実体としての女性読者の変化によって、「文学」という領域と女性読者との関係における変化を説明しきることは不可能である。

ここでは家庭小説の代表作のうち『己が罪』を中心にとりあげる。『己が罪』より先に『不如帰』が発表されているが、読者の評判が作品とジャンルの評価を強く左右し、その後「芸術」としての評価を決して得ることがなかった菊地幽芳の『己が罪』こそ家庭小説におけるさまざまなずれをより明確にあらわすと思われるからである。

## 二 『己が罪』前史

明治三十年代的家庭小説という概念が登場するのは、「家庭と文学」(『帝国文学』明二九・一二)「家庭小説」(同、明三〇・五)からであり、実作品が確定する以前の家庭小説についての議論は『帝国文学』「雑報」を舞台としている。もちろん『帝国文学』のみで論じられたわけではないが、中心となったのは『帝国文学』である。ここではその「雑報」[10]での議論の流れをおさえ、この時点での家庭小説がおかれた位置を確かめたい。

さて、家庭小説提唱の引き金となるのは文壇の「不振」論である。ここにいたるまでの経緯を簡単においておこう。『帝国文学』が発刊される明治二十八年、日清戦争が終結に向かうなかで、小説専門の『文芸倶楽部』(明二八・一創刊)、総合雑誌として小説や批評を掲載する『太陽』(明二八・一創刊)などが相次いで発刊され、文壇は息を吹き返す。「文壇の気運、また廿七年の比にあらず」(「明治廿八年の小説界」明二九・一）といわれている。二十八年十二月の『閨秀小説号』（『文芸倶楽部』）、年明けの『青年文学』（『文芸倶楽部』明二九・二）、新進作家による『国民之友』新年付録（明二九・一）など、文壇は新作家に溢れ、二十九年は活況を呈している。が、その後徐々に失速、三十年には「一時は新作家の気焔頗る昻りて、旧作家を圧する程なりき。然るに前年の末よりして、やうやく其勢力を失ひ、進歩の気運一頓挫に遇ひしが如くなれり」（「作者の忠実」明三〇・七）。「明治文壇あつて以来未曾有の盛況を呈したる一昨年の小説界は昨年に入りて甚だ振はず」（「明治卅年の文芸界概評」明三一・一）と三十一年の年始めにはまとめられる。「不振」に陥ったのである。こうした認識は『帝国文学』に限ったものではなく、「近頃の如く異口同音に文壇の不振を唱ふるに至りては稍々注意すべき必要あり」（「彙報　文学」『早稲田文学』明三一・六）といわれるほど、「文壇不振」は文学界の流行語になっている。

その不振の打開策として家庭小説は提唱されることになるのだが、それ以前にも悲惨小説や深刻小説あるいは社会小説が提唱され、それぞれ破綻している。よくいわれるのは、それらの小説の救いのない悲惨さに対する反動として家庭小説が迎えられたということだが、そうとばかりはいえない。金子明雄は「「社会小説」論争が表現していた小説の〝課題〟を解消する役割を果した」として「「家庭小説」と「深刻小説」などとの並行的な性格」があることを指摘している。[11] まさしくこれらのカテゴリーの乱立には共通点があるのである。金子が指摘する課題とは、題材と読者層の拡大というものだが、ここではその前提として〈実体〉と〈理念〉のずれが問題になっていたということを指摘しよう。家庭小説もまた、その点で同じ特徴を抱えている。この時点での家庭小説論では、例に挙げられる実作品がばらばらなのである。例えば、弦斎の小説（「家庭と文学」明二九・一二）、尾崎紅葉『多情多恨』（「家庭小説」明三〇・五）、広津柳浪『羽ぬけ鳥』（「光明小説」明三一・二）、内田魯庵『暮の廿八日』（「宗教小説と家庭小説」明三一・四）、露伴の小説（「蕉窓漫言」明三三・七）。再び言及されるものがないということは、この時点では代表作といえるものが無かったことを示している。まったく〈実体〉を欠いた〈理念〉のみが繰り返されていたというしかない。社会小説もまた、完全に〈理念〉先行型であり、その典型といってもよい。よく知られているように、社会小説というカテゴリーについての議論は「社会小説出版予告」（『国民之友』明二九・一〇・三一）が出たことによって始められたものである。そして、その予告は結局のところ実現されなかった。まったく〈実体〉を欠いたまま、議論のみが繰り返されたのである。こうした意味で、これらのカテゴリーを生んだ動きは、同じといえる。[12]

この〈理念〉の先行は、現に書かれている〈実体〉としての小説に対する批判が生んでいる現象である。『帝国文学』での流れをみておきたい。

不振についての基本的な論調は、現在の小説の狭量さに原因を見、それを何らかの形で拡大することを解決策とするものである。例を挙げよう。「新進気鋭の青年作家（略）一生の精力を尽し満腔の熱血を灑き、明治の文学をして後代を雄視せしむるほどの大作を出さんとせば、何んぞ勇猛奮進して親く身を実際の社会に投ぜざる」（「大に作家に望む」明二九・一二）。「余輩は局外より今の小説作家が、一歩を進めてかの金殿と大道との詩料を捕へん事を望む。試みに諸氏が捕ふる処を見るに、所謂下宿屋若しくは小官吏小学士の間に起る小事件に過ぎず。王公貴人を捕へ来つてこれを自家の脳裏に詩化するが如き作家は今や一人だになし」(「小説の新題目」明三〇・二)。つまり、〈実体〉がひどいという認識がそれと切り離された〈理念〉を生み、その〈理念〉があるから〈実体〉が批判されるという回路になっている。〈理念〉と〈実体〉がずれることは、原理的にはさまざまな場面でおこっていると考えられるが、ここでは「今日の所謂文士たる者は、気概既になく、之に加ふるに品格體度も鄙陋に流れたるの感あり(略)吾人は耳を清めて一曲祖国の歌に比すべき雄壮なる国民的謡辞を聞くの日を待つ者なり」(「文士の気概」明三〇・五)という、「今日の所謂文士」への批判が繰り返されるわけで、ずれ自体が解決すべき急務の課題として極端に前景化しているといえる。

このずれの具体的な内容としては、対象の狭さが問題にされている。観念小説・深刻小説・悲惨小説・社会小説といったジャンルは、書生社会や斜狭に限られる素材をまずは下層階級に向けた点で対象の拡大という要望に応えたものと考えられる。たとえば、社会小説の予告は「曩日の奇矯作家も亦念頭を実在の社会に置き、月雪風流、白粉紅膩、唯嬌、唯艶是れ喜ぶの文士も亦、社会、人間、生活、時勢といへる題目に着眼して以て数年錬磨の筆硯を致さんとす(略)期する処は文壇の革新にあり」(『国民之友』明二九・一〇・三一)。けれども、この広げ方では不十分だったのである。『帝国文学』では、それらに関しても「一党派一階級の為めに気焔を吐きて一派読者の同情を博するも、そは、読者が当時の境過に不満なるより起る同情にして、詩歌の功妙なるより起るものに非ず、之を要するに政治、宗教、社会、小説の如きは其内容は如何に真面目なるも到底小説の最高最美のものを成す能はさるなり」(「社会小説」明二九・一二)として、結局「一党派一階級」「一派読者」にしか対応していない狭いもので、「詩歌の功妙」に貢献するものではないと批判している。この事情を金子明雄は「作者の側から言えば、題材の拡大という方向で社会との繋がりを保つ志向と、より広範な読者への対応という方向で社会との繋がりを保つ志向とが、不調和な関係にある二つの焦点として併存している」と説明した。つまり、題材に関しては広がったが、「労働者や貧民という社会の中にあって読書界の外に存在する多数の人々」は「読書の〝共同体〟」になりえなかったという。読者、これが問題なのである。

こうした文脈の中で、「社会小説」を批判した『帝国文学』の同じ号に「家庭と文学」という記事が掲載される。少々長めに引用しておきたい。「必ずしも道徳と云はず、必ずしも実用と云はず予輩は唯借問す、今の文学者の眼中、果して社会ありや否や。家庭ありや否や。(略)ともかくも、唯漫に小機智に駆られて、幾んと家庭間に読むべからず、風俗を紊り、人倫を害するやうなるものを草して、自から疚しからざるを得る乎」というように、ひとつには現在の文学に対する批判が述べられる。そして、「要するに日本の女子は教育足らず、日本の家庭の低度は卑し。教育を受けたる男子が生活の理想を寓するに足らず」という国民の、ことに「女子」の趣味の現状をふまえて、「唯文学者も留意せよ社会の一分子として、家庭の趣味を高め、家庭の和気を図る幾分の労を分てよ」という文学への期待が提示される。最後は「今の詩人小説家などは、多く壮年にして、未だ家を成さず、彼等の堕落せるものは狭斜の地は或は之を解す。然れども家庭を知らず、社会を知らず、宗教を知らず、教育を知らず。眼界狭く、材料乏し。而かも涙なし。止んぬる哉」としめられる。つまり〈実体〉への非難である。繰り返すが、ここで問題になっているのも、文学をめぐる〈実体〉と〈理念〉の隔絶といえる。趣味を高めることが文学の〈理念〉であるにもかかわらず、現在の文学の〈実体〉はおよそそれに達しないという危機意識。この二つを仲介するのが「家庭」という領域だとされるのである。それは、金子のいう題材と読者層という二つの方面での拡大を可能にするものだった。

素材の点での拡大に加え、家庭における読者の啓蒙と開拓という点で拡大を図ることになる家庭小説は、社会小説より確かに拡大の可能性を持つが、〈理念〉は、中でもこの読者獲得の点に関わっている。先の社会小説が被った、小説としての価値が低いという非難を、家庭小説は受けていないことに注意したい。この違いは文学の〈理念〉に関わるものであり、その〈理念〉は読者に関わっているものだ。家庭小説が担い得た〈理念〉とは、読者を育てるという理念だった。これは、家庭における「趣味」の向上、国民に対する趣味教育は文士の任務であるという大前提によると思われる。「傑作の出でむことを望まば、先づ読者の眼孔を高めざるべからず」(「嗜好の程度」明二八・四)、「批評とは単に作者に対する指南車にあらず、実に読者の嗜好を啓発するの大目的を有するものたり」(「批評の目的」明二九・二)、「予輩は文学を以て社会に聯関して社会進歩の血となり肉となるものと確信せむと欲す」(「文学果して酒の如き乎」明二九・一〇)など、趣味の啓発・啓蒙の任務を最重要視するという文学観は、この時点での基調をなしている。家庭と小説という組み合わせはこの点に矛盾無く合致するのであり、それゆえ、社会小説等が被った批判を受けることがない。こうした文脈の中でなされる家庭小説の定義は「一家団欒の和楽、棠棣韓々の快観水入らずの間に成立つ渾然たる愛の珠の叙事詩」となる。もちろん「一方愛の半面を発揮し他方社会改良の一助とならむことを信すれば」というのがその理由になる（「家庭小説」明三〇・五[13]）。

その〈理念〉は実現されなければならない。「われ等は暫らく此の種の小説（現在の小説――引用者注）を排斥し、読者の趣味を高うし、思想を高尚ならしむべき小説を望む、左れば小説家は必して、道徳的思想に注意すべし。かくて始めて良好なる家庭の侶伴は出でんか、われ等は強いて小説家に向つて道徳的作家たれと言ふにはあらず、而も其の精神をして常に、道徳的思想の間にあらしめて、其の作に於て自からに此の精神の顕はれしめん事を望むなり」（「小説と家庭」明三〇・一二）という。家庭小説は、非常に〈理念〉的なジャンルなのである。ただし、この引用での「道徳」の扱いは微妙である。「家庭は又た小説読者の大部分」「道徳的思想のなき小説のこの家庭に入らんとするは抑も難し」というのが「道徳」を望む理由であるが、これが文学的〈理念〉と抵触するものではないことが、少々回りくどく説明されている。ここには、小説の不振をよそに「俗受け」しているジャンル「講談」との勢力争いがからんでいる。

「講談」は道徳的なジャンルだった。「必らずしも小説の講談等に劣れるが故にはあらずと雖も」「道徳的思想」の点で「家庭の読み物」にふさわしいと認める。だからこそ「道徳」は、このような「講談」に対抗し現在の文壇の不振を打破するための必須条件となったともいえる。家庭小説は、こうした文脈のもとに、「趣味」の教化という大義名分を引き受け「道徳」と〈理念〉を調和させる小説として望まれた。その意味では、同じく道徳的でありながらも趣味の低い講談はこの時点での「通俗」を代表するものであったと思われるが、家庭小説は、この「通俗」と隣り合わせでありながらも、〈実体〉としてある現在の不健全な小説とは対照的に、〈理念〉に近いジャンルとして設定されているといえるのである。「通俗」なジャンルではなかったのだ。

文壇の不振を契機にしていること、〈実体〉と〈理念〉のずれが議論の基盤をつくっていること、素材と読者層の拡大が求められていたこと、道徳と趣味という〈理念〉を担った家庭小説は〈実体〉との間を埋めるものとして設定され望まれたジャンルであるということを説明してきた。さて次に確認したいのは、「家庭の描写は作家が最多く且最永く読者の同情をひくに最良き手段なり」(「家庭の描写」明三二・六)という際に想定されていた家庭の読者の具体的な内容である。端的にいって、それは「女性」ではない。そもそも、かりに「女性」に限られているとしたら、読者層が拡大したことになるだろうか。現在では女性読者のものとされる家庭小説におけるジェンダー化について考えなければならない。実は、「明治の文壇に欠乏する所のものは其れ熱血乎。(略)何ぞ其れ醜陋卑劣にして、男らしからざるや」(「明治文壇の欠点」明二八・四)、「今の作家、生理上より見れば、男子多かるべし。然れども真に男らしき作物をものするものは果して幾人かある」(「沈痛の趣味」明二九・一)、「今の小説界、もと廉恥心あるものなし、(略)男らしからざるも亦甚しく、人をして嘔吐を催さしめんとす」(「先進の務」明二九・三)という言い方がある。ここでは、文学は女性ジェンダー化されている。日清戦争の余韻の中での表現で、家庭小説が提唱される頃にはこうした表現は姿を消しているのだが、〈実体〉批判という点では共通した枠組みをもっている。そして〈実体〉の強烈な否定にはこのような意味が暗に含まれているとも考えられる。となると、やはり獲得すべき読者は「女性」であるはずがないのである。家庭小説が獲得を目指す「読者」はもっと広い。

参照したいのは、「現今読書社会に於ける二個要求は、厳粛純潔なる家庭に用ゐらるべき趣味ある読物、及び児童の心境智識を開発すべき無害の物語類なるべし」（「蕉窓漫言」明三三・七）というような文章である。ここでは家庭に入れ得るジャンルが二つに分けて挙げられている。後者については、「少年文学」というジャンルを想定することができるだろう（「少年文学」明三一・四、「少年文学の新要素」明三二・九、「少年文学の本領」明三三・五など）。「少年文学とは、家庭文学の謂に非ず」（「少年文学の新要素」）と、独立した扱いが積極的に論じられる場合もある。しかしむしろ「家庭文学の謂に非ず」と問題化する必要があるということは両者の関係が曖昧であることを示している。「読書会に於ける二個要求」としてこの二つが挙げられる際も、両者の別よりも、両者を一括して問題化していることを重要視すべきだろう。ここからわかるのは、家庭小説の読者がとくに「女性」化されているわけではないということである。

「読書社会に於ける二個要求」として、家庭小説等の理念が提唱されることになる具体的な契機には、明治三十二年の、高等女学校校長会議での小説禁止の提言と、青少年学生の風紀の乱れの原因として小説の弊が論じられたことが想定できる。[14]『帝国文学』では三十二年七月にこれに関する議論が具体的に出ている。「文学と道徳」の項では「年少学生をして、小説を読ましむるの可否」について論じ、「誰か烏の雌雄を知らむ」の項で「吾小説か(ママ)愈其趣味を堕落して、最早清新健全なる読者の愛顧を繋ぐに堪へざるに至りしは、余輩論者と共に、其事実なるをしる」としたあと、「家庭の観念」の項で「女性徒に向つて小説を禁ぜむとするに至らしめし所以のもの、蓋し作家が、世の家庭に対する観念の欠乏せるに原づかずむばあらず」とする。二つの問題は一括され家庭と文学の対立を提起するものとして扱われている。家庭小説と少年文学との領域が曖昧であることはまた、現在では『家無き子』の名で知られる『未だ見ぬ親』が「家庭小説」の角書きのもとに訳され流通した事態からも容易に理解される。家庭小説は完全な子供向けのものとしてもありえたわけである。したがってこの時点では、性差は有意味な分割線ではない。

先に、文学は女性ジェンダー化してもおり、女性読者の獲得は目的にならないといった。しかし、同時に注意しておきたいのは、だからといって女性が排除されるわけではないということだ。一方で、〈実体〉としての小説の「不健全」性は、次のような観念を生み出してもいる。中山清美は「淫猥、卑猥の小説が婦女の道徳感(ママ)に及ぼす害」から「〝女性と文学〟という組み合わせには、それだけで忌避されなければならないイメージが付きまとっていた」ことを指摘している(15)。この点では、女性と文学が問題にされる場合、とりわけ文学の道徳性が重要視されることになる。そして、やはり〈理念〉と〈実体〉の隔絶が問題にされる。「流俗の文学なりと称するものは反りて家庭の活気を失ひ家族をして遊怠に化する恐ありされは真正の文学を選はでやはあるべき」(三輪田真佐子「家庭と文学」

『太陽』明三〇・二）。先の明治三十二年の高等女学校での小説禁止についても、「畢竟這般の問題の起れるは、今の小説家の描く所、野卑にして狭隘に、子女の痴情を惹くの外、感ずべき点少なきが為めなり」として「八犬伝、源氏物語、水滸伝の如きを始め古来有名なる作物一切」と「「今日の小説」の未熟なる」を分別すべきという（山形東根「講義　女学生の小説を読む利害」『女学雑誌』明三二・一〇・一〇）。

そしてここで重要なのが、先にも述べた通り、この場合の「女性」は特殊化されたものではないということだ。先に引用した「要するに日本の女子は教育足らず、日本の家庭の低度は卑し。教育を受けたる男子が生活の理想を寓するに足らず」という部分にも表れているように、この文脈における「女性」は国民を預かる役目をおった存在であり、女性の後ろには「教育を受けたる男子」＝「紳士」がおり、また小国民である「子供」がいる。家庭は、不健全な文学の進入を許さぬ「清新な」場であり、不健全な小説を読まない「紳士」と「女性」と「子供」がいる場なのである。ここでの読者は、ジェンダー・ニュートラルな形で想定されている。女性ジェンダー化した〈実体〉が前提としてあり、それを変容させようとするこの段階では、そのような戦略が積極的にとられていると考えられる。

「女性」と「子供」と「紳士」、これら「家庭」における読者をまとめて、《読まない読者》と呼んでおきたい。〈理念〉的な文学を生み出すため、既存の〈実体〉としてある小説を読まなかった、《読まない読者》がここで発見されたのである。この《読まない読者》の文学の側への引き入れが急務の課題として浮上したわけである。「小説読者の大部分たる」（「小説と家庭」明三〇・一二）家庭における《読まない読者》の存在は、文学不振の証左であり原因である。もちろん育てられるべき《読まない読者》については、趣味の低さが指摘されてもおり、小説不振の原因を社会の趣味の低さそのものにみる議論はある。しかし、そうした形で〈理念〉的文学の高尚さを訴えれば訴えるほど、結局はそれで解決されない〈実体〉の不健全さについての危機意識が浮かび上がるという構図が、家庭小説提唱に繫がっているのである。家庭小説に根本的な批判がかぶせられることはない。家庭の趣味を高めるため、趣味ある領域としての文学という〈理念〉を実現するため、小説は家庭で読まれなければならない。そのために〈実体〉としての文学は批判され、家庭小説の登場が新たに望まれる。

〔〈実体〉としての文学／家庭小説＝〈理念〉としての文学〕

三つの関係を図式化すればこうなる（図1のIの部分を参照）。大きな分割線は、〈実体〉としての不健全な文学と家庭小説の間に引かれていると考えられる。この分割線はいずれ引き直されることになるが、この時点での家庭小説については、こうした関係を了解しておくべきだろう。いずれ登場すべき「家庭小説」。そもそも、ここで想定されるような「家庭」自体が、明治三十年には無い。『帝国文学』が実作品を掲載することのない、議論の対象としてのみ「文学」を扱う雑誌であったということと、〈実体〉を欠いたまま〈理念〉のみが先行する形で「家庭小説」という概念が注目を集めたという事情は、不可分に関係しているだろう。まだ存在しない「家庭小説」、それが〈実体〉化される次

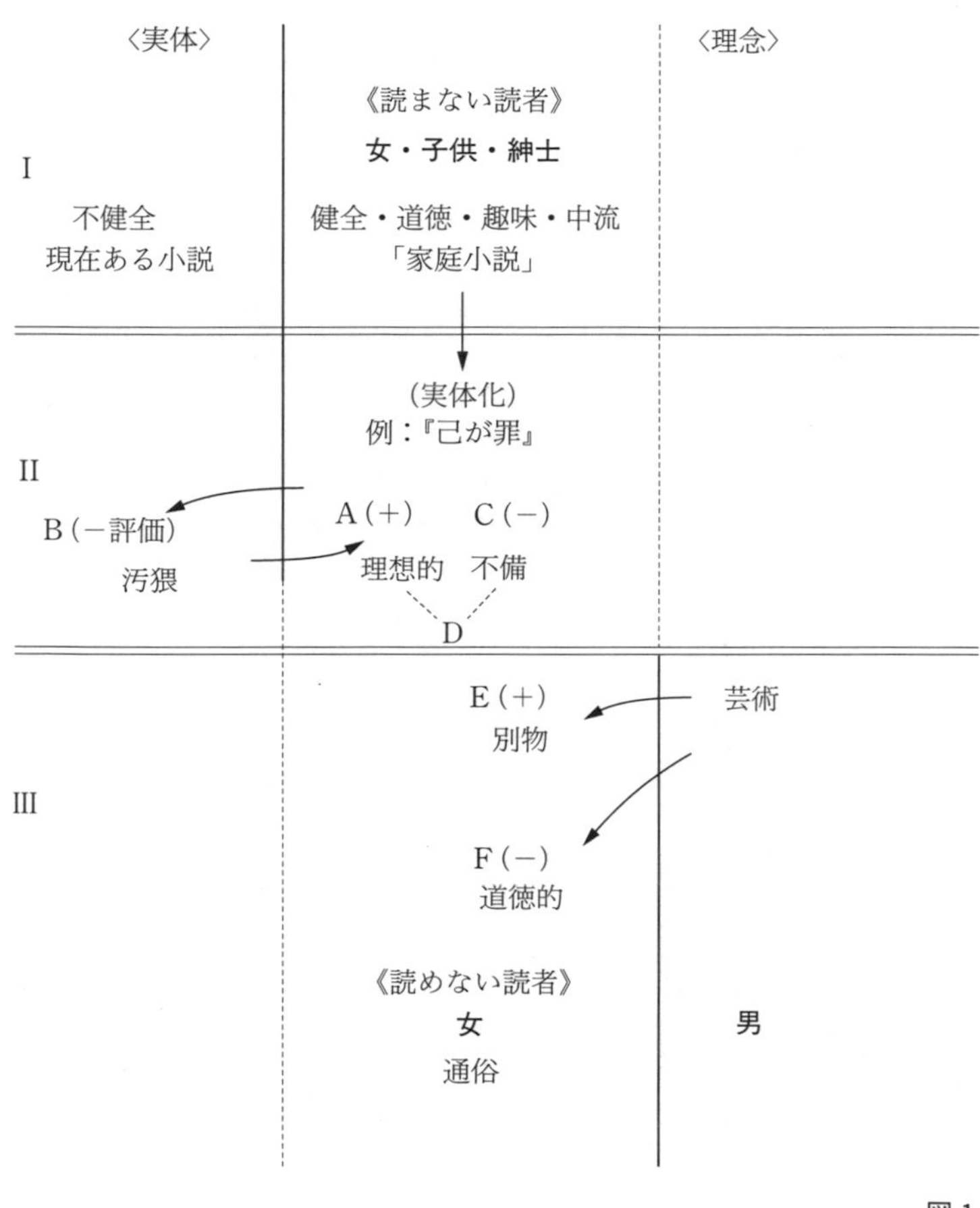
〈実体〉
〈理念〉
《読まない読者》
女・子供・紳士
I
不健全
現在ある小説
健全・道徳・趣味・中流
「家庭小説」
（実体化）
例：『己が罪』
II
B（－評価）
汚猥
A（＋）
C（－）
理想的
不備
D
E（＋）
別物
芸術
III
F（－）
道徳的
《読めない読者》
女
男
通俗

図1

の段階を次節でみることにしよう。

## 三　『己が罪』登場

前節で確認したように、家庭小説は文学不振を契機として、素材の点で、また読者層の点で、それを拡大する可能性を見込まれたジャンルであった。素材や読者に関する議論は、社会小説におけるそれをふまえて出てきたものであることを確認したが、深刻さや悲惨さという素材から道徳的な素材へ、下層階級における読者から中流階級における読者へという、この具体的な内容をいったん等化して扱うと、ここには、不振期における周縁の発見とその取り込みという単純な運動がみえてくる。『己が罪』の評判をみる前に、その登場年にあたる明治三十二年に、もう一つの周縁の発見と取り込みが企てられていたことを付け加えておきたい。

それは東京に対する「関西」を含む「地方」である。「輓近の関西文学」（『帝国文学』明三二・二）に始まり、「孤立なる文壇」（明三二・三）、「単調依然」（明三二・四）、「文壇の中央集権」（明三二・五）、「地方文壇振興の期」（明三二・七）という記事で繰り返し論じられている。この問題は「世界の文壇中思ふに我文壇の如く孤立せるは少なかるべし（略）外国の文界とは殆んと（ママ）何等直接の連鎖なく、又内に於ても東京と相対峠（ママ）するものは求むべからず」（「孤立なる文壇」）という危機感により、現文壇を活性化するため「西の文壇をして、東より独立せしめさる（ママ）可からず」（「単調依然」）と説かれる。直接こうした議論が『己が罪』の「関西文学」としての評判に繋がったといいたいわけではないが、周縁を発見しそれに可能性を託すという運動が、現にこうして「関西」という土地をめぐってもおこっていたことを、運動性そのものの確認としておさえておきたいと思う。

さて、『己が罪』である。作者は菊池幽芳、前編は明治三十二年八月十七日から十月二十一日まで、後編は三十三年一月一日から五月二十日まで、『大阪毎日新聞』に掲載された。幽芳は三十年から『大阪毎日新聞』の文芸部主任をしていた。東京から作家や批評家を呼ぶなどの改革をすすめるなか、この後詳述するように、自らの作品『己が罪』で『大阪毎日新聞』の名を高めることとなった。

『己が罪』の内容を簡単に紹介しておこう。主人公は箕輪環という女性である。彼女は女学校時代、医学生にだまされ妊娠する。結婚が叶わぬことを悟った環は自殺を試みるが助けられ、生んだ子供を里子に出して帰郷する。父の願いでそれまでの事情を隠したまま子爵桜戸隆弘と結婚。隆弘との結婚は穏やかなもので、正弘という子をもうけるが、秘密を抱えた環は安心を得ることがなかった。その後、腸チブスに罹った正弘の療養のため訪れた房州で、里子に出した子供と再会するが、母と名乗ることのないまま、子供二人は溺死してしまう。己の罪がすべての原因と覚悟を決めた環は、過去を隆弘に打ちあける。父の必死の自決で離縁は逃れ、環は看護婦に、隆弘は海外へと別居するが、旅先で危篤に陥った隆弘を環が献身的に看護し、愛を確かめあった二人は真の幸福を得ることになる。最初の過ちが罪となって結局不幸がおとずれ、それを引き受けた後に幸せがもたらされるという、まさに道徳的な小説である。次々とおこるその間の波瀾は読者を引きつけ、大反響を巻き起こした。

明治三十二年八月十七日より始められた『己が罪』の評判は、まず「落葉籠」という『大阪毎日新聞』の投書欄で盛り上がる。「落葉籠」は、「芸園落葉籠」という芸園に限った投書欄を多分野に及ぶ投書の増加に対応するため改め、三十二年一月十七日より登場したものである。『己が罪』が始まってしばらくは「落葉籠」自体紙面から消えており、「そろそろ落葉の時候になつて来た」（記者）九月二十六日より設けられている。ちなみに、この日の掲載投書は五通でそのうち二通が『己が罪』評である。全体量に占める『己が罪』評の割合を正確に知ることはできないが、「小説『己が罪』に対する落葉籠への投書、〻〻書中の半数以上を占め一〻掲載する事能はねば今日は只その中の二三を掲ぐ可し幸ひに悪くな取玉ひそ（係り記者）」（「落葉籠」明三二・一〇・五）という注記からは、かなりの数であったことが想定される。この後も『己が罪』掲載中は、毎回二、三通の『己が罪』評が含まれているが、後編に入って状況は一層白熱したと思われ、三十三年三月四日には「今日は小説己が罪に対する投書の掃よせをしやう併し何しろ大変な投書で五六日間落葉籠を買切つたところで到底載切れない程の景気であるからたゞその中から少しばかり抜粋するに過ないのだ（担当記者）」と『己が罪』評のみの日も設けられている。同じ趣向は四月二十九日にもある。投書者は、筆名が基本的に仮名であるため確定はできないが男も女も老いも若きもといった具合で、内容も多岐にわたっている。登場人物への同情や非難、登場人物の名での心情説明もあれば登場人物に同一化した読者の懺悔、また環のように看護婦になるための情報を希望するものもある。幽芳への賛辞、注文、そして感謝。今後の展開の予想。挿し絵についての批評。『己が罪』大評判の報告。

ここでとくにとりあげたいのは、『己が罪』という小説の評価そのものに関わる投書である。これには一定の傾向があり、前節で確認した家庭小説の概念にきれいに対応していることが確認できる。それに関西という場の問題が加わる。繰り返されるのは教訓的・教育的であるということ、家庭の、そして関西の趣味を高めたということ、つまり《読まない読者》が読み出したということである。いくつか例をあげる。「現下文壇の最雄篇なり（略）俗気紛々たる罪の巷の大阪にかくの如き教訓的且慰藉的の小説を得たるを喜ぶ」（某、明三三・一・三〇）、「己が罪一編は真に最良の家庭教育書なり」（ソクラテス、明三三・二・一〇）。これに「関西」と「趣味」と《読まない読者》への言及を加えると、「兄の小説が関西幾十万の読者に好感化を与へつゝある事は生の甚だ欣慕に堪えざる処なるが殊に没趣味なる大阪の紳士なるものに少くも小説の趣味を鼓吹せしめたる兄の功を最も大なりとするものなり」（狐芳生、明三三・三・四）となる。自ら《読まない読者》を自認したものがこれを証明する。「余は聊か技術を以て一工場の師たるものなるが今日迄小説等の嗜好なかりしに（略）一度之に目を触るゝや殆んど魅せられたる如く己が罪のために狂せられ」（神崎憐涙生、明三三・三・二五）、あるいは「予は当地某私立医学校の生徒なり余は嘗て新聞の小説を読みたる事なかりしも頃日吾宿の主婦小説「己が罪」を喧伝せるまゝ何気なく読始めたるに今は毎日待焦るゝに至り」（平野生、明三二・一〇・二二）という。

前節で確認してきたように、《読まない読者》は女性ではない。たしかに「今日幾多良家の夫人が己が罪を読みて如何に内心慚愧自省せるかを窺ひ知らばこの小説の廃頽せる道義を維持するに如何に効力あるかを認むるを得べし」(京都熱血生、明三三・三・一〇)など、女性への道徳的効果に焦点化した期待も寄せられているが、『己が罪』における女性読者と《読まない読者》は、互いに排除しあうものではない。女性向けのようでありながら、紳士にも読めることが重要なのである。女性読者向けと認識されていることと、より普遍的な《読まない読者》向けであることは亀裂を孕むことなく重なりあっている。《読まない》ことに自負の滲む「一工場の師」や「医学校の生徒」という中流階級の男性は(ここには〈実体〉としての現在の小説への批判的視線が内包されているだろう)、一方では「没趣味なる大阪紳士」ともいわれる層なのであり(ここでは小説を趣味の領域とする〈理念〉が前提とされている)、この両義性を孕んだ彼らは女性読者とともに、さまざまな経路で「道徳」と「趣味」という価値と結びつく《読まない読者》を形成しているということができる。女性はこれら《読まない読者》の代表なのである。

投書の評価をより詳細に文学の価値づけにからめて論じたものに、「開書」という形で文芸欄に掲載された、幽芳へ送られた手紙がある。長い投書とでもいうべき位置づけになるだろう。「関西に於る小説読者の嗜好を一新する」(〔一〕洛東　狐棲生、明三三・四・九)、「僕の最も悦ぶは世人が小説家を以て道楽商売とし小説を以て徒に堕落書生の友なりと軽蔑し居たる頑固不明の徒をして少なくとも小説家の品位と小説の真価とを了解せしめし事」(〔二〕神戸　山手生、明三三・四・一三)、「今日浪華の文界に活気を生じ著しく文学の趣味を添へしもの」「関西に於る社会の指導者たる事を希望する」(〔三〕紀伊　山田萍函、明三三・四・三〇)といった具合である。投書と重なると同時に、幽芳が多くの手紙の中から三通を選出したという意味では、評価の仕方をあらためて幽芳の側から積極的に提示する機能も果たす。投書は、開書を含むこうした学習システムによって形成されていると思われる。

投書は『帝国文学』での議論によく呼応している。「己が罪は屢々東京の文壇に叫ばれて未だ実現し来らざる家庭小説のこの関西文壇に現はれたるもの」（沈黙文士、明三三・二・二七）というように、明確に『己が罪』を家庭小説として認知するものすらある。関西における新聞読者の投書と東京帝国大学の文芸雑誌での議論が結ばれるのは、こうした議論がかなり一般化していたためと考えることができるだろう。[16] しかし何よりも読者にとって身近なものとして、明治三十二年一月に創設された『大阪毎日新聞』「文学欄」がある。

「文学欄」を設けたのは幽芳自身である。幽芳はその創設に際して次のようにいう。「大阪に紳士と称せらるゝもの極めて多し然れども高尚なる趣味を有し高尚なる慰藉を取りつゝあるもの果して幾人かある」、「本欄を設けたる趣旨の一は」「文学的趣味を養成」することにある、と（幽芳「文学欄を設くるの辞（上）」明三二・一・一五）。後藤宙外を客員として迎え、「一般人民の趣味の向上」「高尚なる趣味の普及」（後藤宙外「文学欄新設に就きて」、明三二・二・七）に乗り出し、「明治三十二年の文界概観」（後藤宙外、明三三・一・二）には、東京の小説家の作品を掲載したこと、『大阪朝日』の文学欄開設、文芸雑誌の刊行なども合わせて、「唯一事の明治文学史上に特筆大書するに足るもの」として「関西文壇が長き昏睡の中より覚めて、俄然活動を始めたる事これ也」と語られることとなる。読者は「趣味の向上」を望まれていたわけである。先の投書はこうした要請に対応したものと考えることができる。

具体的にも、例えば関西の文学趣味については、「関西文壇と美育」（讃岐の浦和　天行雲士、明三二・二・一二）、「関西文壇のため」という五回連載の社説（明三二・七・四／五／八／九／一〇）などが掲載されている。家庭と文学という議論については、「家庭小説は、其呼声高けれども、是迄我文壇には産れざりき。是等は皆一機軸を出すに足るべし」（水谷不倒「小説の好題目」明三二・一一・二四）、「円満なる家庭は趣味ある家庭なり」（芳水「文学と家庭」明三三・三・三一）、「健全なる文学とは如何といふに、曰く清潔にして家庭に容れらるべき者なり」（芳水「健全なる文学」明三三・五・七）など。投書はこうした議論をふまえて、『己が罪』を歓迎し趣味の向上を読者の側から証明してみせたものとなっている。

『大阪毎日』における評家の『己が罪』の評価は、こうした読者の趣味向上に貢献したという点にこそある。先述してきた文壇不振を前提に後藤宙外は家庭小説ならぬ「教育小説を誘奨す」（明三三・三・六）という評論を発表しているが、晴嵐「時文小観（三）」（明三三・三・一三）はそれを受けて『己が罪』がその教育小説にあたるとする。後編の一部しか読んでいないという晴嵐をそう判断させた根拠は、「精読黙解」した「日々幾通となく寄来する「落葉籠」の投書に微して、殆んど愕然たるばかりのものあるなり」というように、読者の反応にある。「幽芳氏が手腕の、一方には読者に向つて情的趣味を与へつゝあると共に、また他方においては多量の知的教化を与へつゝあることにつきて、優に成効を擢取しつゝあることを断信するものなり」という。また、社説「新聞小説」（明三三・五・二二／二三）でも、「新聞小説」を「読者に及ぼす趣味の感化の点において、決して他の刊行小説の如く薄弱無勢力にあらざる」ものと定義したうえで、例として「実に百万に近き読者は日夕『己が罪』のために何等かの教訓を得、何等かの感化を受けつゝありたるものにして（略）吾輩は『己が罪』の感化の果して好感化なりや、その残せる印象の好印象なりや否やを知らざれども、新聞小説の読者否邦人に及ぼす勢力の多大なるに至ては、よつて以てこれを認めざるを得ざるなり」としている。

興味深いのは、晴嵐の文章中にみえる「愕然」として後の「断信」という表現、社説の「好感化」「好印象なりや否やを知らざれども」という表現にあらわれた『己が罪』への微妙な距離感である。投書が熱狂的に『己が罪』の功を唱えるのに比較すると、これらの記事における距離感はいっそう明らかである。ただし、この距離感を直接『己が罪』の通俗性への批判ととるわけにはいかない。この時点での趣味の教化は決して通俗と謗られる質のものではないからだ。『己が罪』は、文学の〈理念〉と〈実体〉のずれの解消を急務とするという前提のもとに、《読まない》読者を取り込むべく、家庭に入れ得る道徳的でかつ趣味教化的な小説として、肯定的に評価されたというべきである。単に読者に歓迎されたというだけでなく、文学欄と呼応する投書により支えられた『己が罪』は、たしかにそうした評価に値する小説であったはずだ。その点で講談などの「俗受け」とは確実に異なるのである。この時点での『己が罪』は通俗的ではない。「小説を以て社会の罪悪視するが如き一派」に対して「小説の威品を高めたり」（華舟「「己が罪」（前編）に就て」明三二・一一・七）というのがこの時点での『己が罪』の功績である。

〈理念〉と〈実体〉の境界に家庭小説は位置している。先の距離感は境界で孕んだ、〈実体〉としての『己が罪』そのものに対する評価と、〈理念〉面における『己が罪』の効果に対する評価のずれとして理解しておきたい。少なくとも二つのレベルが共在しており、同時にこの時点では〈理念〉が先行してその実現作として評価されているといえるだろう。そしてここに投書との微妙で決定的な差異がある。投書は『己が罪』の〈実体〉そのものへの熱狂を、学習の効果を示して〈理念〉の枠の中で語る（他方では〈理念〉とは無関係な投書が大量に存在してもいる）。二つのレベルが共在していること は同じでも、〈理念〉の質、その重みが異なるのである。本節でみたのは、〈理念〉の教化と読者の成長が、「文学欄」と「落葉籠」という具体的な場の中で実現したと思われた幸福な瞬間である。『己が罪』という小説をめぐって評家と読者とが重なったのは、この一瞬のみであった。

## 四　『己が罪』その後

『大阪毎日』では『己が罪』終了の四ヶ月後に、『己が罪』そのものを酷評した記事が掲載される（「『己が罪』を読む（前編の評）　環の研究」明三三・九・三／一七、一〇・八）。論者は『己が罪』を「教育小説」とした晴嵐である。本文を引用しながらの細評で、論調をみるために例をあげると、「作者の炳眼もこゝに至りては確かに曇れるものにあらずや」（九・一〇）、「環は遂に悲劇の主人公たらざるをえず」（九・一七）、「殆んど傑作として見るべきの価値なきなり」（一〇・八）という具合であり、酷評といってよい。

一方この頃「落葉籠」で盛り上がるのは、明治三十三年九月に朝日座で上演された『己が罪』の芝居についての評である。読者は小説への熱狂をそのまま芝居へ持ち込み、この時点で評家との亀裂ははっきりする。この後、家庭小説における芝居と小説の結びつきは、家庭小説と女性と「通俗」を結ぶ根拠となるが、それについては後述する（第五節）。

『大阪毎日』を離れて、東京での『己が罪』のその後の評価をみてみたい。『己が罪』評を振り返り「その世評、厳にいふ批評は、東京文壇にばかり聞えて、肝腎の大阪の方では余り耳にせなかつた。尤も葉書だよりなぞには、喧ましく彼是誉め立たものも多かつたが、葉書だよりの賞賛だけでは満更作者も満足はしなかつたらうと思ふ」（山下雨花「昨年の大阪文壇」『大阪毎日』明三五・一・三）といわれるように、この後東京へ場を移して、いよいよ家庭小説の代表作としての評価が出始める。「家庭小説としての『不如帰』と『己が罪』とは殆んど今年の双璧と称せられる如き賛評」（江東生「明治三十三年の文壇概観」『文庫』明三四・一）を得ているという。

評価は大きく分けて四つに分類できる。A理想的・家庭的小説であることで肯定的に評価する。B家庭的ではないという点を挙げ否定的評価をする。AとBは基本的に同じ基準で評価を下したものだ。すなわち、家庭的であれば肯定、家庭的でなければ否定となる。C具体的な内容について批評し否定的評価をする。これはAの評価に対し別の基準をたてて批判を加えたものとなる。AとCは別基準であるため、両者を総合したもの、すなわち、D小説としての仕上がりに難点を認めるが、道徳的である点については肯定的に評価するものがある（図1のIIの部分参照。矢印は評価の対立項を示す）。

それぞれの例をあげておこう。

はじめに、A理想的・家庭的小説であることで肯定的に評価するものである。「昨年の後半期以来、熱誠なる文学好愛者の鼓吹により若くは、文芸の嗜好を要するものによりて、一部の中流社会進んでは上流の微々たる一小部分に於て、軟文学を愛好するの士を出し、又一面に於ては、従来の読者が、単調なる浪六、弦斎の趣向に飽き、或一派の淫靡なる趣味を排するに至れりし原因は、此に趣味の変化を来たし、或意味に於てのプログレスを表現し、而して新たなる小説の要求を為すに至れりし也、『己が罪』『無花果』『不如帰』の類は、明かに此要求に応じたるものに非ずや」（「文芸小観　小説の新要求」『新声』明三四・六）。引用が少々長くなったが、従来の「俗受け」小説である浪六・弦斎や淫靡な小説を対立項として、高評価が与えられている。「従来の小説に比較して、高潔なる悔悟、献身的熱愛を含めること」が何よりも重要視される。

対照的なのが、Bである。「全篇の骨子」が「世間婦女子たるものの無上の罪悪」にあることを指摘し「汚穢の作」「家庭的として価値はゼロ、或は有害となるかも知れぬ」とするもの（炭団の黒麿「三寸舌」『文庫』明三四・八）、また「此小説を家庭の読物として歓迎する奴があるが、さうとすれば弦斎の日の出島が遙に好い、先つ（ママ）冒頭には姦淫の場が描いてあると云はねばならぬ、弦斎には些ともコンナ汚いことがない」（「幽芳子作『己が罪』合評」『新声』明三四・一〇）という評。

次にCである。先に引用した清嵐「「己が罪」を読む（前編の評）環の研究」はCにあたるだろう。Bに引用した「幽芳作『己が罪』合評」でも――詳細は省略するが――構想・描写・人物に分けて散々である。他にも「老婆の繰言」「御坊さん小説」「書生さんの小説」（指玉「鵑鴞評論（三）」『文庫』明三三・九）という酷評。「理想としては余に低卑に、現実として仮構にすぎたり、到頭事を述ぶべし人を叙するに足らず（略）完璧の者にあらざりし」（江東生「明治三十三年の文壇概観」『文庫』明三四・一）など。「その筋に於ては、批難すべきものなしとするも、記述方法の平板を極めたると、事象の因果的関係をして合理的ならしめむと勉めたるとは、毫も上編と異ならず、他には言ふべき者なし」（「己が罪　中編」『帝国文学』明三四・二）もここに入るだろう。ただし『帝国文学』では家庭小説そのものを論ずる場合には、多数の読者を得て歓迎されたことを「厳粛なる家庭も、その光明あるを認め、好んで之を読まんとするの傾向を示せる」「喜ぶべき現象」として評価している（「喜ぶべき現象」明三四・九）。具体例はあげられていない。論者が異なるとも考えられるが、〈理念〉のみが論じられる場合と実作品が取り上げられる場合のずれとしても読め、興味深い。

　そして、Dこの期の総合的な評価として、「中村春雨の無花果、菊地幽芳の己が罪、徳富蘆花の思ひ出の記等は昨年の小説中に於て最も名高きものなりき。されど是等は従来の陳套腐爛なる群著作の間に出てゝ、稍々新面目を現ぜしと云ふの外、特に多大の推奨を値せざる者なりき」（高山樗牛「文学美術（明治三十四年の文芸界）」『太陽』明三五・一）。先にAに引用した「小説の新要求」には、「静かに此過渡期時代の光明に接せんことを期待する」という一節がある。「過渡期」というように、全面的に『己が罪』を評価しているわけではないとみるべきだろう。そうした懸念は、ここでも「方今の文壇が、是等をして尚ほ傑出の作として僅かに将来の希望を繋がむとするを見て、吾人は転た惆悵の念に堪えず」と表明されている。こうした反応と合わせて考えれば、BCの批評に投書雑誌が多いことも興味深い。文壇の現状に対する危機意識を共有しているか否かが、『己が罪』の評価を左右しているともいえるだろう。

『己が罪』は、これ以後、蘆花の『不如帰』や中村春雨『無花果』などとともに家庭小説の代表作となる。Dの評価に象徴的なように、家庭小説は両義性を付与されたジャンルである。ただし、その両義性は道徳と芸術、通俗と芸術というように対立するものではない。この時点での評価は『帝国文学』でみた図式に基本的に重なっている。国民に趣味を教化するという〈理念〉は生きており、道徳的であること自体を根拠にした批判はあらわれていない。芸術的な価値を道徳と対立させて独立的に扱う土壌はここには無いのである。繰り返し述べているように、ここで問題になるのは、〈実体〉としてある小説への危機感である。そうした段階における『己が罪』は、「過渡期」の、境界的なジャンルとして、文学の〈理念〉を〈実体〉化する機能を果たしている。

道徳的であることと小説としての出来は抵触する価値ではないゆえ、両者を備えていると判断されれば、『己が罪』は評家にも大きな歓迎を受けたかもしれないと想像することも可能だろう。しかし、むしろここでおさえておくべきなのは、小説としての出来の基準が明確ではないということだろう。『大阪毎日』での評と異なり、この時点では家庭小説の境界性が強調され明示されている。その意味では趣味の向上という〈理念〉は、既に力を失い始めているといってもよいかもしれない。向かうべき〈理念〉の像が滲めば、境界にあるものを同化する力は弱まるだろうからだ。

## 五　その後の「家庭小説」

最後に、通俗的な「家庭小説」へ移っていく過程を辿りたい。それは、家庭小説が文学を代表することなく特殊なジャンルとなっていく過程でもある。

家庭小説の特殊化に大きな役割を果たしたのは、幽芳だろう。幽芳は、『大阪毎日新聞』に家庭小説という角書をつけて、「敢て家庭の読ものなりといふ」(「新小説披露」『大阪毎日新聞』明三六・八・二三)『家庭小説　乳姉妹』を発表する(明三六・八・二四〜一二・二六)。そして、翌明治三十七年一月に前編、四月に後編を春陽堂より出版する際、「はしがき」を付けているが、そこで幽芳は、「今の一般の小説よりは最少し通俗に、最少し気取らない、そして趣味ある上品なものを載せて見たい」と語り、「講談に代用するやうなもの」と『乳姉妹』を位置づけている。特殊化はこのように幽芳自身が明確に打ち出したものである。(17)「講談」と隣り合わせになることと「通俗」という評価は完全に重なる。この重なりは『帝国文学』の図式にもある。ただし『帝国文学』では、趣味の低い講談を排除しそれとは対立するジャンルとして家庭小説の登場を要請したわけだが、幽芳の描く図式では、一般の小説というジャンルに対立する講談と家庭小説は同じ「通俗」となっている。これを並べれば、

〔講談＝家庭小説＝通俗／一般の小説〕

となる。家庭小説を対立項にした「一般の小説」の次に用意されるのは「芸術」である。たしかにここで図式は変化している（図1のⅢの部分参照）。第二節の最後に確認した大きな分断線が引き直されている。角書として存在しうる家庭小説は〈実体〉の側と等質化し、〈理念〉としての芸術と対立するものとなるのである。もちろん幽芳という作家一人がこの図式の変化をつくったというつもりはない。徐々に徐々におこっている微妙な変化が前提となっているのだろう。確認したいのは、幽芳が引き直したのか否かという責任主体の問題ではなく、図式の変化自体である。

さて、評家はこれをどう受け止めたか。

たとえば、「普通の小説に対する批評と同じく本篇を妄批しなば、文体、描写の方法等に於て慊焉たらざるを得ざる処にあるも、以上著者の告白に省察する処ありて一説するときは、幽芳氏の素志半ば達せられたるを看取するに難からざるなり」（高須梅渓「鈍牛主義」『文庫』明三七・二）。幽芳の「はしがき」に完全に対応し、普通の小説とは別基準での評価である。他の、「壮士芝居的ならず、上品にして、趣味ありて、新聞小説として、上乗なるもの」（大町桂月「文芸時評」『太陽』明三七・二）、「妥貼なる清新なる好箇の家庭小説として推薦の栄を負ふて余り有らむ」（「家庭小説乳姉妹　前編」『帝国文学』明三七・二）、「清純なる家庭小説の欠乏せる今の読書界に斯かる作物を供給したる著者の労を多とする」（掬汀「乳姉妹（前編）菊地幽芳著」『萬朝報』明三七・二・二）という好評も、また、「成程面白いが、それを面白いといふのは、涙香の翻訳小説を面白いといふ意味で面白いと言ふのである」（和尚「大弦小弦」『文庫』明三七・五）という揶揄も、『乳姉妹』を「一般の」「普通の」小説とは分けて扱っている点では共通しているだろう。

そして、もう一つ、明治三十年代後半に登場する重要な評価がある。それは、道徳と芸術の二項対立を基準として立て、家庭小説を道徳的だという理由で批判するものである。先に確認してきたように、三十年代半ばの家庭小説論では道徳的であることは批判の根拠にはならなかった。しかし、家庭小説と銘打った実作品が大量生産されるようになる三十年代末、家庭小説が別基準扱いになるのと歩みを揃えて、道徳は芸術と明確に対立するようになる。より正確にいえば、この対立を際立たせることによって、家庭小説が代表する〈実体〉としての小説と、三十年代の初めに提唱された〈理念〉とは異なる新たな〈理念〉があらためて分割されるようになる。「勧善懲悪主義の末が悪人亡びてめでたし〳〵となる事昔のお家騒動などいふ草双紙に類す、要するに古人のさんざ使ひ古した趣向を今様に書代えたるものなるべし」（山本柳葉「家庭小説談義」『新声』明三八・四）、また「家庭物とは、家庭教育と矛盾することなく、家庭道徳と衝突することなき小説戯曲等の謂にして、所謂教訓と趣味とを兼有する一挙両得的文芸とならざるを得ず。（略）今の家庭小説家は自ら文芸の聖壇を下りて、青年子女の前に平身低頭せる意気地なき惰弱漢也」（登張竹風「時文評論」『読売新聞』明三八・一〇・二九）。この「文芸の聖壇」には、明らかに道徳と対立する価値が想定されている。それを芸術と呼ぼう。道徳と芸術からなる二項対立が基準になって、ついに「道徳と文学との調和」を目的とする「家庭小説の流行は一面に文学の威厳品位を損ずるに類する現象をも伴つた」（「彙報　小説界　◎家庭小説の功過」『早稲田文学』明三九・四）と評される。品位の獲得にこそ家庭小説の任務があったことは、前述の通りである。ここにいたって、道徳を語ったことは「家庭小説」の「過」となる。三十年代初めに家庭小説を提唱し始めた当の『帝国文学』でも、三十九年に入ってから家庭小説はたびたび批判の対象に上がり、「温室の中に蒸さるゝスヰートホームの謳歌者」と「穏健なる家庭小説」の「生温き趣味が一般の精神生活に及ぼす悪影響」が問題化され、「堕落し行く傾向」の象徴としてとらえられることになる（「将に老いむとする乎」明三九・四）。こうした大転換が、三十年代末におこったのである。

それでは、この時《読まない読者》はどう扱われるのだろう。『早稲田文学』が「家庭小説の功過」で挙げる「功」は「一新生面を開拓し得たこと」と「在来の小説読者の領域外に立ッてゐた人々の間にも小説の読者を得て上下一般の社会に読小説慾を誘起し、ともかくも一歩を清新なる文学に近づかしめ、一般社会の読書眼審美眼を多少とも啓発し得た事」である。家庭小説による読者の開拓はこうして引き続き認知されているわけであるが、その意味でこれらの《読まない読者》は既に《読まない》読者ではない。小説を読む、読者である。しかも道徳と芸術という二項対立が成立し始めたこの時点において、芸術ではない家庭小説を読む読者は、同時に、芸術的な小説を《読めない読者》となる。振り返りながらあらためて説明すれば、趣味の低さは文学不振の根拠の一つとなりながらも、強烈に〈実体〉としての小説の「不健全」さが問題化されている時点においては、読者が小説を読まないことは《読めない》というより《読まない》という事態であったわけである。しかし明治三十年代末の時点においては、読者が読む小説こそが非芸術的〈実体〉を形成している。読者が芸術的小説(仮にあったとして)を読まないとしてもそれは《読まない》のではなく《読めない》と説明されるだろう。

『早稲田文学』は、明治三十年代の後半における読者の変化を次のように説明する(「彙報　小説界三十五年―三十八年　◎読者の変遷」明三九・二)。「女学生乃至は女学校を経て来たれる婦女子を主人公にせる「不如帰」「己が罪」等が盛に歓迎せらるゝに至りし事実は更に明かに読書界の人気を左右する勢力が如何なる方面に在るかを示したものである」。『不如帰』『己が罪』を説明する用語は「女学生」と「婦女子」となっている。そして次のようにもいう。「家庭小説の多くが、脚色せられて舞台に上るに至ッた一事をも見免してはならぬ(略)如何に社会がこの種の家庭小説を歓迎しつつあるかを知るに足る」(「家庭小説の功過」)。

舞台の観客と重ねられる、ここに語られた家庭小説の読者は誰か。「女性」である。「大阪における『乳姉妹』の大成功(略)原作が中流以上の家庭に歓迎されし清新の家庭的作物なりしほどありて見物人には中流以上の貴婦人令嬢五分以上を占め場内の華やかなる事従来曾て見る能はざるの現象なりといふ」(「時報」『新小説』明三七・二・一)。こうした報道から、家庭小説芝居の観客であり、家庭小説の読者を「女性」と想定することは容易である。『乳姉妹』の芝居では「乳姉妹に因める諸種の売品の表はれたる事これまた稀有の事」(「演芸だより」『大阪毎日新聞』明三八・三・二五)と報じられている。角座『乳姉妹』（明三八・三）より売られ始めたのは、絵はがきから、花簪・蒸し菓子・帯止金具・鮨・襟・袋物・楊枝・君江と房江の衣装と同じ染色の着物。これらの商品を買う客を女性と想定するのもまた容易である。『乳姉妹』が『己が罪』とは異なる受け入れられ方をしたのは、前述した通りであり、芝居を経由した家庭小説の読者は、紳士も女性も含んだ「家庭の読者」から「女性読者」へと変化している。この変化を「女性読者」の側から説明すれば、「家庭」の構成員としての普遍性がなくなり、単純に「女性」というカテゴリーとして特殊化したことになる。「家庭小説」の「通俗」化とともに家庭小説の読者が《読まない読者》から《読めない読者》へと変質した時、その中味として特定された読者層は「女性」ということになるだろう。

一方で、家庭小説の直接の読者については「今日の家庭小説なるものの愛読者の、果して何れの辺に存在するかと云はゞ、重に年若き青年男女間のみにある」（時評子「いはゆる家庭小説」『新声』明三九・五）といわれる。こうした説明でも、明治三十年代前半の家庭小説の読者から除かれるのは、紳士と子供であるが、しかしこの場合、特殊化が年齢の軸でおこっていることになる。けれども、この特性は家庭小説の「女性」性と必ずしも矛盾するわけではない。青年女子は「女性」カテゴリーに該当し、青年男子も家庭小説の愛読者として「女性」性を帯びるのである。家庭小説家が「意気地なき惰弱漢」（登張竹風「時文評論」『読売新聞』明三八・一〇・二九）となるのは、道徳性のみならず、この「女性」性のためでもある。芸術からの「女性」の排除は、実体としての読者が女性であるか男性であるかという問題とは原理的に関係がない。「女性」の排除はきわめて抽象的におこるのである。

さて、しかし、芸術という〈理念〉の中味が充填されるのは、まだこれからである。「女性」の抽象的排除が決定的になるのもこれからである。『帝国文学』同様、理論系の文芸雑誌である『早稲田文学』が家庭小説に言及するということは、家庭小説が否定的にでも論ずるに値する境界的なジャンルとして存在していたことを示してもいる。

明治三十九年十月の『早稲田文学』「彙報　小説界」は「小説壇の新気運」で始まる。「所謂写実派小説といひ、家庭小説といふ在来の風潮を追ふに止まッてゐた」文壇に、いよいよ「新気運」が生じたという。あげられているのは島崎藤村『破戒』、国木田独歩『運命』、そして夏目漱石。文学史的によく知られるように彼らは決定的に新しい次の時代をつくる。彼らの登場とともに「家庭小説」は明確に芸術と切り離されて「通俗小説」「大衆小説」の一ジャンルと化すだろう。そして「女性読者」も同じ運命を歩むことになる。「文学」が芸術として成立することとジェンダーはこのように関わっているのである。

（1）東京書籍商組合事務所発行の『図書月報』（明三五・九発刊）臨時発刊「発行図書類別目録」（明三六・一〇）には、家庭小説という角書きを持つ次のような小説が掲載されている。堀内新泉『家庭小説　女楽師』（国光社）、加藤眠柳『家庭小説第一篇』（内外出版協会）、そして東洋社から四冊組の『家庭小説』。東洋社の『家庭小説』の第三篇にあたる鈴木秋子『そのえにし』は、明治三十五年九月の『図書月報』「新刊図書目録」に掲載されているので、三十五年あたりより発行されたものと思われる。その後の「新刊図書目録」には、博文館編輯局『家庭小説　小天地』（明三八・二掲載、博文館、一・一五新版発行）、和田稲村『家庭小説　さよしぐれ』（明三八・一一掲載、松栄堂、一〇・一〇新版発行)、遠山翠『家庭小説　栄光』(明三八・一二掲載、松栄堂、一一・五新版発行)などがある。三ツ石敦子に、三十九年より大学館からシリーズが出ていたのではないかという指摘があるが(「〈家庭小説〉作家としての天外と霜川—明治三十年代後半から四十年代初頭にかけての小説表現の一問題—」『大妻国文』二五、一九九四・三)、「目録」にも有本天浪『家庭小説　女天一坊』(明三九・一掲載、大学館、一・二五新版発行)を始めとして、四十一年末までに四十冊を超える「家庭小説」が掲載されている。大学館の発行状況などを例にとれば、三十九年あたりから一気に「家庭小説」は娯楽的な小説としての通俗性を確立したと思われる。

(2) エクトル・マロー原作、五来素川訳、『読売新聞』(明三五・三・一〜七・一三)。単行本は明治三十六年七月五日警醒社書店刊、評判は高く版を重ねた。日夏耿之介はこれをキリスト教的家庭文学の範疇におさめ、これより早い作品として、若松賤子訳『小公子』、河井道子・辻村靖子共訳『家庭小説　ひとりぼっち』、松井松葉訳『家庭小説　楽天小屋』などをあげている(注(10)参照)。

(3) 瀬沼茂樹「家庭小説の展開」(『文学』二五-一二、一九五七・一二)。引用は、「解説」(『明治文学全集』第九三巻〈明治家庭小説集〉、筑摩書房、一九六九・六)によった。

(4) 加藤武雄「家庭小説研究」(『日本文学講座』第一四巻、改造社、一九三三・一一)。

(5) 小島徳弥『明治大正新文学史観』(教文社、一九二五・六)、加藤武雄『明治大正文学の輪郭』(新潮社、一九二六・九)など。最近、こうした「通俗」という評価を、読者と密接な関係をもつジャンルであったことから検証しなおす作業が出ており、金子明雄「明治三〇年代の読者と小説—「社会小説」論争とその後—」(『東京大学新聞研究所紀要(「近代日本におけるユートピア運動とジャーナリズム」)』四一、一九九〇・三)、真銅正宏「菊地幽芳『己が罪』/家庭小説というジャンル—明治大正流行小説の研究(三)—」(『人文学』一五八、一九九五・一一)などがある。前者は具体的な読者とのコミュニケーション回路の変質を問題にしており示唆に富む。後者は、変質についての言及がないという問題がある。本章では、未だ検討されていない評価の変質の過程を明らかにすることで、文学の価値が成立する過程において家庭小説が理念と実体の境界で果たした役割、それとジェンダー化との関係を明らかにする。なお、金子には、他に「〈見ること〉と〈読むこと〉の間に—近代小説における描写の政治学―」(『日本近代文学』五五、一九九六・一〇)、「「家庭小説」と読むことの帝国―『己が罪』という問題領域」(小森陽一・紅野謙介・高橋修編『メディア・表象・イデオロギー―明治三十年代の文化研究―』小沢書店、一九九七・五)がある。参照されたい。

(6)前掲注(5)小島論文。

(7)中村武羅夫「通俗小説研究」(『日本文学講座』第十四巻、改造社、一九三三・一一)。

(8)日夏耿之助「家庭文学の変遷及価値」(『明治文学襍考』梓書房、一九二九・五)。引用は『日夏耿之介全集』第四巻(河出書房新社、一九七六・六)による。

(9)尾崎秀樹「近代小説の成立」(『書物の運命 近代の図書文化の変遷』出版ニュース社、一九九一・一〇)。

(10)『帝国文学』は明治二十八年一月、「国民文学、是れ既に当に有るべくして而かも尚未だ見る能はざりし所のものに非ずや。文学は国民と同じく活物なり。宜しく育成すべくして造作すべからず」という「序詞」で始まる、東京帝国大学文科における文芸雑誌である。教官・卒業生・学生からなる帝国文学会が同時に作られ、それを基盤とした。「保守と啓蒙の二面的性格をその特色とし」た(助川徳是「帝国文学」『日本近代文学大事典』講談社、一九七七・一一)雑誌である。創刊号は論説・詞藻・雑録・文学史料・雑報の部に分かれているが、そのうちここで扱う雑報は時事的な批評である。委員の「気焔の吐き場所」(「帝国文学十周年回想録」『帝国文学』明三八・一)でもあり、無署名、つまり委員全体の名で出されたものである。委員は一年ごとに交代しているが、家庭小説に関する項は二十九年末から三十四年にかけて散在しているので、特定の期に限られた話題ということではないと思われる。また、委員内で異説が唱えられた場合には署名が入ったという事情なので、基本的に雑誌を代表する意見としてとらえてよいと思われる。他の雑誌や新聞との応酬もあり、同時代の時評として一定の位置を占めている。

(11)前掲注(5)金子明雄「明治三〇年代の読者と小説―「社会小説」論争とその後―」。ほかに中丸宣明「近代小説の展開」(『岩波講座 日本文学史』第一一巻、岩波書店、一九九六・一〇)などにも、同様の指摘がある。

(12)社会小説などをふくめたこの時期提唱された「〇〇小説」といったジャンルについて「実体の乏しいものが多」いことを、山田博光「社会小説論―その源流と展開―」(『日本近代文学』七、一九六七・一一)も指摘している。また、山田は「社会小説」というカテゴリーそのものは、明治十年代、高田半峯が使用したのが初めてあることを指摘している。もちろん、ここで問題にしているカテゴリーとは、意味が異なる。また、森英一「美的生活論争と家庭小説」（『明治三十年代文学の研究』桜楓社、一九八八・一二）に、「家庭小説」という定義が「固定化」する節目を、「明白な定義は定まらぬものの、それに該当する作品がその存在を主張し始めた年」として三十四年にみている。実作品が登場する時期が概念の登場より遅いことを指摘する点で本章と重なる。ただし、本章では、定義の固定化と実作品の有無を別の問題と捉え、実作品のない段階で提出されていた概念と実作品が出て後の概念との間には大きな変化はないと考えている。三十四年の節目はあくまでも「固定化」の節目であって、変化の節目ではない。

(13) 河北瑞穂に「明治二四年頃から「家庭」小説を求める声が聞かれるようになる」という指摘がある（「家庭小説の背景―明治二十年代前半期『女学雑誌』の周辺―」『三重大学日本語学文学』二、一九九一・六）。河北は、「一種の新小説とは何ぞや、我が家庭を作るの小説なり」「新小説とは（略）温然たる人間の品性を開発するに足るもの」（「一種の新小説」『国民新聞』明二四・三・七）、「文学者が最も先づ踏み込むべきは「人民」てふ大運動にぞある也（略）人民となるの源は、実に義理人情、自由、平等を理想として建設せられたる小国民即ち家庭にてある也」「新原野は家庭にあり、新源泉は人民にありと、翻つて吾文学世界を顧みるごとに、此点に於ては常に寂々寥々たるを覚ゆ」（「文学界の欠点」『国民新聞』明二四・八・六）などを引用しているが、家庭が国民形成の土壌であったことはいうまでもなく、家庭小説要求の源泉を示していると思われる。実際に「家庭小説」というジャンルが日本近代文学において成立するのは、ここで取り上げている明治三十年代であるわけだが、二十年代において教化という文脈の中で芸術と通俗が二項対立をなしていないことが明白であるように、「家庭小説」が提唱されえたということは三十年代の「文学」もまた、こうした性質のものとしてあったことを示している。趣味の啓蒙をしうる〈理念〉としての文学と、狭斜小説に象徴される人倫を害する〈実体〉がこの時点で重要視された二項対立である。

(14) この点については「彙報　小説界　三十一年―三十四年」（『早稲田文学』明三九・一）に指摘がある。

(15) 中山清美「〈閨秀作家〉への視線―田沢稲舟テクストにおけるジェンダー戦略―」（『名古屋近代文学研究』一

四、一九九六・一二)。

(16)『帝国文学』のような読者が限定される雑誌だけでなく、同時期の総合雑誌に「家庭と文学」論は出ている。例えば「家庭は文学の塒なり、そが終日の旅に疲れて帰り来るべき所なり。家庭と文学、これ文学批評家にとりて最も肝要なる一問題にあらずや」(「時事論評　家庭と文学」『太陽』明三一・六)など。

(17)幽芳が付したような序文は、それ以前、例えば草村北星『濱子』(金港堂、明三五・一二・五)にも付されている。「巻首に」というそこでも道徳と文学が論じられているが、「文学も道徳(其他)も其軌道こそは異なれ、或度迄の一致融和を期せねばならぬ」という『濱子』のそれは、あくまでも文学論であるという点で、文学一般と家庭小説を区別する幽芳の「はしがき」とは決定的に異なる。

第二章

# 「作家」という職業　女性読者の抽象的排除

## 一　夏目漱石と自然主義

夏目漱石と自然主義の近接は『道草』を対象に論じられることが多い。『道草』は私小説的に読まれ、作家論に貢献してきた作品でもある。しかし、本章で論じたいのは、語られた情報の自伝的・私小説的な（と解釈しうる）性格にみられる『道草』と自然主義との近接ではない。本章では、『道草』が、自然主義の果たした「文学」の地位をめぐる歴史的転換を引用し、その前後で生じた亀裂を、明治三十年代後半の夏目金之助と大正四年の夏目漱石との間の亀裂、時差として記述したテクストといえることを明らかにしたい。このような意味での夏目漱石と自然主義運動の繋がりを示し、彼らが産み出し経験した明治四十年代における質的な転換について論じたいと思う。そして、その中で「女性」がおかれる位置を確かめたい。前章で確認してきたように、家庭小説が女性ジェンダー化して切り離されるとき、芸術として立ち上げられる文学は男性ジェンダー化する。その過程を、文学と「金(かね)」の関係の変質という視点から記述することにする。

さて、『道草』が執筆された大正四年、赤木桁平は、「性格はあつてもサイコロヂーが乏し」く、「金さへあれば解決の付きさうな」「健三と外界との関係」と、「性格とサイコロヂーとが微細に現はれてゐる」「健三と細君との関係」との二つに『道草』を分けて読んだ(『読売新聞』大四・一〇・二四)。この二つのレベル設定は現在も有効であり、いくつかの論が同様に『道草』における二つのレベルを抽出している。[1] 本章で論ずるのは、こうした二つのレベルのうちの前者である。この層は「金」や「家庭」をめぐる問題系が読み込まれてきた層であり、本章では、「金」や「家庭」という次元の異なるテーマの結び目に〈職業〉をめぐる問題があることを確認したうえで、それを自然主義運動における「小説家」の発見の引用として論じる。

『道草』には、語りの時間と物語内容の時間にずれが設けられているという構造上の特徴がある。語りの時間を前景化するのは、すでに指摘がある、実体化した語り手を想定させる一連の記述である。相原和邦が「反措定叙法」として分析した、[2] 語り手が登場人物の認識の外枠に「別の可能性」を語る叙法——たとえば「彼は此事件に就いて思ひ出した幼少の時の記憶を細君に話さなかつた。感情に脆い女の事だから、もし左右でもしたら、或は彼女の反感を和らげるに都合が好からうとさへ思はなかつた」(十五)というような——がそれであり、藤森清は、これを「一連のシリーズ化した言説の傾向として、その言説の表現主体である語り手を実体的な存在と読者に感じさせてしまう、三人称の語りとしては逸脱的な、過剰な言説の事例とみなすことができよう」と説明している[3]。

『道草』の実体化した語り手について考えるとき、反措定叙法は、物語内容に対して語り手が反応を示す瞬間として注目される。「金」や「〈交換〉」の問題に関しても、反措定叙法により挿入された次のような語り手のコメントは、『道草』の健三が抱えた問題を明らかにずらしている。「金の力で支配出来ない真に偉大なものが彼の眼に這入つて来るにはまだ大分間があつた」(五十七)。『道草』におけるこの語りの構造的なレベルの差異は、認識内容の明らかな差異を示し、また同時に、「まだ大分間があつた」というように、時間的な差異を示している。健三と実体化した語り手との間のこうした質的な差異を孕んだ時間差は、健三と明治三十年代後半の漱石を近づけ、語り手と大正四年の漱石を近づける。そのため私小説的な性格を補強する特徴でもあるわけだが、先にも述べたように、ここではそれを漱石を含み込むより広い文脈の中で説明することを目指し、『道草』に記述された明治三十年代後半と大正四年の差異を、間にはさまった明治四十年代の自然主義運動における「文学」の地位の質的転換から説明したいと思う。

## 二 『道草』における「金」の問題

はじめに、『道草』の内部の語り手と健三との差異について整理したい。

「健三が遠い所から帰つて来」たところから『道草』は始まる。「彼の身体には新らしく後に見捨てた遠い国の臭がまだ付着してゐた。彼はそれを忌んだ。一日も早く其臭を振ひ落さなければならないと思つた。さうして其臭のうちに潜んでゐる彼の誇りと満足には却つて気が付かなかつた」。これは『道草』の冒頭であるが、ここからは二つのことがわかる。一つは、健三がかつてこの場所の住人であったということであり、もう一つは、物語現在の健三は、「遠い国」の経験を根拠に、自分をその場から差異化しているということである。「遠い国の臭がまだ付着してゐた」という記述は、単純な事実の説明として受けとめることは出来ないだろう。これは、健三に意識と無意識のずれを生じさせる事柄として提示されている、きわめて心理的な事柄と考えられるからだ。押さえておくべきなのは、この「遠い国の臭」は健三と他を差異化する根拠であるということであり、健三にはその差異意識が強烈にあるということだ。そして語り手は、この差異意識の意味づけをめぐって健三の意識と無意識にずれがあることをコメントしている。語り手は、この臭いによる差異化が意識的には不快（「忌む」）と受けとめられ、無意識においては快感覚（満足）を引き出していることを仄めかす。つまり、語り手のコメントを通して紹介される健三という主人公は、自分が属していた場に戻りながら、「遠い所」の経験に支えられたある特異性を根拠に、そこから自らを差異化する欲望を持つ男として登場しているといえる。

冒頭では「遠い国の臭」として語られる健三の特異性は、健三の「教育」と繋っている。すぐ後の部分に語られるように、健三が遠い所から持ち帰ったものは具体的には「書物」なのであり（二）、健三の仕事はそれをもとに「書斎」で読んだり書いたり考えたりすることである（三）。また、「誇りと満足」の根拠となり得る場所である「遠い国」は、「磅（ポンド）」を通貨とする（五十九）「外国」とも言い換えられ（五十八）、その体験をイギリス留学と特定することも容易である。「遠い所」は「教育」を獲得していく階段の最上段と考えられ、それが彼の差異化の根拠となっているのである。また、独り差異化された状況をマイナスの方向に裏返せば孤独となるが、彼の孤独は「彼の頭と活字との交渉が複雑になればなる程、人としての彼は孤独に陥らなければならなかつた」（三）と説明され、やはり「活字」という比喩によって示された健三の教育が、孤独の原因として語られている。健三はこうした状況を、孤独ではあっても「心の底に異様の熱塊があるといふ自信」によって肯定している。親類との齟齬についても、「教育が違ふんだから仕方がない」（三）と受けとめ、「大した苦痛にもならな」いと語られる。「学問をした」（十四）〈知識人〉健三にとって、「教育」は、差異化の欲望の根拠となっており、そうした状況が積極的に肯定されているといえる。

　そしてまた、ここでも健三の意識は語り手のコメントによってずらされる。孤独な状態を肯定する健三の意識を語ったうえで、語り手は（反措定叙法によって）「温かい人間の血を枯らしに行く」（三）こととして否定的に意味づけ直している。語り手の反応は、健三の差異化の欲望に対しておこっている。[4] 健三の意識のゆれにかかわらず、つまり健三がそれを否定的に（「忌む」）意識していようと肯定的に（「自信」）受けとめていようとそれにはかかわらず、一貫して否定的なコメントを挿入する語り手の態度は、相原和邦が「知識人としての属性に厳し」い「インテリとしての健三を庶民の側に引き下ろす働き」と指摘するような、『道草』におけるいわゆる知識人批判、知識人の相対化の問題にも繋っていると思われる。しかし、注意しておきたいのは、こうした健三に関する知識人批判と考えられるコメントが、次のように「金」に対する健三の態度をめぐってあらわれているということである。「世事に疎い彼は、細君の父が何処へ頼んでも、もう判を押して呉れるものがないので、しまひに仕方なしに彼の所へ持つて来たのだといふ明白な事情さへ推察し得なかつた」(七十四)、「他から見ると酔興としか思はれない程細かなノートばかり拵へてゐる健三には、世の中にそんな(義理がたく返礼をする——引用者注)人間が生きてゐやうとさへ思へなかつた」(八十六)。また、「是等の物を買ひ調へた彼は毫も他人に就いて考へなかつた。新らしく生れる子供さへ眼中になかつた。自分より困つてゐる人の生活などはてんから忘れてゐた」(八十六)と、繰り返し指摘される健三の自己中心性や認識の狭さは、「金」を価値の中心に据えて生活している人間に対する鈍感さに対する批判としてあらわれている。語り手が反応をみせるのは、例えば知識人の論理過重な思考というような「教育」自体に起因する問題ではなく、「金」に疎いという性質なのである。そして、たしかに健三は、金に無頓着であることを自己の差異化/自己同一性の要にする男として語られている。先に述べたように、健三は教育を差異化の根拠にしているが、それは単純に教育/無教育という二項対立として成立しているわけではない。

そこには、もう一対の二項対立が重ね合わされている。それが時間/金である。読み書き考えるという作業に追われる健三にとって最も貴重なものとして「時間の価値」(七)が特化され、「気楽に使へる時間は少しもなかつた」(三)、「無意味に暇を潰すといふ事が目下の彼には何よりも恐ろしく見えた」(二十一)というように繰り返される。一方、他の登場人物は「金」を価値の基準に据えていることが語られ、健三にとっての「時間」と他の人物にとっての「金」が二項対立をつくっている。つまりこの二項対立の下では、健三は「元来儲ける事の下手な男」であり、「儲けられても其方に使ふ時間を惜がる男」(五十七)なのである。こうして、教育/無教育という二項対立は、時間/金という二項対立とぴったり重ねられ、教育/金という二項対立へと圧縮されている。『道草』における「金」の問題は、健三の知識人という性質と対立するものとして語られ、健三の論理では、「金」に疎いことは知識人の証となる。原理的にはレベルの異なる二つの要素が向かい合っているところに健三の認識における問題がある。健三の認識の閉鎖性を明示する語り手の反応も、この点をめぐってあらわれているのである。

すでに指摘されているように、『道草』における「金」は、〈交換〉・社会的コミュニケーションの媒体として語られている。[5]「金」の流通はその周囲に意味を発生させ、たとえば吉田凞生は具体的な「家族=親族」の関係性を支える「「互恵的交換」作用」として、また石原千秋はより広く抽象化し「他者への働きかけとしての〈交換〉」としてそれを分析した。そして、健三という主人公は、そのコミュニケーションに参加することを拒んでいることが指摘されている。しかし確認しておきたいが、健三はコミュニケーションそのものを拒否しているわけではあるまい。石原が指摘したように、健三は「モノ」の〈交換〉における共同性はもち、しかしながら「金銭の〈交換〉に対しては共同性を持たない」のである。ここに健三の「金銭への関わり方の特性」がある。また、同じく石原が指摘するように、健三の周囲への拒否反応は合理性を欠いている。「みんな金が欲しいのだ。さうして金より外には何にも欲しくないのだ」（五十七）という健三の判断は「少くとも彼らが〈交換〉の場としての共同性を共有していると考えられる以上、特に「金より外には何も欲しくないのだ」の方は、客観的根拠を持てない」(6)わけである。「金」という一点に固執してしまった過剰反応は、「金」という価値に対する拒否反応であって、〈交換〉関係そのものに対するものではないというべきだろう。彼が「金」という価値を拒否するのは、それと差異化することで自己の同一性を保っているからだ。無論健三が経済行為から無縁でいられるはずはない。健三もまた賃金による収入と消費の体系に組み込まれているわけであり、また「互恵的交換」にも実質的には組み込まれている。しかし、だからこそ「金」の流通が生み出す〈交換〉という局面が意識の上ではかたくなに拒否される。それによって健三の論理の中では「金」の価値への関与自体が拒否されたことになるのである。健三という知識人の認識に関して整理をするなら、〈交換〉関係に組み込まれることそのものではなく、金／教育という奇妙な二項対立の中で「金」の意味が立ち現れていることが問題となっているということができるだろう。彼のいびつな拒否反応や、「金力を離れた他の方面に於て自分が優者であるといふ自覚が絶えず彼の心に往来する間は幸福」（六十）だという幸福観こそが問題なのである。

　先に述べたように、語り手と健三の対立があらわれるのもこの点に関してである。そして語り手は、健三のこうした差異化の欲望の失敗をあらかじめ暗示している。「さうして自分の時間に対する態度が、恰も守銭奴のそれに似通つてゐる事には、丸で気がつかなかつた」(三)。語り手は健三を「守銭奴」と同一化する。つまり時間／金という二項対立を崩しているわけである。健三の欲望は充足されることなく、逆に同一化のシステムに巻き込まれていき、教育／無教育＝時間／金という密着した二組の二項対立は、『金』という価値によって一元化され、新たな二項対立、無能力／手腕へと変質していく。

「金力を離れた他の方面に於て自分が優者であるといふ自覚」「幸福」は、「遂に金の問題で色々に攪き乱されてくる」(六十)に従って失われる。「物質的に見た自分の」「貧弱」さは、「無能力の証拠」へと変質することになる。「彼は時々金の事を考へた。何故物質的の富を目標として今日迄働いて来なかつたのだらうと疑ふ日もあつた」(五十七)、「彼は金持になるか、偉くなるか、二つのうち何方かに中途半端な自分を片付けたくなつた。然し今から金持になるのは迂闊な彼に取つてもう遅かつた。偉くならうとすれば又色々な塵労が邪魔をした。其塵労の種をよく〳〵調べて見ると、矢つ張り金のないのが大源因になつてゐた。何うして好いか解らない彼はしきりに焦れた」(五十七)。こうした記述が繰り返され、健三の性質が「役に立」たない「甚だ実用に遠い生れ付」(九十二)として規定されることで、彼の「教育」は無意味化していくことになる。島田や姉という他の登場人物との同一意識を生む契機もここにあり、島田については「幼稚な頭脳」の「強欲な老人」との同一化(四十八)として語られ、姉については「教育の皮を剝けば己だつて」(六十七)という条件のもとで語られる。

「教育」が無意味化されるとともに新しく健三を規定するのは、無能力な男／手腕をもつ男という二項対立である。これは、金・財産の有無とは無関係である。『道草』において手腕をもつ男を代表するのは「自分には全く欠乏してゐる、一種の怪力」（七十二）をもつ岳父であるが、彼は物語現在の時点ではすでに経済的に破綻していながらも、健三と対照する形で手腕をもつ男として語られている。重要なのは、財産の有無ではなく、金を「儲ける」能力の有無である。

そして、例えば柄谷行人が『道草』の表層として指摘した「健三という知識人は、「知識」というものが何の力も発揮し得ない場所、すなわち家族の中で徹底的に相対化されて、一個の夫であり父であり子であるような存在に還元される」[7]という問題、つまり、知識人健三の〈家庭〉における「役割」の問題もこれと関わっていると考えられる。『道草』に語られる〈家庭〉の夫・父に期待される「力」とは、無論「知識」などではなく、家計にとって十分な収入をもたらす力、「儲ける」能力である。正確にいえば、健三の認識においてはそう考えられている。健三の役割意識と細君の意識はずれているからだ。細君は「たゞ女房を大事にして呉れゝば、それで沢山」「どんな夫でも構わない（七十七）という「新しい」発想をもち「実際」「此言葉通りの女であつた」と語られており、一方で、その細君にたいする健三の「推察」は「月の暈の様に細君の言外迄滲み出し」、そこに「学問ばかりに屈託してゐる自分」への「非難」と、岳父の「弁護」を読み取ってしまうことが語られている。健三は、自ら自分自身を夫・父として規定し、その理想的な雛型である岳父との懸隔を副産物として生じさせながら、先の一元化した二項対立を生み出していくのである。家計の困難を「夫の恥」

（二十）と感じるのは健三自身である。健三は、そのために働くことを「決心」（二十一）することになる。先の二項対立は、こうした健三の〈家庭〉における自らの役割意識を経由して崩れていくことになる。

仕事は、「役割」に則した労働となる。健三が自らを「儲ける」能力によって規定し始めるとき、大学教授という仕事の意味づけもまた変質するのである。健三が、一元化した自己規定に陥っていく過程は、教育や学問を象徴する仕事であった大学教授という仕事が、労働を賃金に変える一つの〈職業〉へと変質する過程に他ならない。先に引用した「何故物質的の富を目標として今日迄働いて来なかつたのだらう」（五十七）、「何うして好いか解らない」という「焦」り（五十七）は、ここで生じている。健三の仕事に関しては、無視することのできない変化、つまり「他から見ると酔興としか思はれない程細かなノートばかり拵へてゐ」た健三が、遂に「報酬」を得ることのできる「違つた方面」の「文章」を書くことになる（八十六）という変化があるが、健三の焦りはこの変化以前にすでにおこっていることは押さえておくべきだろう。健三の焦りは大学教授という仕事をめぐっておこったものである。「面白い気分」をもたらすもう一つの執筆行為は、以上に述べた一元化とは更にずれたところにあるはずだ(8)。

このずれについての説明とも考えられるのが、本章冒頭でも引用した次のような語り手のコメントである。「金の力で支配出来ない真に偉大なものが彼の眼に這入つて来るにはまだ大分間があつた」（五十七）。語り手は健三の焦りが解消されることを暗示している。それは可能性ですらなく、結果として提示されている。つまり、健三が抱えた「金」をめぐる問題系は、『道草』の語り手の地点ではすでに解決しているということになる。語り手がいう「金の力で支配出来ない真に偉大なもの」とは、「金」とは抵触しない価値が後に発見されることを意味している。それは健三の枠組みとは決定的に異なる。あらためて考えてみれば、健三がそもそも企てた教育／無教育という差異化の枠組みは、時間／金という枠組みと密着している点で、すでにその破綻を呼び込んでいたといえる。「金」という価値に関与しないものとして知識人を規定すること自体が、「金」という価値に規定（逆規定）されていることに他ならないからだ。それによって一元化されるのは必然といってもよいだろう。語り手の「時間に対する態度が、恰も守銭奴のそれに似通つてゐる事には、丸で気がつかなかつた」（三）というコメントは、そうした事態をあらかじめ示し、健三の失敗を暗示したものであった。しかし差異化自体を『道草』の語り手は否定しているわけではない。「金の力で支配出来ない真に偉大なもの」はあるというのであるから。この問題に関する語り手の（金の力で支配された）健三に対する差異は、あるタイムラグを前提として揺るがぬものとしてある。健三がたどった過程を経たうえで、「金」とは抵触しない価値は発見され、差異化は完成されるはずである。

『道草』内部の「家庭」における役割や「金」についての問題系は、以上のように、健三という知識人が持った金／教育というある意味では奇妙な二項対立の崩壊、具体的には、大学教授という仕事が、労働に応じた報酬を得るための〈職業〉へと変質していく過程として整理できる。そして語り手は、健三が初めにもっていた枠組みに批判的に反応し、質的時間的に異なる認識の枠組みがあることを明示しているのである。

健三の変化過程の中に交ざり込んでいる新しい執筆行為の発見。これは、『道草』の誘導に従って漱石についての情報を参照すれば、小説を書くことの発見だといえる。またそれはあらかじめ「報酬」を得る方途として発見されているのであるから、それを「小説家」という〈職業〉の発見と考えてもよいだろう。一方では「金の力で支配出来ない真に偉大なもの」の発見を語り、一方では「小説家」という〈職業〉への転職を仄めかす。『道草』はこうした物語外の結末を暗示するテクストである。それでは次に、「金」への関与の有無という点では矛盾するこの二つの発見、語り手の反応の根拠について、『道草』の外へ眼をうつして考えてみたい。

## 三　自然主義における「金」の問題

先に述べたように、『道草』のタイムラグの間にあって、文学と「金」の関係、小説家と「職業」の関係における質的な転換をおこさせたのは自然主義運動だと思われる。ここではその転換の過程をおってみたい。

自然主義以前の典型は、「文士銭を愛すること其文に過ぐれば、是れ已に文人に非ざるなり」（「文人の楽境」『太陽』明三〇・六）、「美神と財鬼とには兼事するを得ず、飢渇に迫らざる限りは、東洋古来の学者の慣習たる清貧の生涯を以て自ら甘んずべきなり」（「文士の抱負と国民将来の趨向」『帝国文学』明三一・四）として、貧しさにこそ矜持を見いだす立場である。ここにおける「文士」と「金」の関係は二項対立的であって、「文士」を清貧に甘んじる存在として定義しているといえる。

こうした対立を一層強めたものに文士保護論がある。文士保護論は明治三十三年に『新小説』で提起され、議論を巻き起こした。前提となっているのは前章でもみた三十年代初めの文壇不振であり、二つの記事が契機となっている。一つめは、後藤宙外の「時文」（『新小説』明三三・五）で、「衣食の為に濫作多作の境界に陥る」ことを不振の原因としたうえで、保護を求められる時代ではない故「自家の天職を深く意識し我無くば、此の文界を奈何せんと云ふ程の抱負だにあらば、一切の虚飾心を去りて、極めて生活を質素にし、破れたる木綿着物を纏ふて、流行のフロック、コートの間に立ちて耻ざる位の覚悟はあるべし」と清貧な田園生活を勧めたものである。二つめは翌月の「緑雨氏の文壇保護説」（記者筆記『新小説』明三三・六）であり、「社会が小説家を保護せぬ」ことを不振の原因として「生活と修養とは一緒に出来るものでは無い」とした。

文壇不振を受けたものであることからも想像がつくように、文士保護論には批判が続出した。一つは、現在の文士批判である。前者は基本的には「自己保護論」（「宙外の文士自己保護論」『帝国文学』明三三・六）であり保護を他に期待するものではなかったが、「今の詩人は、果して此の如く黄金を泥土視するの勇ありや」という具合に、再び現状の文士への批判を引き出している。文士保護論一般については、より批判は厳しく「他の保護を請ふに至りては、すでに文士たるの資格なく、男児が乾剛の性を失ひたるものなり」（「文士保護論」『帝国文学』明三三・八）、「意気地なきは今の文士なり」

（「文士とは何ぞ」『太陽』明三三・九）といわれた。一方で、理念的に唱えられるのが文士の「天職」「面目」である。「文学者なるもは幇間に非ず、玩弄物に非ず、別に絶大の天職あり」（「鏡花に与ふ」『帝国文学』明三三・七）、「少なくも今の如く社会の各方面悉く堕落したる時代に於ては寧ろ保護せられんよりは先づ筆を呵して救はざるべからず。是れ我らが壮語を喜ぶ為に斯く云ふにあらずして及ばぬまでも此覚悟を以て任ずるが文士の面目なるべしと信ずるが故なり」（内田魯庵「時文」『文芸倶楽部』明三三・八）。

こうした議論――「金」のための「濫作」が文壇不振に繋がり、清貧に甘んじ天職を貫く矜持がそれを解決する――のなかで、文士と「金」の対立は一層強調された。清貧に甘んじる矜持は「文士たるの資格」を保証するものである。「貧乏」という困難さに耐え得るか否かがその資格を決定する。この意味で、「貧乏」は読者と作者の間に高い垣根をつくらせ、作者の権威を産み出す装置にもなっている。作者は、あえてその「貧乏」を厭わず果敢に文学に取り組んだ存在であり、読者は彼らを尊敬しなければならないわけである。「金」の価値と対立することによって「文士」の権威が支えられる。

ただし同時におさえておかなければならないのは、一般的な職業と異なる領域として認識され、読み手とも切り離された、この定義の枠組の基本が、裏返せば、「金」を価値としないという、やはり「金」的なものを基準として規定されているということである。こうした認識の枠組みの中では、それぞれに固有性が説かれてはいても、あくまでも「文士」は非〈職業〉として逆規定される二次的な領域として成立しているといえる。そもそも矜持の裏には劣等意識が存在しているのであり、この後に生まれてくる新しい認識を語る言説は、二次的にそうした両義性を孕んだ領域として規定されることと自体を解消することを目論むのである。

「小説家の告白」と題された匿名の記事は、次のように語っている。「正直に小説家と云ふものを解して貰ひたい」として始められたそれは、「商売往来に無い職業でもして居るやうな耻かしい謙遜を言ふ」ことも、「自惚れて、由来文士と貧乏は附き物、貴い天職に殉ふには、生活難と苦闘する位は当然だと云ふやうな気になり、社会人類の為に頼れて貧乏してやるんだと云ふやうな顔付をして居る」ことも「情ない」と一蹴し、「小説家と云ふ者はソンな神聖な難有い商売ぢやない、油屋が油を売るやうに、原稿を書いて売つて衣食する職業だ」（黒衣僧「小説家の告白」『新潮』明三九・一一）と結論づける。「謙遜」も矜持もともに否定するところに、「小説家」が「職業」の一つであるという認識が主張される。労働による報酬獲得の手段として、つまり〈職業〉として「小説家」をとらえることの認識は、先に述べた「金」と文士という二項対立を無化しようと企てるものであって、枠組みの根本的な組み替えを語るものである。これはこうした変質を語る言説の中でも最も時期の早いものであるが、「未だ友人の感情や評価の意嚮を顧みずとも立派に生存し居る程の鞏固な地盤を持つて居ない」からと説明される「匿名」性が、この時期にこうした全く新しい立場の表明をすることの困難を示している。しかしここでは覆面をしなければ語れない〈職業〉としての文学という概念は、この後明治四十年代に入ってから、大量に生産されるようになる。それらは、自然主義作家の固有名のもとに、堂々と繰り返されるようになるのである。

ここで、『新潮』という雑誌の特集に注目したい。『新潮』は、投書雑誌『新声』を創刊した佐藤橘香の編集で、日露戦後に創刊された新しい文芸雑誌である。特色としたのは「第一印象録」「人物月旦」「現代作家月旦」といった人物論である。すでに指摘されているように、日露戦後のこの時期、小説をめぐる情報の在り方は変質し、作者に関する情報が小説についての情報と合わせて流通するようになる。(9)「六号活字と諸家の談話とで持ち切つた雑誌」(蒼瓶「新聞雑誌こゝかしこ」『東京朝日新聞』明四二・一二・一二)と評される『新潮』は、そうした情報の流通における変質に敏感に対応し、その流れに積極的に乗る戦略をとった雑誌であり、作者情報を伝える定番の記事と、それに合わせて「如何にして文壇の人となりし乎」であるとか「何故に小説を書くか」といった連載形式の特集が組まれ、小説論ではなくモデル論ですらない、(作品そのものとは無関係な)作家自身に関する情報をとりあげている。この新しい回路において流れた情報の一つが、小説家という〈職業〉をめぐる情報であり、回路の変質を支える内容を提供したのである。

「如何にして文壇の人となりし乎」は七回にわたって(明四一・八〜四二・二)連載された特集であるが、この中で「小説家」たることをそれぞれの作家が語る言説は、非常に均質的であり、「天職」という考え方が否定され特殊な矜持が消失している。「要するに極平凡なもので、文壇の人となるより外仕方なくてなつた」「自分の天分だとは決して思はない」とは正宗白鳥(一)、「別に動機と云ふ程の際立つたことはない」と相馬御風(一)、「文学者にならうなどゝは一向考へて居なかつた」「僕の天分其物は文学以外の活動にも案外間に合ふものかも知れない」と生田長江（一）、「別にこれといつて際立つた動機もなかつたやうに思ふ」というのは片上天弦である（三）。同様に動機を否定するもののなかでも特徴的なのは、「ずる〳〵」という擬態語で、これは読者と一線を画した「文士」という概念を無化している点で興味深い。「まあ、全くの処はずる〳〵でなつたのですね」（水野葉舟、三）、「仕方なく、まあ斯うしてずる〳〵と文学者のやうなものになつて了つたのです」（徳田秋江、四）、「唯、づる〳〵になつて来たのである」（真山青果、五）、「其後は唯書生が年を取つたと云ふに過ぎぬ、別に変化もなくずる〳〵と今日まで経来つたのだ」（岡本霊華、六）。「ずる〳〵」という身体的な言葉が、文学を取り囲み権威づけていた境界を溶化させ、また書き手と読み手の境界を溶化させている。これまでの枠組みにおける境界線がこうして無化されていく。

「何故に小説を書くか」（明四一・九／一〇）というテーマのもとでは、〈職業〉論がよりはっきりとあらわれている。「自分は文芸を以て、別に、外の事業より尊いものとも、又、神聖なものとも、意義あるものとも思はない」（正宗白鳥、一）、「遣らない前に崇拝した文芸も、彌張り苦しい一つの仕事で、唯、生活の為に鞭撻され、努力して、次第々々に今日の地位に上つたのだ」（徳田秋声、一）。これらの言説の中では、文学を「神聖」で「崇拝」すべきものと見る立場を批判対象として、意識的に分断が生み出されているということができる。一方、前提自体が変質し、文学を一職業とみる立場を前提においた議論も出てくる。そのうえで職業としての意味が「単に生活の為めのみでもない。又感興ばかりでもない」（柳川春葉、二）というように問題化されているが、それは「如何なる事業も人生に取つて詰らぬ筈はない、文芸も其一つである」（小杉天外、特集「文芸は男子一生の事業とするに足らざる乎」明四一・一二）、「誰だつて自己の職業に対して、一度は然う云ふ疑ひを持つ時代はある」「単に文芸のみではない。世の中の総ゆる職業に対して、其疑ひは起こつて来る」（島村抱月、同特集）という職業に関する一般論を前提としたものと考えられるだろう。文学は、職業一般論に組み込まれた形で語り始められている。先に述べた矜持の放棄も、こうした同一化と連動している。

そして、文士保護論も以前とは異なる様相を呈してくる。佐藤紅緑は「兎に角十分推敲して食つて行かれるだけの原稿料を払つて貰ひたい」という（「原稿料値上同盟案」明四二・一二）。これまた、「文士と云ふ者は、金のことで何う斯う云ふことを、己れを卑くするやうに思つて厭がる」（同前）、「一体、日本の昔の芸術家気質と云ふものは、金のことに無頓著（ママ）だと云ふことを以て誇りとして居たのだ」（「文士組合論」明四三・四）というように、以前の認識を批判対象としてふまえて提出されたものである。明治三十三年の保護論をめぐる議論と違って決定的に新しいのは、「是に於て小説家と云ふことを一種の職業と見て、相当の自衛の道を講ずることは、あながち文壇を侮辱するものとは言はれまい」という考え方である。ここでは、文学の「高尚」な特殊性を根拠に奨励や保護という特別扱いを受けようというのではなく、あくまでも「一種の職業」であることを前提に「相当」の「原稿料」を受け取る「権利」が主張されるのである。「文士の方でも遠慮なく金を取るやうにしなくてはならぬ」というように、仕事に応じ生活を成り立たせるための報酬を得ることは、当然視されるようになる。

『新潮』を中心にみてきたが、このように変質した言説が登場してくるのは『新潮』という一雑誌に限られたことではない。たとえば『文章世界』では「名流経歴談」という連載の特集が組まれる（明四一・四〜六）。これは創刊号から連載された作家を語る記事、「評伝」が、書き手の「偉大」さ（明四〇・四）や「高遠なる思想」（明四〇・五）を後輩の側から崇拝するものであったのとは対照的に、たとえば「実に平々凡々」（徳田秋声、明四一・四）というように、新聞記者池辺吉太郎、演説家安部磯雄などに交じって、作家自身が特殊な矜持を否定した経歴を語るものとなっている。こうした文士の権威を無化する情報の流行とともに、さまざまな立場から、この問題をめぐる反応が起き、またそれが一つの情報として流れていった。たとえば『太陽』では長谷川天溪「僕等は、文芸至上主義などは、既に亡びてゐると信じて居るものだ。最近の文芸思潮は、そんな古ぼけたロマンチックの夢想などを含んで居らぬ」「文芸に従事するからとて、それが文芸を最優等の事業と信ずる証とはならぬ。好きだから之に従事するのだ」（「ゴシップ」『太陽』明四二・八）と語り、そしてまたこの天溪の論を受けて『新小説』には「されど人間の大抵の職業には糊口の手段として見るの一側には、社会の精神生活の満足及び向上的要求に貢献する方面があるべき筈だ。特に文芸の精神に於いて然りである」（忠告生「寸鐵」明四二・九）という批判が出る。このようにして、明治四十年代に自然主義を軸として〈職業〉としての小説家についての言説が大量に生産されていった。[10]

## 四　《読めない読者》の排除

〈職業〉としての「文学」の発見、「文士」としての矜持の放棄、相応の報酬を得ることの当然視。こうした〈職業〉として「小説家」が発見されていく過程は、「金」と対立することで成立していた矜持を「金」の価値によって一元化することで否定する過程である。またそれは、先に述べたように読者と作者の境界を無化する過程でもある。では、それまでの枠組みにおける境界線がこうして崩されていくことは何を可能にしたのか。「小説家」の特殊性を否定するこれらの言説は、一見その非特権化を果たしているかのようにみえる。しかし、もちろんそうではないのである。文士の矜持が無化され、読者へと繋がっていくこの広がりの途中に、新たな境界が設けられていることに注意すべきだろう。矜持の放棄が語られることは、紅野謙介が指摘する「特権的存在への距離を失わせ、自分も雑誌のなかの書き手になりうるかもしれないという読者の欲望をかきたてる[11]」装置として働く。そして同時にそれは、金子明雄が「この時期の小説が、小説の言説自体と同じ空間に位置する小説の書き手個人についての情報とともに流通することによって、特別な可読性を獲得し、それによって特権化された[12]」と指摘する、「特権的な読者共同体」の成立と連動している。作者と読者の間の境界が取り払われるのと同時におこっているのは、読者の中における新たな線引である。《読める読者》と《読めない読者》。書き手になりうるという幻想は、情報にアクセスすることが可能でしかも作者に同一化

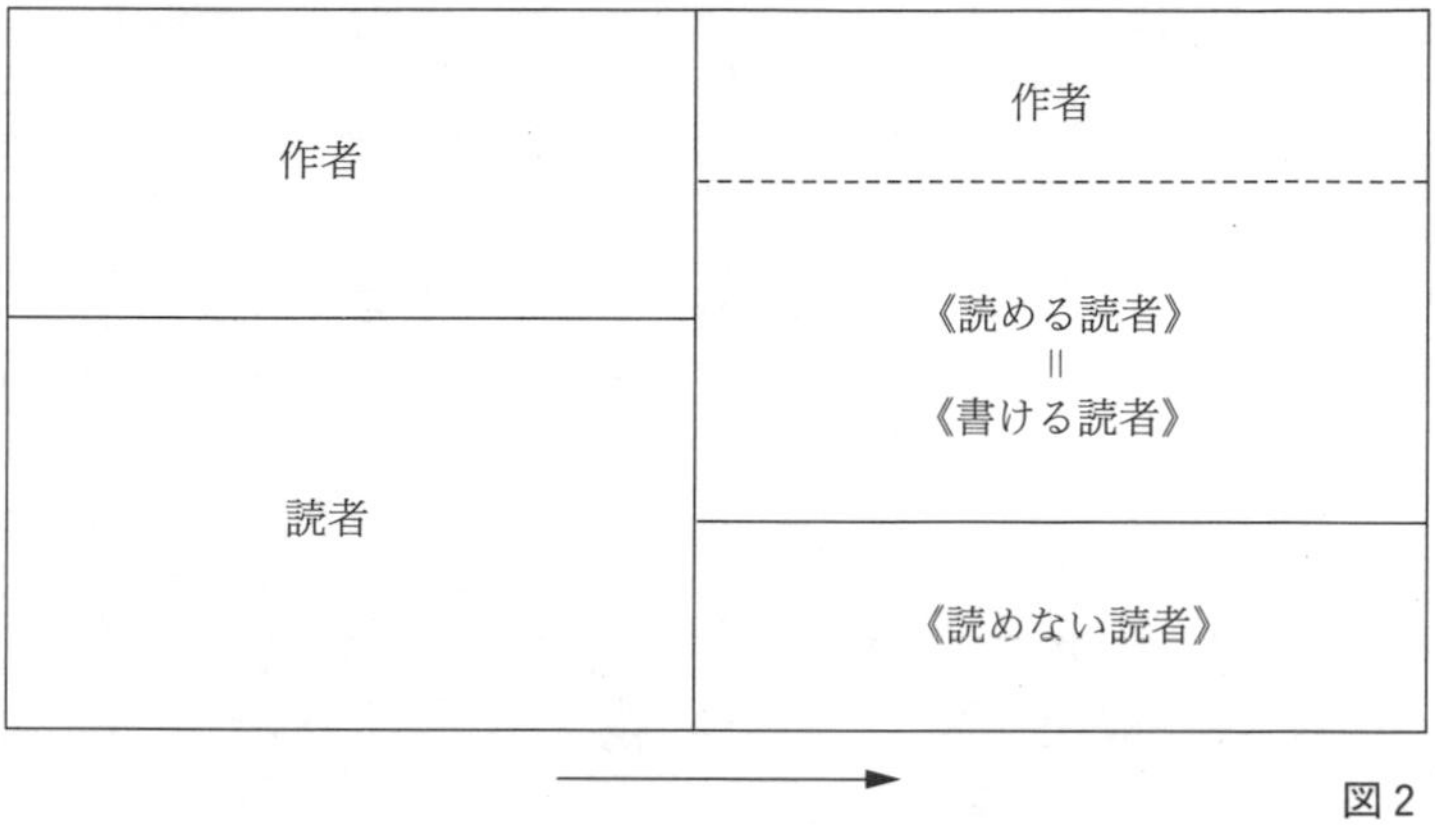

図2

する幻想をもち得る読者、すなわち《読める読者》の特権化を可能にするのであって、作者の特権性を否定するものではないのである。他方、同時に《読めない読者》は切り捨てられる（図2参照）。

小説家を〈職業〉化するという、作者情報の内容は先に述べたように非常に均質的である。しかもそれは、オリジナルでありながらも普遍性をもつものとして「生活」の悲哀を語る自然主義小説の内容と連携している。読者と通じ合う、〈職業〉をもち「生活」に苦しむ普遍的な主体が、小説の中心に想定されるようになるのである。こうした内容の均質性は、同時に読者共同体の理念上の均質性を物語っている。金子がいう「可読性」の獲得とは、実際にその情報にアクセスしうるか否かという区別だけではなく、紅野が指摘するような欲望、つまり量産される同様の物語を書けるか否かという理念的な区別と同時に生じた事態である。情報の新しい流通回路が原理的に成立させる特権性は、情報の内容の偏りによって理念上の特殊性を付与した形で成立している。《読める読者》とは、《書ける読者》である。《書けない読者》は、抽象的には排除される。他の職業との同一化を語るその運動は、一方では文学に、ある特殊な〈普遍性〉に支えられた特権性を付与していく運動でもあった。

そして、この特殊性にはジェンダーが絡んでいる。明治四十年代において〈職業〉をもち「生活」に苦しむ普遍的な主体は、あらためて言うまでもなく男性ジェンダー化している。そして、前章で述べたとおり、《読めない読者》は女性ジェンダー化している。この意味で、文学の〈職業〉化は、文学の男性ジェンダー化を〈理念〉的に完成するものである。

先に述べたように、「金」に逆規定された自然主義以前、文学に与えられた矜持は劣等意識と隣り合い両義性を帯びている。それは、社会の中心的な価値に対立する位置をとることにより帯びる両義性である。文壇不振が矜持を強調させるように、「金」にならぬ小説は、矜持の核になると同時に、社会の無視を示すものでもある。一方、「金」になる文学（売れる文学）は次のような言い方を呼び寄せる。「元来文学と云ふものは、忌憚なく云ふと、半ば以上は婦人相手の商売である」（「文士と社交」『新潮』明四一・七）。「商売」にならない文学における文士の矜持と「商売」になった文学の「女性」化。商売になるのは「弦斎物」や「蘆花の物」、「俗受けの物」である（内田魯庵「海外に於けるよく売れた小説と文士の収入及び生活」『新潮』明四四・二）。前章で論じた境界的なジャンルである。これらは売れることで、社会との繋がりを示すものでもある。文壇不振期に家庭小説が担った役割は、社会と繋がる回路を獲得することにあった。しかし一方で、文壇不振はここで論じている文士の矜持

（この矜持が男性ジェンダーを強調したものであったことも思い出しておきたい）を活性化したわけで、売れる小説は劣化する。実際、書かれ始めた家庭小説は「女性」化し、文学は「半ば以上は婦人相手の商売」となったわけである。

自然主義がおこした〈職業〉化は、こうした両義性を文学に付与する配置の根本的な再編成である。「金」との対立関係を解消しながら彼らが目指したのは、決して「婦人相手の商売」ではなかった。「優美に見えた女との闘ひよりは、卑しい金の為の闘ひが、遙かに真面目でもあり、男らしい闘であると自覚した」「天職と飯を食ふことを一つにして行くのは、決して耻でないと云ふことを知つた」（小山内薫「如何にして文壇の人となりし乎」『新潮』明四一・九）というように「男」の〈職業〉領域へ同一化することで、それは、非〈職業〉として付与されていた両義性そのものを払拭することを可能にする。〈職業〉という一般性を根拠に、「男らしい闘」として「生活」を語る文学は、男性ジェンダー化した〈普遍性〉を獲得するのである。それは同時に、均質性を保持しない女性ジェンダー化した《読めない読者》の排除でもあった。「特権的な読者共同体」の成立は、こうした再編成と連動し、「小説家」の価値はその中に収まることで両義性を払拭し〈芸術〉（生活のための芸術）として一義化することを可能にするのである。

このような再編成に対して違和感が表明されなかったわけではない。坪内逍遙はこうした〈職業〉化に違和感を表明した一人である。先に引用した『新潮』（明四一・一二）の特集の題にもなった「文芸は男子一生の事業とするに足らざる乎」という問いは、逍遙が発したものだ。逍遙は、「日本の小説は筋骨逞しき四十以上の男が（略）其全力を傾注し命懸けでする仕事たるに足るかどうかと云ふ疑は（略）自然に起らざるを得ない」「文学者の事業がそれ程に立派であらうか」（「文芸放談　功名心と日本の小説」『趣味』明四一・七）と語った。これは、文学が「筋骨逞しき四十以上の男」の職業一般と等置されることに対する抵抗に他ならない。ここでは文学は「命懸けでする仕事」に比べて価値の低いものとして扱われており、同時にそうした価値の低い文学が、「男性」一般の〈職業〉の領域に入り込むことに対して拒否反応が示されているといえるだろう。また、自然主義以前の認識の枠組みにおいては、非〈職業〉である文学は商売と結びついた時点で負性＝「女性」性を帯びる。以前の枠組みでいえば、〈職業〉化する「文学」は、金を拒否することによって成り立っていた矜持を決定的に消失したものとなる。逍遙は、文士となるならば、別に収入を得る職業をもつべきだと説いていた（「青年文士の覚悟」『早稲田学報』明四一・九）。どちらの意味でも、〈職業〉化は受け入れえないものとなったと思われる。

自然主義がおこした〈職業〉化は、逍遙の拒否反応に現れた「文学」観それ自体の再構成を目指すものであった。文学という領域はこの〈職業〉化によって、周縁性を払拭し、付与された女性性を払拭しえたわけである。「男らしい闘」としての文学を考えることは、まさに逍遙のいう「筋骨逞しき四十以上の男」が「命懸けでする仕事」として文学を成立させることになったのである。その後の展開をみれば、彼らの運動は成功したといえるだろう。自然主義運動の衰退とともに、この後、〈職業〉として小説家を語る言説そのものは減少している。しかしそれは決して、自然主義以前の「清貧」に甘んじる「文士」／「金」を儲ける〈職業〉という二項対立に戻ることを意味しているわけではない。直接的に語られることがなくなるのは、むしろ安定した前提となったからだろう。〈職業〉化が生み出した根本的な配置転換、普遍化した文学観は、発展的に受け継がれていく。

## 五　大正期における「金」の問題

自然主義からの移り変りを論じて「この二三年来、頽廃した、停滞した宿命観的の傾向を脱して、何等かの新生活を要望する傾向を示して来たことは、殆んど争ふべからざる事実と云はねばならぬ。その結果、生の躍進とか、生の創造とか、生の流動とか云ふ文字が、頽廃的、デカダン的、世紀末的などと云ふやうな言葉に取つて代ることになつたのである」と説明する言説の中では、「新生活」についての「具体的な研究なり主張」の必要が説かれる（本間久雄「新生活の問題」『新潮』大三・三）。次に要請されるのは、「生活」の質の追求であって、「生活」を離れることではない。普遍性の根拠は維持されていく。

「芸術の考察は、私にとつては人生の考察以外何ものでもない」として「自我生活の自覚」（相馬御風「芸術活動は人間生活其の物なり」『新潮』大一・一二）が説かれ、「其の人の生活が本当に根柢から何うにかならない以上、本当に意味あり、力ある作品も、言論も生れて来ることはないのである。充りは生活本位、人間本位である」（片上伸「作家の生活」『新潮』大四・二）と説かれる。こうした事態が示しているのは、新たに〈職業〉一般からの離陸、差異化がすすめられているということである。「吾吾はむしろ彼等多くの現代人の働きの殆んど凡てが、一様にある限られた消極的な必要に迫られた、苦しい単調な働きであるのを悲しむ」として、〈職業〉生活一般を前提に自己規定しながらも、その中における「積極的な表現生活」(相馬御風「表現の生活」『新潮』大三・二)が目指されていく。『新潮』大正七年二月号に「芸術と芸術家の生活」という特集がある。「最も健やかな人間性を体現する為めには、芸術家は最も健やかな生活の所有者でなければならぬ」(有島武郎)、「天才は自己の運命或は生命のリズムの奴隷」(長與善郎)というように、「芸術家」の「生活」は、再び差異化される。そして、貧乏であることは、「一種のハンディキヤツプ」(森田草平)と説明され、また逆に「活用」することも可能な、付属的な要素として位置づけられる。「報酬」を得ることが当然視された後の「天才」は、すでに、「金」の領域と二項対立的に、つまり同一のレベルで対立するものとはならない。「文学」は、「金」とは並置しえないメタレベルへと離陸している。文学を特権化している点でかつての「天職」意識と同様であるようにみえながらも、自然主義の前と後では質的に決定的な断絶が生じているのである。「思想家、芸術家としての抽象的な意識」と「市場に出されるべき書籍の生産者としての意識」(田中純「文学者の職業的自覚」『新潮』大九・七)はレベル分けされ、文学の価値と「金」の価値は抵触しないものとなるのである。[13]

こうして、「金」による逆規定を受けていた「文学」という領域は、自然主義がおこした〈職業〉化を経て、その束縛から抜け出る。「小説家」は、賃金労働という観念とは抵触しない形で報酬を得る特殊な〈職業〉となる。「文学」と「金」の関係は揺れることのない、新しい安定した関係に入ったということができるだろう。「文学」を芸術として成立させるシステムは完成したと考えられる。それは、文学の男性ジェンダー化の〈理念〉的な完成を意味している。

## 六　大正四年の『道草』評

さて、最後に『道草』に戻りたい。大学教授という仕事が〈職業〉化することに動揺する健三と、そうした健三の枠組み自体を批判する語り手の間にはさまっているのは、以上に述べた自然主義運動の中でおこった歴史的な転換である。〈職業〉領域に同一化されることを経て、「金」と抵触しない全く別のレベルの価値を持つ特殊な〈職業〉として「小説家」が生み出されていく過程の前と後に、健三と語り手はそれぞれ位置している。「小説家」という〈職業〉の特殊性が物語外の結末として仄めかされていることは、大正四年に、明治三十年代末を語るテクストとしての『道草』の固有性を示していると思われる。こうした転換を孕んだ『道草』に語られた「金」の問題は、明治四十年『野分』に語られた「黄白万能主義」批判とは決定的に異なっている。「眼前以上の遠い所高い所に労力を費やすものは、いかに将来の為めにならうとも、国家の為めにならうとも、人類の為めにならうとも報酬は愈減ずるのである」、「学問のある人、訳のわかつた人は金持が金の力で世間に利益を与ふると同様の意味に於て、学問を以て、わけの分つた所を以て社会に幸福を与へるのである」と語る道也先生は、知識人と金持を二項対立として語る。『道草』はそうした、異なる二項対立が窮屈に密着しあって成立した二項対立の無効さを主人公健三の混乱の中に語るのである。そして語り手が示す新しい地点は、次元の異なる要素が連鎖していく窮屈さからの解放でもあり、差異化の完成でもある。『道草』の語り手は「金」の価値から離陸し、メタレベルに安定した「小説家」という特殊な〈職業〉の場を用意し、そこから『道草』を語る。

『道草』はそうした語り手の用意した結末に至る道中、「道草」の有り様を語ったテクストということができる。その意味で、冒頭に引用した大正四年の「金さへあれば解決の付きさうな」という赤木桁平の批判はあたっていない。「金」に逆規定された健三には、「金持」（『野分』）であること自体が「知識人」であることと概念矛盾をおこしてしまう。赤木の批判は、「金」に逆規定されることから解放された地点、大正四年にあって初めて可能になる。『道草』が孕んだ質的時間的差異には、こうした「小説家」という〈職業〉における歴史的な転換を読むことができるのである。漱石もまた明治四十年代を生きた作家の一人である。

（1）柄谷行人「意識と自然」（『畏怖する人間』冬樹社、一九七九・四）、吉田凞生「家族＝親族小説としての『道草』」（『講座夏目漱石』第三巻、有斐閣、一九八一・一一）、石原千秋「「道草」における健三の対他関係の構造」（『日本近代文学』二九、一九八二・一〇）など。

（2）相原和邦「「道草」」（『漱石文学』塙書房、一九八〇・七）。

（3）藤森清「語り手の恋―『道草』試論―」（『日本の文学』年刊二、一九九三・一二）。

（4）語り手の存在を前景化する反措定叙法は二十一例（相原が指摘しているのは二十例であるが、島田夫婦についての叙述にもう一例ある）あるが、相原も指摘するようにそのうち十八例は健三に関しており、それは二つに大別できる。一つは細君との問題に関連する六例であり、神経衰弱に関する二例を除く残り十例は、健三のこの欲望に関連するものと考えられる。

（5）前掲注（1）吉田、石原論文など参照。また、「交換」に注目した論として、最近では柴市郎「『道草』—交換・貨幣・書くこと—」（『日本近代文学』四九、一九九三・一〇）。

（6）ただし石原は「金銭への関わり方の特性」については重視しておらず、この引用に関しても、健三が自己の「不快」を他者への「憎悪」に置き換えていると分析している。

（7）前掲注（1）柄谷論文。

（8）この点については蓮實重彦の興味深い分析がある。大学教授という〈職業〉を語る「換喩的表現」が、健三に「未知の解放感」をもたらす「報酬を期待しうる執筆行為」を表現するにあたっては「隠喩的なもの」へと変わることを指摘し、そこに「換喩的な世界を特徴づける窮屈な余裕のなさとは違った言葉の生誕」を指摘している（「修辞と利廻り—『道草』論のためのノート—」『夏目漱石事典』学燈社、一九九〇・七）。

（9）特集「メディアの政治力—明治四〇年前後—」（『文学』季刊四-二、一九九三・四）参照。

（10）文学を仕事とすることに対する意識が明治期と大正期では異なることを、島崎藤村をとりあげて論じたものに、高橋昌子「「事業」と「実業」の間—『春』から『桜の実の熟する時』へ—」（『島崎藤村研究』二五、一九九七・九）がある。本章での転換の指摘と基本的に重なるので、紹介しておく。

（11）紅野謙介「『中学世界』から『文章世界』へ—博文館・投書雑誌における言説編制—」（前掲注（9）参照）。紅野はこうした欲望をかきたてる装置が、作者と読者の間の境界線の確認に他ならないことも指摘している。

（12）金子明雄「新聞の中の読者と小説家—明治四〇年前後の『国民新聞』をめぐって—」（前掲注（9）参照）。

（13）本章で指摘した文学の離陸はやはり〈理念〉的なものであり、それが現実化されるのはこの頃である。現実化が可能になる分岐点が大正九年にあることを詳細に論じたものに、山本芳明「大正九年、出版ビジネスは〈文学〉を自律させた—「読売新聞」コラム「読書界と出版界」から—」（『学習院大学文学部研究年報』四三、一九九七・三）がある。参照されたい。

# 第三章　書くことと読むことにおけるジェンダー

## 一　書くことと読むこと

前章では、明治四十年代、男性ジェンダー化するかたちで文学が均質な読者共同体を成立させたということを論じた。もちろんそれは〈理念〉的なものであるが――〈実体〉的な水準では、女性もまたそれらの小説の作者にも読者にもなり得るからである――、芸術が示す〈普遍性〉が、実は特殊なものであることを確認してきた。本章で問題にするのは、そうした特殊性に支えられて読者共同体が均質化したとき、書くことと読むことはどのように関わるかということである。また、その均質化はジェンダーに関わるわけだが、男性ジェンダー化した場で、それぞれのテクストはどのように読まれ、どのように書かれるのだろうか。

本章でとりあげるテクストの一つは、森田草平の『煤煙』[1]である。『煤煙』は、平塚明子との心中未遂事件——動機は草平がダヌンチオの『死の勝利』を実行しようとしたことと報じられた——を「告白」した小説として発表されている。それ故『煤煙』は二つの対象を「読む」ことで非常に有名なテクストだといえる。対象の一つは、『死の勝利』であり、もう一つは、平塚明子と心中未遂事件である。その意味で「書く」際に、「読む」ことが圧倒的に前景化したテクストといえる。まずは、この小説の主人公要吉に表された「読む」行為のあり方を検討し、そのうえで、それを書く／読む作家主体森田草平の問題を取り扱うことを本章の目的としたい。そして、『煤煙』の後には、さらにそれを読んだ平塚らいてう（明子）の『峠』[2]というテクストがある。この『峠』における読む行為と『煤煙』におけるそれとを比較し、森田草平と平塚らいてうという二人の作家がどのようにしてそれらの小説を書いたのかについて考えたいと思う。[3]ここでは、これまでにみてきた文学という場のシステムの問題だけでなく、それに関わる主体の問題を扱うことになる。同じ場に参加するとしても、その関わり方はそれぞれに具体的な差異をもつはずだ。たとえば均質な共同体を再生産する場合と、そうでない場合。ここでは、草平とらいてうの書いたテクストの差異を拾うことで、主体の水準でのヴァリエーションをみてみたい。結果として、草平の書いたテクストは共同体を再生産する特徴をもち、らいてうのものはそうではないということを指摘することになるだろう。テクストの差異は、ジェンダー化された場に、それぞれの作家主体がどのような資格（「男」かあるいは「女」かという）で関わったかの差異をあらわすと考えている。

## 二　『煤煙』における誤読の反復

さて『煤煙』のモデルとなる事件はきわめて有名であり、草平の『死の勝利』への傾倒も同様に有名であって、通常の心中事件とは異なる事情があることが報じられ論じられていた。にもかかわらず興味深いことに、事件自体を問題にする批評、またテクストが事実を告白しているか否かを問題にする評はほとんどない。「『煤煙』は塩原行の弁護にあらずして、真摯なる芸術上の術策也」（無署名「現代文芸百家小伝　森田草平」『新潮』明四三・一）、「『煤烟』は森田草平氏の傑作である。誰が何と云つても、清心で深刻なところのある作であることは争はれぬ」（後藤宙外「同穉録」『新小説』明四三・四）など、基本的に芸術として扱われ、ゴシップ的な興味を示すものがない。『死の勝利』については関心が示されているが(4)、事件そのものに関心が向けられることはない。「「煤煙」は、事実の時に、色眼鏡を掛けて、書く時に、又色眼鏡を掛けた」（「「煤煙」に於ける想像と事実」『新潮』明四二・六）という草平自身の文章すら直後に用意されていたというのに、その色眼鏡の向こうの真相については問題化されなかったのである。ここからわかるのは、この小説に望まれていたのは、正真正銘の事実の告白ではなく、事実を草平がいかに読んだかの記述であったということである。草平は小説予告において、自己を「客観」した「此一篇を単に芸術上の作品として世に問ふ」（『東京朝日新聞』明四一・一二・四）ことを表明している。「芸術」的「客観」の態度で事件を「読む」ことが目的としてあらかじめ宣言され、読者もそれを期待したわけである。

この読む行為を前景化するのが、「誤読」という身振りの挿入である。「誤」読であることは、「読」む行為の存在を明確化する。読み誤ったということが語られるとき、読んだという行為は（出来事の）透明な前提ではなくなり、はっきりと示されることになるからだ。同時代において生田長江は次のように『煤煙』を評している。『煤煙』は「一のイリュウジョンを出たかと思ふと、直ぐに新しいイリュウジョンを作つてその中へ入つて行く。（略）ディスイリュウジョンは発端からして経験され、幾度となく繰返されてゐる。と同時に結末へ来ても竟に正体を見付けたと云ふほどの、所謂ディスイリュウジョンがあるのでない」（「人として芸術家としての森田草平氏」『新小説』大二・二）。長江が指摘する、反復されるイリュウジョンとディスイリュウジョン。「色眼鏡」で読み、そしてその行為を誤読だと評する運動が全篇にわたって反復されている。

イリュウジョンは文学の参照により形成され、わかりやすい例では「こんな事を要吉が云ふのは、印度古劇に見えるシャクンタラ姫が、恋人に送る手紙を蓮の葉に指の爪で刻み附けたといふ話を想ひ出したからで、今それを黙つて朋子に強ひようとしたのだ」（十七）というように語られる。それの破綻であるディスイリュウジョンは、「自分は矢張自分の想像に弄ばされてゐたのではあるまいか。日頃から瑣末な物の末に拘泥したり、又は誇大して見る癖が着いて、真直に物の真相を摑むことが出来ない」（二十）という一節のように、自己反省的な文脈の中で語られている。このディスイリュウジョンが、本章でいう誤読の認識にあたる。

この運動の反復を『煤煙』の参照枠として最も有名な『死の勝利』を中心に確認しておく。『死の勝利』については、要吉が朋子と二人きりで過ごす直前の場面に「要吉が始めてこの書を手にしたのは、今から三四年前未だ大学へ入つた当座で、余程身を入れて読んだものと見えて、或所は赤インキで横線が隙間もなく引いてある。赤インキの処だけを飛び飛びに読んで行くと、大抵は恋に悩む若者の熱病に罹つたやうな譫言ばかりだ。要吉は急に書物の上に手を伏せて、自分は本当にあの女に惚れてるんだらうかと自分の心に糺して見た。糺して見たばかしで、それに答へようとは思はなかつた。こんな疑問を出してはその侭にして置くといふことが、不安の間に何とも云はれない快感を与へるのである」(十六)と語られている。事件の発端以前に、すでにその参照は疑問視されている。『死の勝利』を読んだ自己、その読みを批評する自己、それを現在に参照する自己とその参照を疑う自己、『煤煙』に特徴的な自己の連続する分裂[5]の中ですでに参照による誤読に注意が払われているが、もう一つ特徴的なのは、最後の判断停止、懐疑自体を宙づりにする自己の設定[6]である。この宙づりが、その後の参照の反復を可能にし、「兎に角、自分が女の上に小説(ローマンス)を描いてゐたことは争はれない。自分はたゞ女の口から、自分の思想や感情を、自分の言葉と論理とで言はせて、それを楽しんでゐたに過ぎない」(二十九)というような、その後の明確な誤読の前景化に繋がっている。ある地点での自己の外枠に、それを批評する自己が設定されるという入れ子が延々と作り続けられていく。複数ある漱石の『煤煙』批判の中の次の一節は、この自己反省的な身振りをともなった誤読の反復の仕組みへの反応といえるだろう。「自己の陋を描きながら自から陋に安んずる能はずして一解ごとに弁解しつゝ進まば厭味にあらずして何ぞや」（草平宛書簡、明四二・二・七）。

## 三　明治四十年代における誤読の意味

漱石は同じ書簡の中でその書き方について「草平が未だ要吉を客観し得ざる書き方」だと説明し批判しているが、こうした批判はあたっていない。長江が指摘したように、この態度こそが、草平にとっての「芸術的」な身振り＝「客観」に他ならないからである。草平における誤読の強調は芸術の位置の再編に関わる同時代の動きに正確に対応している。

熊坂敦子に「明治四十二年ごろから自然主義文学論とともにおこつてきた「文芸と実行」、又は「芸術と実生活」の問題に、微妙に踵を接している」という指摘[7]があるが、「踵を接」するどころか草平の態度はそっくり同時代の文脈の中に在る。モデル問題に引き続く、芸術／事実という二項対立をめぐる問題は『煤煙』が書かれた明治四十二年の中心的な話題である。当時の言説を大枠で括ると〈芸術・文芸・文学・小説〉／〈事実・実生活・人生・実行〉という二項対立があらわれる（それぞれの括弧内の用語は置換可能と考えている）。

『煤煙』は、事実／芸術をめぐって二組の二項対立の中におかれている。一つ目はダヌンチオの『死の勝利』との関係から生じる、〈芸術〉としての『死の勝利』と、『煤煙』に語られた事件としての〈事実〉という二項対立。二つ目はその事件との関係から生じる、事件における〈事実〉と、芸術としての『煤煙』という二項対立である。芸術と事実という二項対立が、中身を換えながら問題化していることになる。

こうした問題の立て方は『煤煙』事件そのものについての批評の段階から出ている。『女学世界』（明四一・五）における「両人の行為に対する諸家の論評」（目次では「平塚明子の心理解剖」）と題された特集をみておこう。内田魯庵（「悲劇？　喜劇？」）が、「彼等は芸術を直ちに人生に実現しようと試みたのである！」と、外国小説／事件の二項対立から問題を扱っている。一方、事件／芸術化の二項対立の設定によるのは、三宅雪嶺（「一種の色情狂か」）で、「森田は文学的の新生涯に入るとか言つてるさうだが、さすれば何れ懺悔録のやうな物を書くであらう。それに正直に白状するか、仮構事をやるか。そこは見物である」という関心を示す。『煤煙』はすでにこうした関心のあり方が存在するなかで、それに正確に対応して書かれたテクストといえる。前掲した草平の『煤煙』についての文章も、この事実／芸術をめぐる二つの水準に対応している。

さて、一見交錯するこの二組の二項対立であるが、重要な歴史的特徴は、この二組の差異にはなく、この二項対立が重要視されているということそれ自体にある。事実／芸術問題の一部であり時間的には先行するモデル問題について、抱月は以前の事実を素材として書かれた小説が「今日の如くやかましい問題とならなかつたのは何故であらうか」といっている（「モデル問題の意味及び其の解決」『早稲田文学』明四〇・一二）。抱月の指摘のとおり、こうした注目が生じること自体に問題はある。

先の三宅雪嶺の『煤煙』事件評には山田美妙の浅草公園私娼事件と小説化が引き合いに出されてい

るが、その文脈と比較してみたい。美妙が妾石井とめの貯金をだましとったというこの事件は、『萬朝報』に「山田美妙斎大詐欺を働らく」（明二七・一一・二九／三〇、一二・一／二）という連載記事で報道され、美妙の「之を種にせんと思へば」故の行為で小説に「総て現存の人を其侭に描き出して事の真偽を一挙に示す」という「弁解」が三日後に掲載された（「山田美妙斎と朝報の記事に就て」明二七・一二・五）。この事件で興味深いのは、「弁解」に憤慨した逍遙の「小説家は実験を名として不義を行ふの権利ありや」（『早稲田文学』明二七・一二）である。というのは、この一文は明治四十年代における事実と芸術をめぐる問題の枠組みと重なるようにみえながら決定的に異なっているからだ。これと、事実／芸術の二項対立の議論の中でも代表的な、島村抱月「芸術と実生活の界に横たはる一線」（『早稲田文学』明四一・九）とを比較しながら明治四十年代の問題設定の特殊性について考えておこう。

逍遙は、小説家は「観察者」としてあくまでも「清浄無垢の傍観者」であるべきという。「衆に先ちて陽気の来復を知るもの」「一世の予言者（プロヘット）」「理想の能説者（セイアル）」である。一方の抱月は、「芸術と実生活とは実に局部我より脱して全我の生の意義すなはち価値に味到するといふ一線によつて区界せられ」「我れの利害から遊離して、第三者にならなければ決して芸術化する気遣ひは無い」とし、「客観的文芸」「観照の芸術」を説く。事実と芸術との差異化、小説家の特殊化、「観察」「観照」という態度を提示する点で両者は重なるようにみえる。しかし、その文脈は次のように異なっているのである。

逍遙の憤慨の核は、美妙が行為を小説のための「実地研究」とした点にあり、そして事実ならば「かりそめにも之れを口実とするの権利なかるべし」、事実でなければ「弁解書を作らんことを希ふ」という。つまり、「小説壇全体の醜声悪名とならざるを期せざる」という直接表明された批判の動機を越えて、ここにおいては事実と小説の混同そのものが批判の対象となっているのである。真偽の表明のみが重要ならば、美妙は小説で明らかにするといっている。つまり逍遙が許せないのはその態度自体、「社会の耳目たる新聞紙」において問われた罪を小説で明らかにすることにおけるレベルの混同なのである。「小説」は事実の「口実」にすべきでなく、事実の説明は「弁解書」でなされなければならない。逍遙にとっての小説は「想像の力に富む」「無より有を作る」「理想の別乾坤を作り、大宇宙を縮小して小天地画を作り得る」ものである。事実を「其儘」（美妙）に写すものではない。

明治四十一年の抱月が事実と芸術を問題化することは、まさにそうした逍遙的な区別そのものの再検討を意味している。「所謂四十面を提げた髯男が真面目に文芸でもあるまいといふやうな漠然たる不安の感を起こさせる」「文芸の一種特殊な性質」の再検討である。この一節は、前章でも引用した、再編に違和を示す逍遙の「日本の小説は筋骨逞しき四十以上の男が（略）其全力を傾注し命懸けです る仕事たるに足るかどうか」（「功名心と日本の小説」『趣味』明四一・七）という問題提起を意識したものだ。「芸術は一種高級の遊興」という「伝襲思想を一擲し、見地を一翻して考へ直す必要がある」という観点から、まず「芸術と遊戯とを一括して実生活から峻別する思想」を排し、そのうえで先に引用したように「生を味ふ芸術」として新たな線引きのもと〈芸術〉の領域を取り出すのである。この時期、意識的になされた「芸術の為の芸術」から「人生の為の芸術」への転換は、この再編成の中から生じている。事実と芸術の二項対立の問題化はこうした文学をめぐる再編成の一つのあらわれに他ならないのである。

提唱される「観照」という態度の具体例として説明されるのが次のようなあり方である。「ポツニセフの経歴は、ポツニセフみづから実行してゐる間は味は分からないが、之れが過去の想ひ出になつた時、乃至トルストイの筆を仮りて書き綴られた時は味の人生となつてゐる」。こうした認識と、草平の事実と芸術をめぐる認識は全く重なっている。このポツニセフとトルストイの関係はそっくり要吉と草平の関係にあてはめることが可能である。草平が自己肯定的に行ったのは「「煤煙」には事実を書いたとしても、其事実を後から振り返つて見て、如何に解釈されるか、其実行当時に於ては、存外意味もなく遣つたことでも、出来るだけベストに解釈しようとする」(「「煤煙」に於ける想像と事実」『新潮』明四二・六) ことだという。草平における過去の解釈、つまり事実を「読む」結果としての芸術は、「観照」による「人生の為の芸術」と問題の枠組みを同じくしている。ここでは、事実を読むという行為は特権的な行為として設定されている。『煤煙』というテクストの外側で作者が説明する、解釈する／読むという行為が、この意味で容認されたもの、さらにいえば自賛されたものであることを確認しておかなければならない。草平のこの謙虚さを装った自賛は、以上に述べたように、同時代的な文学の地位の再編に連動した一つの態度なのである。読むことの前景化と同時に、それを書くことが前景化されるとき、「読む」行為は特権性を帯びる。事実を「読む」こと、あるいはそれをより際だたせるために「誤読」することは〈芸術〉の称揚に連動しているのである。

## 四　『煤煙』の誤読行為

さて第二、第三節では、読むこと／誤読こそが『煤煙』の主題であり内容であること、また読むこと／誤読は書く主体が装う特権化した身振りでもあるということを確認した。次に『煤煙』における誤読行為について具体的に検討を加えたい。再び注意を向けたいのは、長江も指摘した反復性である。要吉の誤読行為には一定のパターンがあり、それが繰り返し現れている。

朋子についてのイリュウジョン（読むこと）からディスイリュウジョン（誤読の認識）へという一連の運動の反復は、最もわかりやすい。具体的な内容は異なるが、つねに文学からの引用によって形成されたイリュウジョンが提示され、それが壊されるという内容についての形式も画一化され、安定した反復をみることができる。この話形に共感をもつことができた読者にとっては、些か飽きることさえなければ、快楽の大きいテクストといえるだろう。謎としての朋子が、解明されることなく、しかも要吉の変容を促すこともなく、この反復の中心に据えられている。

運動の始点の形式もまた画一的に反復されている。朋子と出会う瞬間は、いずれも突然で急な時間の動きの中で説明されている。初めて朋子と出会う場面では、「茫然道端に立つてる」（十）要吉が突然神戸に声を掛けられる。その後ろに朋子。教会の洋琴の側で出会う場面は「偶と背後に人の気配がし」（十四）て、水道橋での待ち合わせも「不図眼を上げた」瞬間に登場、ここでは「その刹那石段の上に現れた女の上半身が焼着くやうに瞳子へ映つた」（十六）と劇的である。最後の場面、雪の中で崖を踏み外した後、「不図、誰かに喚び起されるやうな気がして眼を開いた。朋子が凝乎と自分の顔を見守つてゐる」（三十四）と締め括られるまで、ほとんどの出会いの瞬間は「急」であったり、「ふと」という突然の動きの中で語られている。新しい読みは、「急」に、あるいは「ふと」出会った後、突然繰り出される。直前に語られていた事柄と継続的に始まることはない。

語られる場面の時間の流れ方を見ると、こうして始点が突然設けられ、直前の場面とはうってかわって急速に朋子のさまざまな反応を読み始めたあと、朋子の沈黙（これも繰り返されている）などで流れにストップがかけられ、読む行為が進む速度は段々と弛まり、朋子と別れた後は要吉が独り答えの出ない自問自答を繰り返す停止に近い状態に陥るというパターンがあることがわかる。車輪の回転を続けるためには失速するたび再加速が必要なように、この始点におかれた急激な時間の流れの変化は、誤読行為における運動が反復される際の加速を示しているといってよいだろう。

それゆえ、この加速が失われると、誤読行為の流れは途端に停止する。隅江をめぐる「空想」と「事実」の部分（二十八）がそれにあたる。「ふと」未来を空想する要吉だが、現在を過去として振返るという形でしか未来が語られないこの部分では、隅江は過去の中に封じ込められてしまっている。「ふと」出会うということのない、知り尽くされた隅江が対象となると誤読の加速は不可能である。先に引用した漱石の「厭味」という批判がとりあげたのも、この部分である。「要吉は細君に対して冷刻なる観察其他要吉の名誉にならぬ事をしたり云つたりする。五六行先へ行くと必ずそれを自覚して自己を咎めてゐる。是草平が未だ要吉を客観し得ざる書き方なり。自己の陋を描きながら自から陋に安んずる能はずして一解ごとに弁解しつゝ進まば厭味にあらずして何ぞや」。漱石は『煤煙』の前半については「走馬燈の如く」「事件が発展的に叙せられないで、読者を圧迫する程びしく〱と並んで寄せ掛ける」(「『煤煙』第一巻序」明四三・二)と肯定的に評価するが、そうした速度が最も弛む場面がこの隅江について語る場面なのである。草平の誤読における自己反省的な反復の、反復性そのものが「厭味」に前景化する場面といえる。反復を持続させるために加速が必要だということは、誤読の内容そのものに質的な変化がないということを示していることを加えて確認しておこう。時間の流れの変化が、繰り返される同質の誤読にかろうじて新鮮味を与えているのである。

漱石が前半についてその運動性を指摘したように、誤読の反復は前半後半を通して、実は繰り返されている。故郷と出自を語る前半(『煤煙』第一巻・一~六)と、朋子との事件を語る後半(第二巻以降・七~三十四)との分裂を指摘する論は、同時代評を含め非常に多いが、具体的な内容に差異があるためそうみえるだけだ。草平が読む対象は朋子だけではない。たとえば「ふと」「身丈の図抜けて高い大男」(その後自殺する)に出会う(六)。この後提示されるのが「成程人間がこの娑婆に厭きて死んで行くのに、他人がそれを妨げて、従令一瞬間たりとも生を強ふる権利が何処にあらう」という一般化としての読みである。要吉は、繰り返し「ふと」何者かに出会っては、それを読んで(誤読して)いる。「両人の縄附」(一、解釈は七に)に、「老人の乞食」(十九)に、「酔漢」(三十)に、「爺さん」(三十四)に。朋子の場合と違うのは、ここにおける読みは再度検討されることがない一般化・普遍化した解釈となっている点であるが、これもまた対象の具体性を無視した誤読に他ならないことはいうまでもない。

要吉の誤読行為のパターンにおける特徴をまとめておこう。一つは画一化し安定した反復だということ、また時間的加速が必要な質的変化のない反復であること、そしてもう一つ注意しておきたいのは対象と要吉との間に完全に固定した階級差が設けられているということである。男/女。上層/下層(「縄附」や「乞食」などの先の対象との比較において、学歴という資源を持つ文士は明らかに上層である)。この固定した階層差が安定した反復を可能にしているといってよいだろう。また、内容の安定・無変化からわかるように、要吉の水準に変容がおこらないということも特徴的である。

これらの特徴からわかるのは、ここにおける誤読行為は、絶えずずれを孕みながら読み読まれるという非対称な関係性の認識から最も遠いところにあるということだ。完全に力学が無視された反復のなかで、対象は主体の「読む」快楽にひたすら奉仕するものとなっている。前景化するのは分裂し入れ子に重なる自己の有り様であり、「読む」ものとしての主体である。かりに『煤煙』の中に何らかの複雑さを読むとすれば、この主体の内部における分裂以外にはないだろう。しかし、これまた時間軸に沿って、先にも確認した判断停止によってその都度処理されている。そうした判断停止(時間的な停止でもある)が一連の運動の最後にあり、変容を避け再び同様の運動を単純反復しうる状態を準備している。

こうした要吉の水準における『煤煙』の誤読行為の特徴を、作者草平の水準での誤読へ敷衍可能なものとしてとらえたいと思う。要吉と草平が原理的に異なる水準にあることはいうまでもないが、読む要吉をさらに読む要吉という入れ子状の分裂は、『煤煙』というテクストの内部だけにおさまってはいない。草平は、朋子また要吉についての読みをさらに提示している（「落果『煤煙』について」『新小説』明四二・七）からだ。『煤煙』は三人称で語られ、その点で登場人物と作者の水準の違いが明示されていることになるが、『煤煙』ではそれが、むしろ登場人物要吉がつくる入れ子の外側に（要吉を過去の自分として「客観」視する）作者草平をさらに設定することを可能にし、登場人物がつくった入れ子を作者がもう一重大きくすることになっている。要吉を読む要吉の外側に、さらにそれを読む草平が、（当事者が当事者を読むという）同じ資格で登場するのである。草平が『煤煙』を読むという行為は、要吉が要吉を読むという行為に、時間的に連続するのみならず、質的にも類似している。草平は、『煤煙』の外においても、相変わらず「読む」ことをやめない。「読む」こと自体が批判されることはないのである。その意味で、草平が『煤煙』を読むことは、要吉が要吉を「読む」というその行為を、テクストの外で肯定し補強する行為にもなっている。ここではこのような『煤煙』の特徴をふまえて、要吉と草平との原理的な水準の差異よりも、その重なりの効果を重視したい。そして次に、草平とらいてうの繋がりを根拠として、『峠』について検討を加えたい。

## 五　『峠』の誤読行為

同じ事件を素材にし、さらに『煤煙』を読んで『峠』は書かれている。やはりここでも「読む」ことが前景化している。ただし、ここにおける誤読行為は、『煤煙』とは全く異質なものである。結論を先にいえば、『峠』における誤読は、物語内容の水準においても言説の水準においても、ともに、読み読まれる非対称的な関係を前景化するものとして立ちあらわれているのである。

物語内容の水準では、戦いを直接想定させる次のような記述が、『峠』における読む行為の闘争性をわかりやすく示している。「今弱者の地位に置かれている」(四)、「仕返しができていない」(一五)から「強者の位置にあるような、勝利者であるようなぼんやりした意識にともなうある安堵と満足」(一六)、「勝鬨」(一七)、「今朝のあの受身の位置に置かれた、自分が取返せたと思うと一種の快さを感ずる」(二一)へと戦いが進行していく。「お互いはお互いを心の中で凝視し合った」(四)と語られているように、「私」にとってこの戦いは解釈における戦いである。読み読まれる戦いの過程が「何か答えはしていたが、心の内では全く別のことを考えずにはいられなかった」(二)、「でも神経は絶えず隣の方に尖っていた」(三)、「もう何か言い出しそうなものだ、と絶えず心待ちに待っていた」(一一)、「私は何とか言わねばならないような気がしてきた」(一二)、「引剝さないではおけないような気持になった」(一四)という具合にさまざまに描写されている。あくまで闘争として語られており、ここにおける読むことが自分にとっての答えを出すこととはまったく無関係であることに注意しておきたい。当然イリュウジョンもなければディスイリュウジョンの訪れる機会もない。

この読む行為は、回想と物語現在と語り手が属する三層の時間が交錯しながら語られている。実際の事件を素材にした一人称小説であるゆえに、この三つの時間は容易に因果論的な解釈を引き込みやすいわけだが、次に注意しておきたいのは、語り手の水準に属すると考えられる、そうした因果論的な解釈を切断する文章が差し挟まれていることである。[8] たとえば、会合の意味を確定しようと考えなかったことについて「〇〇だろうか」という推定を二つ提示したうえで「私自身にも断定することはできないが、おそらくこれらの二つからであったろう」(三)とする。この推定の主体である「私自身」は物語現在における「私」ではない。推定は明らかに物語現在とは異なる時間においてなされているからである。そしてその「私自身」は時間的に上位な水準にあるにもかかわらず、断定を保留しているわけである。同じ処理は、金葉会での先生の姿について「私は不思議にその時の先生の態度や、表情や、きれぎれな言葉や声を、今もなおはっきりと覚えている」(六)とコメントした後にもあり、記憶に残った二つの理由が推定として提示されている。こうして二つの水準は並置されている。内容的な異質さもこの並置を保証しており、自己史的な回想とゲームの描写をする物語現在の異質さにその特徴を認めることが出来るだろう。また、質的に異なる時間系が並置されているという点では、ゲームを語る一方で、ゲームを離れ完全に「私」に内的に属する別の時間の流れが並置されてもいる。「すぐそばに立っている先生のことも、今日どうしてこんなところへ来たのかもしばらく忘れたようになっていた」(一〇)、「私はしばらく相手を忘れた」(一六) などがそれにあたる。煤煙を見る場面 (一三)、酒に酔う場面 (一四)、「宗教的な情調のともなった一種の心理状態」(一六) 等も同様の時間系に属したものとして挿入されている。

さらに興味深いのは、先の引用したコメントにもある「今」という時制における混乱である。コメントにおける「今」や冒頭「今から七年前」(一) は語りの時間に、「愛の末日」執筆についての「今まで読んだわずかばかりの小説から得た知識」(八) などで書いたという説明における「今」は回想の時間に属している。もちろんあらためて確認するまでもなく物語現在の「今」は多出している。時間についての論理的な整合性は欠如している。こうした時制の乱れは、とくに『峠』に限った特徴ではなく (『煤煙』には認められないが)、そのこと自体がテクストの価値を証する事象ではないだろう。しかしこれに、先に述べたような因果論的な解釈を切断する機能をみるとき、この混乱が、このテクストの置かれた文脈の中では興味深い特徴として、かりに強調すればテクストに認めることのできる戦略として考えられるのである。

『峠』は物語内で読むことを解釈の闘争として語るだけではなく、テクスト自体が解釈の闘争の中に置かれていることに自覚的なテクストと思われる。というのは、先の特徴は語り手による内容の水準への多様な「同化」[9] とみることも可能だが、そうした多様性を特徴とする語り手とはさらに異なる、テクストを構成する語り手があらわれているからである。たとえば、「その理由は後に説明する」(二)、「この物語を進める前に、私は少し遡って、私がどうして先生を知るに至ったか、またどんな経路を通ってここまで来たか、まずそれらのことについて一通り言っておきたい」（四）、「このことは後に出る」（八）という記述の主体としての語り手である。この明らかに物語内容の上位に立つ語り手を、物語外の情報と合わせて「このころの私」や「こういう経験」と語る主体と重ねるとき、そこに浮かび上がるのは作者である平塚らいてうに他ならない。「今から七年前」という書き出しには、そうした作者の顔が刻みつけられている。そして、このことは『峠』がらいてうの名の下に読まれるテクストであることに対して、あらかじめ示された態度と考えてよいのではないだろうか。らいてうの署名を施すことによって『峠』は『煤煙』と具体的で直接的な関係をもつわけである。事件を読み、『煤煙』を読み『峠』を読むという読者の場に、積極的に『峠』は加わっているといえる。中断のため最後になった部分には、「嘘」をめぐる記述がある。「人を欺く――同じ人を欺くにしてももっと真実がなければ嘘だ。まず何よりも先に自分自身が腹の底からそのものになってかからなければ。自分の心と身体の全てをあげて欺くだけの人間としての根本の真実と自由がなければ、そうなればもう欺くのではない。自分の力で――人格の力で人を動かすのだから、偉大なことだ、善悪の批判を許さない立派なことだ。といって私だって大嘘をやったのだ。そして時には自分のしていること、自分との間にかなりな距りのあったことも確かにあった。私はそれを自分で意識していないわけじゃない。けれどもまた、時にはほんとにそのものの境界にすっかり入ってしまっていたことだって確かにあった。それはもうほんのその瞬間だけなのは言うまでもないことだけれど」。この部分は、『峠』もまたこのゲームの中で吐かれた「大嘘」であることを暗示している。そして、「自分の心と身体の全てをあげて欺くだけの人間としての根本の真実と自由」を賭けたゲームにおける「大嘘」は「善悪の批判を許さない立派なこと」だとらいてうは断言する。

## 六　「読むこと」と「読まれること」のジェンダー化

関係の中にあることを前提とし「読まれること」を前景化する「嘘」についての断言と、入れ子状に自己の分裂を繰り返し「読むこと」を前景化する草平の「誤読」の称揚との差異は大きい。

重要なのは草平の誤読が、芸術的な身振りだったということだ。先に述べたように、事実と芸術という二項対立を問題にすることは、「文学」の価値をめぐる再編成を可能にする。遊戯・非現実としての「文学」(特殊)から、現実と関係する「文学」(一般化・普遍化)へという変化を意味しているからである。そしてそれはやはり「四十面を提げた髭男」の「真面目」な「文芸」を成立させることと関わっていた。草平は芸術を事実に、事実を芸術にという二つのことを十二分に実行する形で、このような「文学」の称揚に参加したのである。このような方法をとったのは、草平だけではない。『煤煙』は、中村光夫が「花袋の最大の独創」であり多数の模倣を生んだと説明する「外国小説または戯曲の人物にみづからなりきつて、(またはなつたつもりで)その作品のモチイフを生きて見、同時にさうした演戯をする作者の姿をそのまま小説の主人公とする方法」[10]の一つであるからだ。この方法は、事実と文学の関係の問題化の具体的なあらわれなのであり、『煤煙』における誤読の反復は、こうした方法をことさらに強調するものだったというわけだ。

同時にこの方法において彼等が可能にしたのは、「外国文学」を新しい父として仮構することに他ならない。彼等は、新たに発見した父を模倣する息子たちとなるのである。それは均質化した共同体をつくり出すだろう。たとえば森田草平は『煤煙』を書いたとき、友人小宮豊隆にダヌンチオの『死の勝利』などの数冊の小説をあらかじめ読むようにいったという（小宮豊隆「ダヌンチオの『死の勝利』と森田草平の『煤煙』」『ホトヽギス』明四二・七）。『死の勝利』を読んだ豊隆が、それを読んで書いた草平の小説を読み、そしてまた書く。このように父の息子となることで、共同性が確保されていくのである。ハウプトマンを知った者が『蒲団』をよりおもしろく読め、ダヌンチオを読んだ者が『煤煙』をより深く読めるというわけである。文学と事実の関係の再編が、父の仮構としてあらわれるとき、それはこのような共同性の獲得を同時に可能にしている。草平の読む／誤読する行為はこうした共同体の形成とも、深く結びついている。

「文学」を普遍化することと、均質化した読者共同体を形成することとは、論理的に直結する事柄ではないが（むしろ一見相反するようにすらみえる）、たしかにこのとき二つの動きは連動しておこりながら「文学」の地位の再編をはたしている。『煤煙』はまさにこの二つの事柄が同時におこる有り様を示すテクストといえるだろう。そして、このような共同体の中で「読む」という行為が機能するとき、「読むこと」ばかりが前景化し、「読まれること」に注意が向けられることはない。父となる文学を読んだことが事実を誤読させるという芸術的な身振りを繰り返すことは、逆にいえば、このように事実を誤読する原因としての偉大な父があることを繰り返し示すことになる。その父を共有する共同体に、『煤煙』は属しているのである。「読む」行為は、その中で、父の息子であることの証として共有される。この経路のどこにも、「読まれること」が浮上する場はない。〈芸術〉の名の下に「好奇心の眼を以て迎へられることは、流石に最う堪へられな」い（「落果『煤煙』について」『新小説』明四二・七）と、読まれることを拒否しうると考えるこの態度は、この流れが非常に均質的な読者共同体の中で（もしくはその生成と連動して）おこっていたことを物語っている。このような意味で『煤煙』はまさに明治四十年代の息子であるテクストといえるだろう。

それに比較して『峠』が、読まれることに意識的であることは、この息子たちの均質な共同体に入っていないことを物語る。『峠』には「文学」についての記述がある。「これらの物語の中の人物のどれもに対して私はいつも飽き足りないような一種の侮蔑をなお感じていた」（六）という（語りの現在の時点でどう感じているのかは、ここでも語られていない）。「傲慢な一種の信念」と説明されるこの批判に、芸術をうたって誤読を繰り返す『煤煙』へ、『峠』という「人間としての根本の真実と自由」を賭けた「大嘘」をぶつけるらいてうの「負けぬ気といたずらっ気」（一二）をみたいと思う。事実についての彼女の読みを生むのも、そして支えるのも、「文学」ではない。そのとき解釈コードを読者と共有しない『峠』において、「読まれる」ことが前景化する。『峠』は非息子共同体的テクストなのである。

息子たちの共同体に参加した森田草平と、参加しないらいてうという二人の作家の戦略の違いに、それぞれの資格としてのジェンダーが重なってみえる。テクストの差異は「文学」のジェンダー構造に合致してあらわれており、息子たちの共同体に参加した「男」と参加しない「女」の書いたテクストとして、それぞれをみることができるだろう。ジェンダー化した場では、それぞれの参加資格もジェンダー化を被るのである。

第I部と本章のまとめを簡単にしておこう。第I部では、三つの切り口から、明治三十年代から四十年代にかけての文学の地位の変化の過程を確認し、その過程がジェンダー化されているということ、つまり、文学の自立は文学が男性ジェンダー化し、女性が排除されることによって可能になったということを明らかにした。繰り返すが、この男性ジェンダー化の過程は、典型的なメタファーとしてのジェンダーの働きによる問題として分析したものである。端的にいえば、「筋骨逞しき四十以上の男が（略）其全力を傾注し命懸けでする仕事」というメタファーが、文学の自立に働いているということを確認してきたわけである。そしてその効果は、構造的に、抽象的な女性読者の排除と繋っている。こうしたメタファーのレベルでのジェンダー化の構造を問うことで、女性作家や、大勢の女性読者が実際には存在するということに抵触することなく、ジェンダー化の問題を問うことができるだろう。そして、それぞれの作家主体やそれぞれの読者主体が、こうしたジェンダー構造の中で、どのようにジェンダー・アイデンティティを形成しながら書いたかということは、別レベルの問題として問われる必要がある。男性ジェンダー化した場で、女性という資格で書くことが、それぞれの主体のレベルではどのようなあらわれを生むのか、本章はこの点についての考察に関わるものでもあった。ただ、注意しておきたいのは、そのようにして主体のジェンダー・アイデンティティを問題にすることは、「女」あるいは「男」というカテゴリーで主体を説明しきることを目指すものではないということだ。ここでの分析は草平が「男」として加わり、らいてうが「非男」=「女」として参加したことを論じるものであったが、それは、草平が男としてのみ存在し、あるいはらいてうが女としてのみ存在したということを意味してはいない。また草平が男であるかどうか、あるいはらいてうが女であるかどうかということとも別の問題だ(らいてうは、よく知られるように自らを女でも男でもないと言っている)。ここで問題にしたのは、ある場に参加する場合に、「女」として、あるいは「男」として扱われるという問題である。『煤煙』と『峠』の場合、二人の作者は心中未遂事件の片割れ同士である。ジェンダーの力学から逃れて参加することは不可能だ。そのとき男性ジェンダー化した場において、「男」はそれに参加するテクストを生産し、「女」は参加することの力学に自己言及的なテクストを生産したのである。

(1)『東京朝日新聞』(明四二・一・一~五・一六)に「煤烟」という表題で発表。改稿の後『煤煙』として刊行された(一巻明四三・二、二巻明四三・八、三巻大二・八、四巻大二・一一)。引用は『現代日本文学全集』第二二巻(筑摩書房、一九五五・七)による。
(2)『時事新報』(大四・四・一~四・二一)。引用は『平塚らいてう著作集』第二巻(大月書店、一九八三・八)による。

(3) 確認しておけば、本章の目的が読み／書く行為の遂行のされ方にある以上、この比較の目的は、素材にあたる事件の真相や草平が誤読した平塚明子の真実を探ることにはない。

(4) 小栗風葉「最近の文学界所感」(『太陽』明四二・二)、小宮豊隆「ダヌンチオの『死の勝利』と森田草平の『煤煙』」(『ホトヽギス』明四二・七)、森林太郎「影と形(煤煙の序に代ふる対話)」(『スバル』明四二・一二)、「寸鉄」(『新小説』明四三・三)など。

(5) 佐々木英昭「森田草平における「近代病」—「煤煙事件」を準備したもの—」(『比較文化雑誌』二、一九八四・一二)が「客観」の「二重性」を指摘している。

(6) 他にも「が、それも押詰めて考へて見るだけの根気はなかつた」(二十)「解つたが、何うもそれをはつきり意識の上へ浮べたくない」(二十六)「何のために来たのか、それはもう考へたくない、考へるだけの精も根もない」(三十)など。

(7) 熊坂敦子「『煤煙』の発想」(『国文目白』一、一九六二・三)。

(8) 同様にこの文末表現の特徴を指摘するとともに、指示対象を欠く指示語の使用という特徴を指摘し、『峠』を〈何も語っていない〉とも言い得る最終決定のないテクスト」ととらえた論に、高橋重美「言説空間としての「峠」—文末表現と指示語から見た〈「私」の物語〉—」(『立教大学日本文学』七二、一九九六・一二)がある。参照されたい。本章と高橋の論の重要な差異は、高橋が、「「峠」を「煤煙」のアンチテーゼとする読み」を、「峠」の決定されていない意味を埋め「煤煙事件」の「一連の説話論的磁場に連なる直系の読解」となるとして避ける点にある。本章では、『峠』を『煤煙』のアンチテーゼとして読むが、二つのテクストの語りの特徴の差異が、「説話論的磁場」における二つのテクストの位置の差異と、作家が与えられた資格の差異(本章ではその一つであるジェンダーの差異に注目する)に関係していることを指摘する。その意味で、ここでの作業は、二つのテクストの内容を比較する作業とは異なり、「説話論的磁場に連なる直系の読解」の提示にはならず、男性ジェンダー化した「文学」という場の中で「説話論的磁場に連なる」ことがテクストの位置や作家の資格によって異なる意味をもつことを明らかにする作業に繋がると考えている。

(9) らいてうが「小説に描かれたるモデルの感想」(ただし平塚朋子の名で。『新潮』明四三・八)などに掲げた一つの理念。

(10) 中村光夫「近代リアリズムの展開」(『風俗小説論』河出書房、一九五〇・六)。引用は、『中村光夫全集』第七巻(筑摩書房、一九七二・三)による。

# 第II部

# 男と男

## 語られる「女」・語られない「女」

# 第四章　『虞美人草』　藤尾と悲恋

## 一　『虞美人草』と新聞小説

第II部では、小説の具体例として漱石テクストをとりあげ、それが明治四十年代の「文学」とどのように関係し、またどのようにずれているのかをみていきたい。最初にとりあげるのは、『虞美人草』である。『虞美人草』の予告（『東京朝日新聞』明四〇・五・二八）が出ると「東京と大阪の三越が「虞美人草浴衣」や、「虞美人草袱紗」を売り出し、銀座の宝石店と心斎橋の玉宝堂からは虞美人草模様の指輪やブローチを売り出し」、さらに絵葉書屋が「そのころブームであった美人エハガキに、虞美人草の花を抱いた美女の写真をつくり、これに「虞美人草絵葉書」の名を冠して発売するというさわぎ」[1]が起きる。『虞美人草』は漱石の最初の新聞小説であるが、まさに新聞小説としての期待の中で書き出されたわけである。というのも、こうした商品化をともなった評判は、新聞小説がつくる典型的な風景だからである。ここでは『虞美人草』を「新聞小説」として読んでみたいと思う。

さて、この時期の新聞小説とはどのようなものだったか。「そのころの第一線の新聞小説家といえば、家庭小説の菊池幽芳、渡辺霞亭、田口掬汀、歴史小説の塚原渋柿園、半井桃水、紅葉門下の小栗風葉、徳田秋声、大倉桃郎といったところ(2)」である。そして新聞小説を文学として論ずるとき、その対象にとりあげられるのは基本的に家庭小説である。「多少文字を重んじ、芸術を尊ぶ良心がある新聞に書かれる場合「講談代りに所謂家庭小説でも採らねばならぬ」(柳川春葉「家庭小説と余が作物」『文章世界』明三九・一二)といわれるように、芸術に近いと考えられていたのは家庭小説と考えられる。とはいうものの、第一章で述べたように、明治四十年を迎えようというこの時期、家庭小説は所謂文学と分けてとらえられ始めている。「新聞小説は必ずしも文学上の傑作ならずとも好し、家庭に快く面白く読まるゝならばそれぞれ思想的のものなるべし、「己が罪」「不如帰」「無果花(ママ)」「食道楽」などが成功せるは言ふまでもなく此の條件に当たればならん」(伊原青々園「新聞小説」『早稲田文学』明三九・二)という文章があるが、ここで念頭におかれているのは家庭小説である。新聞小説の代表的なジャンルとして、「道徳」を主眼とする家庭小説があげられているのである。新しくおこった自然主義と新聞小説の関係を論じた文章でも、やはり「新聞小説は、馬琴のやうに明かに講釈をする必要はなくとも、作家の頭には少くとも倫理的観念が置(ママ)いて貰ひたい」という前提のもとに、「幽芳、掬汀氏等の黄金時代が去つて、藤村独歩氏等の上に移つたといふ標語は、私に於ては容易に信じられぬのである」「自然派の書き方を新聞小説に応用するのは困難だらうと思ふ」とされる（須藤南翠「自然派と新聞小説」『太陽』明四一・一二）。新聞小説＝家庭小説＝道徳性という図式があったことがわかる。漱石の書いた『虞美人草』もまた、家庭小説に向けられるのと同じ視線で読まれている。頻繁に引用される秋骨「虞美人草を読みて」（『東京朝日新聞』明四〇・一二・一七）では、次のようにいう。「「虞美人草」の教ふる教訓も結構である。道徳や教訓を口にするのは、文芸上の異端かも知れぬ、時勢後れかも知れぬ、併し異端でも時勢後れでもかまはぬ。面白いのは面白い。（略）余は飽まで「虞美人草」に見えるやうな道徳教訓に団扇を上げる」。たしかに、小説の最後に「道義」を説く『虞美人草』の道徳性はわかりやすい。この意味で、『虞美人草』はたしかに「文芸上の異端」である道徳的な小説として、家庭小説的な新聞小説となっている。

また他方、『虞美人草』に、人物配置や筋立ての点で具体的に酷似しているのは、明治三十八年から三十九年にかけて『読売新聞』に発表された小栗風葉『青春』（明三八・三・五〜三九・一一・一一・一〇〜一一・一二）である。「煩悶」を語る文科大学生関欽哉と女子大学生小野繁の恋に恋するような恋愛が、繁の妊娠、堕胎、堕胎罪で欽哉が逮捕、と悲劇的に展開し、欽哉の出獄後結婚しようとしたときにはすでに情熱は失われていたという話である。最後は、故郷に残してきた許嫁の死を語る欽哉の手紙で閉じられる。休載が多かったが、「掲載を催促するもの一日の葉書数十通に及ぶ」（XYZ「月旦　東京の新聞紙」『文章世界』明三九・七）といわれ、漱石が書き始める前年、最も評判をとった新聞小説の一つといってよい[3]。風葉自身には、「例の家庭小説風のものが文壇の覇を称し、小説中に描かれた恋愛なども極くコンベンショナルなもの、主人公もまたさう云つた傾きのものが多かつた」なかで新しいものを書こうとしたが「やはり御承知のごとく盛にこしらへたものとなつて了つた。旧形式、旧思想の捉はれから全然脱却する事が出来なかつた」（「覚醒せる明治四十年」『文章世界』明四〇・一二）という文章があり、後には家庭小説の分派のようにとらえられてもいるが[4]、同時代においては基本的に評価の高かった作品である。若い青年と女学生を主人公に据え、『早稲田文学』での合評（明四〇・四）でも、たとえば「現代青年の弱点をあれだけ深刻に、あれだけ明確に描がき得たものは作者を措いては一人もあるまい」（御風）という高い評価を得ている。小杉天外の『魔風恋風』（『読売新聞』明三六・二・一五〜九・一六）や『コブシ』（『読売新聞』明三九・三・一七〜四一・一・二〇）と並べて、「恋愛小説」として紹介されたり（「彙報　雑文界」『早稲田文学』明四〇・一二）、「写実派」として紹介されたり（「彙報　小説界」『早稲田文学』明四〇・三）しており、新聞小説の典型というよりは、従来のものにない新味が評価されたといえるが、逆にいえば、新聞小説の中では、読者の評判も文壇での評価もともに高かった作品といえる。

先に『虞美人草』の家庭小説との近接を道徳性にみたが、内容的にいえば、大学生と女学生を主人公とする『虞美人草』は、そのような新手の新聞小説『魔風恋風』や『青春』などに近接している。主人公は美しい藤尾という女学生で、これの恋愛相手が文学青年小野清三である。この藤尾と小野の恋愛が、許嫁小夜子の出現や、藤尾に思いをよせる宗近や藤尾の義兄甲野などの説得による小野の改心で破綻、藤尾が死んで、物語は閉じられている。なかでも『青春』には酷似する点が多く、この類

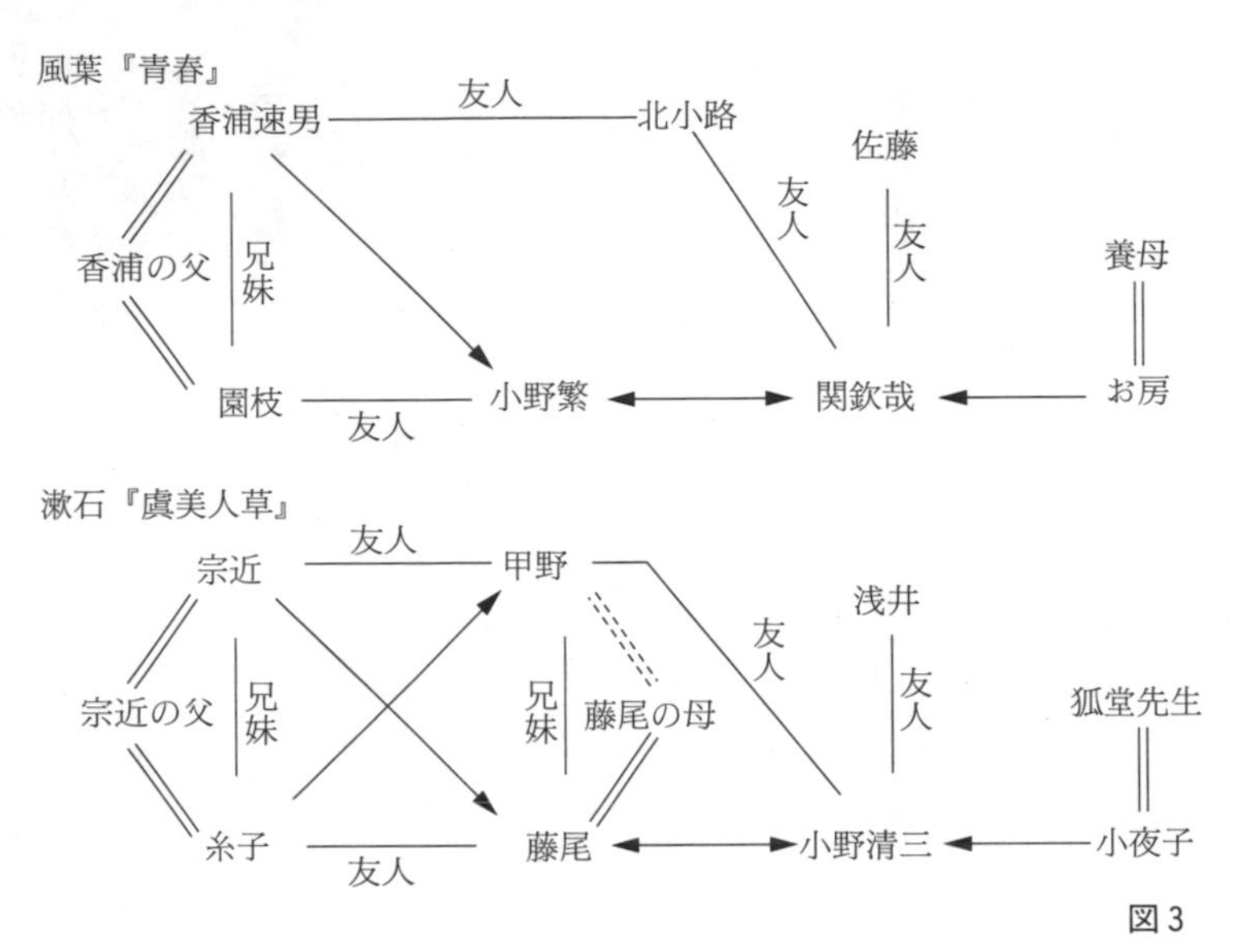

図3

似については既に平岡敏夫に指摘がある。(5) 平岡は主要五人の登場人物の重なりを指摘しているが、さらにその周辺の登場人物の重なりを加えても、北小路と甲野の部分のずれと藤尾の母が存在しているという違いがあるのみで、あとは驚くほど重なっている（図3参照）。

小説の結構にも重なりはある。例えば平岡は『虞美人草』の（藤尾と小野の）未発の大森行きを、『青春』の（繁と欽哉の、そして繁が妊娠する）大森行きの反転した引用であると指摘している。大森行きは「大森から帰つたあとならば大抵な事が露見しても、藤尾と関係を絶つ訳には行かぬだらう」（十七）というように既成事実をつくらんとして企図され、結局小野の翻意によって未発に終わる。ここにおける大森行と既成事実の結びつきに、繁が妊娠する『青春』の大森行の引用がみられるわけである。このような具体的で直接的な重なりを多数指摘することはできないが、基本的にこうした先行テクストの引用によって構成される部分に、『虞美人草』の新聞小説としての枠組みは支えられている。天弦が指摘するように「結構着意の上から見ると、極めてありふれたものに近い」（「『虞美人草』、『緑髪』、『鶏頭』」『早稲田文学』明四一・三）小説なのである。こうした筋に即せば、女主人公である藤尾の恋愛がまともに成就するはずはなく、女主人公は必ず悲恋に苦しむことになるのであり、その意味で藤尾の悲恋物語が語られていくという大筋は、登場人物の配置とともに読者が期待したものだろうと思われる。

さて、しかし『虞美人草』の異様さは、そうしたありきたりの筋にのっとり最終的には道義を説くという新聞小説的要素を適当に備えながらも、そうした分かり切った物語を語り手の過剰な説明を差し挟んで語りつくす点にある。天弦は筋の平凡さを指摘した後、「たゞ、それを説いて斯の容量ある物語と展開せしめた作者の執着性は認めねばならぬ」という。この「執着性」にこそ『虞美人草』の異様さはあり、「細微な点まで行き渡つたくだくしい描写は必ずしも読者を縹渺たる空想界に誘ひ入るゝ唯一の且つ適当なる方法では無い。小説の読者には一から十まで落ち無く写して貰はねば、其の事相其の感情を感許することの出来ないものは、少くとも近頃の世には居ない。寧ろ其処に適当なる想像の余地を与へられてこそ、芸術の美に酔ふことが出来るのである」（白雲子「漱石の人物と其作物」『読売新聞』明四〇・一一・一七）という批判すらある。

この説明の過剰さは、一つには『吾輩は猫である』に通じる漱石の「文」の特徴[6]として説明することができるだろう。しかし、そうした過剰さ自体がテクストを支える『吾輩は猫である』などと異なり、『虞美人草』にははっきりとした筋がある。この筋の明瞭さと描写や説明の過剰さがぶつかるところに亀裂が生じている。解釈の方向を指し示す、語り手の直接的な介入は『虞美人草』の特徴である。さらにこの説明の過剰さは、語り手の介入としてのみならず、各々の登場人物が小説内で語る説明のぶつかりとしてもあらわれている。『虞美人草』では、それぞれの登場人物がそれぞれに異なる物語を語る。『青春』をはじめとする新聞小説では、各々の登場人物が一つの筋を構成するように書かれていると考えられるだろうが、『虞美人草』はそうなってはいないのである。後に詳述するが、小説の中心的な出来事である藤尾と小野の恋愛について、甲野と藤尾の母親が対をなし、宗近と当事者である小野さんが対をなし、それぞれの文脈でばらばらな欲望や解釈を付与しており(二対にまとまる形にはなっている)、それぞれの対の解釈と無関係に藤尾一人が悲恋物語を生き、そして死ぬことになっている。『青春』の人物配置に重ならなかった、甲野と藤尾の母親の存在は、藤尾に関係のない別の物語を引き込み、こうした分裂を生み出している。また、北小路が甲野にかわり、藤尾の母親が登場することによって、藤尾の恋愛を直接とりまく人物は増え、藤尾の恋が複層的に語られ意味づけられることにもなっている。『虞美人草』がもつこうした複層性――藤尾、甲野と母、宗近と小野という三つの層――は、それぞれが独立したまま重なっている点に特徴がある。[7] ここではそれぞれの層の物語をそれぞれに抽出したうえで、新聞小説として、この重なりの効果について考えてみたい。『虞美人草』が、道徳的で『青春』に酷似した新聞小説であるということを前提とし、その意味であらためて異様にうつるこうした過剰さと分裂について検討してみたいのである。明治四十年発表の小説であるということがつくり出す具体性を、漱石のテクストの中にみてみようと思う。

## 二　一つの悲恋物語と二つの非恋物語

はじめに、藤尾にとって小野との恋がどのように意味づけられているか、簡単に確認しておきたい。藤尾は甲野に向かって次のように説明する。「小野さんは詩人です。高尚な詩人です」「趣味を解した人です。愛を解した人です。温厚の君子です。——哲学者には分らない人格です。あなたには一さんは分るでせう。然し小野さんの価値は分りません。決して分かりません。一さんを誉める人に小野さんの価値が分る訳がありません」（十五）。一方の宗近一については「あんな趣味のない人」（八）と言う。藤尾の恋を説明する要語は「趣味」であり「詩」である。注意しておかなければならないのは、この藤尾の恋は藤尾が一人で担っているものだということだ。小野の理屈がこの「趣味」から明らかにはみ出していることは後で確認することにして、ここでは藤尾についての解釈を方向づける語り手の説明を参照しておこう。語り手も藤尾の恋の核に「詩趣」があることについては「詩趣はある。道義はない」（十二）と説明している。ただし、ここで「道義はない」とされるように、語り手は藤尾の理屈を「道義」というもう一つの価値で再解釈する。そのうえで語り手は、ここに藤尾の「我」を加えている。「我の強い藤尾は恋をする為めに我のない小野さんを択んだ」という。「我の女」

藤尾にとって、小野は「すぐ来るのみならず、来る時は必ず詩歌の璧を懐に抱いて来る」というように、藤尾に従い「詩趣」をもたらす人物として説明され、それゆえ「藤尾の恋は小野さんでなくてはならぬ」わけである。藤尾の恋は藤尾が先導するものである。小野は従っているだけであることに注意しておかなければならない。『青春』の繁よろしく、詩にかぶれた女学生は悲恋に陥るが、『虞美人草』では小野は救われてしまう。救われないのは藤尾だけである。

さて、この藤尾の恋の周囲には対をなした別の物語が二つ設けられている。一つめが小野と宗近の対である。中味を確認しておこう。

小野の理屈は次のようなものである。一つには、小野は藤尾に正確に対応し、紫の女である藤尾の「詩趣」に酔っている。小夜子は「只面白味のない詩趣に乏しい女」（九）となる。しかし「詩」をめぐって、小野には別の文脈の説明が付与されている。「詩人程金にならん商売はない。同時に詩人程金の入る商売もない。文明の詩人は是非共他の金で詩を作り、他の金で美的生活を送らねばならぬ事となる」（十二）という詩人の貧乏である。それゆえ「中以上の恒産」があり婿をとる可能性のある藤尾との結婚が望まれる。詩人である小野だが、藤尾が「趣味」を要点にしているのと異なり、小野にとって重要なのはその貧乏である。語り手の説明にのっとれば、小野にとっての藤尾は文士保護の任にあたる後援者のようなものである。ここには「詩趣」も「愛」もない。原理的には後援者が恋人である必要はないからだ。藤尾の背後の財産に興味があることは、冒頭から「金時計」をめぐって仄めかされているが、徐々に明示され、孤堂への義理と恩が絡む時点では「金は藤尾と結婚せねば出来ぬ。結婚が一日早く成立すれば、一日早く孤堂先生の世話が思ふ様に出来る」「小夜子を捨てる為ではない」というような変形もしながら小野の理屈の核となる。「詩趣」はこうして次第にずらされていく。

さらに、ここに「詩」とは別の文脈がもう一つ重なる。宗近の「一本調子」からくる「圧迫」と、小野の「優柔」という欠点の対照である（十四）。宗近と小野は許嫁と恋人という対照も形作っているので、この性質の対照は、藤尾を間に挟んで描かれてもよいわけだが、宗近と小野の対話の前に宗近は藤尾との許嫁関係を断っており、物語の展開は藤尾を排除する形で進んでいる。代わりに二人の対称を根拠づけるのは「父」の有無である。大久保典夫や橋浦洋志などの指摘があるように[8]、「父」の存在が強調されて語られる宗近とは対照的に小野には「父」がいない。甲野についても、亡くなった父が肖像画として度々登場し（十五／十七／十八）甲野の精神的基盤の所在として示されている。一方で小野は「私生児とさへ云」はれ「父は死んだ」とされる（四）。この父の不在が小野を「根なし草」（大久保典夫）あるいは「性格紛失者」（桶谷秀昭）とするわけである。息子の物語は、宗近の小野への説得で閉じられる（十八）。ここで宗近は小野の自覚と全く同じ内容を反復説明し、小野はうなずく。父のある息子が父のない息子を諭し、「優柔」な息子は改心、「真面目」と「道義」の物語が完結する。

さて、もう一つは藤尾の母と甲野の対である。藤尾が宗近について趣味がないといったとき、母は「あんな見込のない人は、私も好かない」（八）という。語り手が説明するように、「趣味のないのと見込のないのとは別物である」。藤尾の悲恋物語とは「別物」の母の理屈は、次のように説明されている。「欽吾は腹を痛めぬ子である。腹を痛めぬ子に油断は出来ぬ。是が謎の女の先天的に教はつた大真理である」(十二)。白羽の矢が立てられたのが小野である。宗近とは違って「恩賜の時計を頂いた」末は博士という秀才で「愛嬌があつて親切」、「上品で調子がいゝ」「小野さんは申分のない聟である」。つまり、藤尾の恋は継子差別と都合の良い婿探しという物語として語られている。問題は、小野に財産がないことで、そこで「欽吾の財産を欽吾の方から無理に藤尾に譲るのを、厭々ながら受取つた顔付に、文明の手前を繕はねばならぬ」こととなる。この母についての説明は、母の自覚としてではなく語り手の説明として示されている。「謎の女」と言われる藤尾の母だが、以上のように説明して「そこで謎が解ける」と語り手は「謎」を完全に解いている。「呉れると云ふのを、呉れたくない意味と解いて、貰ふ料簡で貰はないと主張するのが謎の女である」というのがまとめである。

語り手が説明するこの母の意味づけ=「謎」を完全に把握しているのは甲野である(十七/十九)。藤尾の恋の破綻と死を経た物語の末尾にいたり、語り手に代わって、登場人物の水準で直接母をたしなめるのは甲野の役目となる。甲野は「偽の子だとか、本当の子だとか区別しなければ好いんです」「遣らうと私が云ふのに、いつ迄も私を疑つて信用なさらないのが悪いんです」と母に言う(十九)。語り手と完全に重なる解釈で母の「謎」が母自身に対して解説され、その後の改心が仄めかされることによって、母の文脈は閉じられることになる。継母を継子が戒める物語の完結である。また、この戒めの部分では藤尾の母が、宗近と甲野の京都行きを画策したように説明されている。「私が不承知を云ふだらうと思つて、私を京都へ遊びに遣つて、其留守中に小野と藤尾の関係を一日〱と深くして仕舞つたのでせう」。ここで、冒頭の京都旅行の事情が明かされ、『虞美人草』の結構が整うわけであるが、この説明は藤尾の恋を説明しきるものではない。「我の女」藤尾の恋はこうした母の意図とは別に説明されたものだ。ここにある母と甲野の物語は、藤尾の物語とは無関係である。また、宗近と小野の物語とも無関係である。これが三つ目の物語である。

三つの物語は基本的に完全に自立している。語り手は、それぞれの細部について実に饒舌であり、この自立性を一層強めている。

ただし、三層が等距離に分離しているわけではない。宗近と小野からなる父と息子の物語と、藤尾の母と甲野からなる継母と継子の物語は、藤尾の悲恋物語とはまったく文脈を異にするものである。この意味で、後者二つの物語を非恋物語と呼んでおこう。非恋物語は二つとも登場人物二人を極と極に配し、一方のもう一方への回収によってまとまるという形式をもっている。しかし、藤尾の悲恋物語は登場人物の誰とも呼応関係をつくっていない。甲野が藤尾と数カ所で対立をみせているが、藤尾の理屈が甲野によって語り直され矯め直されるわけではない。語り手の説明に補われながら、藤尾一人が悲恋物語を始め、終えている。『虞美人草』の三つの層はそれゆえ、等距離の間隔で重なっているわけではない。藤尾の悲恋物語と、二つの非恋「道義」物語という二層になっているということができるだろう。

## 三　省筆される悲恋物語

さて、このように三つの層をそれぞれに取り出してみてはっきりしたことは、藤尾の悲恋物語は、甲野や宗近が語る道義の物語とは無縁だということだ[9]。藤尾は誰とも関係しない全く独立した登場人物というべきである。他の登場人物による藤尾についての説明は、非恋物語における他の登場人物間の関係と比較すると非常に省略されている。また一つの簡単な説明に統括されている。この省筆の効果をはっきりさせておきたいと思う。

藤尾の恋の理屈は「詩趣」の有無にあった。周囲の登場人物が担った価値観はこれと対立するものである。「一さんを誉める人に小野さんの価値が分る訳がありません」（十五）という藤尾の理屈と、「藤尾には君の様な人格は解らない。浅墓な跳ね返りものだ」（十七）という甲野の理屈や「倅を嫌ふ様な婦人は、倅が貰ひたいと申しても私が許しません」（十七）という宗近の父の理屈とはきれいに対立する。異なる価値があるということと、この対立とが両者に了解されていることがわかる。この意味で、両者の立場に優劣はないというべきだろう。

この対立は登場人物の水準でこれ以上説明され合うことはない。小野と宗近の対話や、甲野と藤尾の母との対話における説明は、語り手によってすでになされた説明をあらためて台詞の形で語るという過剰さをみせ、登場人物の水準で処理されているのに対し、藤尾の場合には誰も説明しない。甲野を中心とする複数の登場人物が、判で押したように、宗近の優位を語るばかりで、藤尾の理屈との間が埋められることがないのである。

藤尾の理屈の劣位と甲野（を中心とする他の人物）の理屈の優位は、登場人物の水準を離れて、語り手の説明と（藤尾の理屈とは無関係な）非恋物語を繋げることによって決定される。藤尾の価値観を、語り手の説明である「我の女」の理屈へ読み替え（この説明は登場人物の水準にはない）、それによって我の弱い小野という評価を経由し、「詩趣」とは全く関係のない一つめの非恋物語である父のない息子の「優柔」と父のある子の「真面目」へと展開させて、漸く甲野の理屈に辿り着く。こうして『虞美人草』全体では一応説明されているわけだが、その説明の間には複数の水準の段差がある。段差があるということと、にもかかわらずその段差を無化して理屈が線条に繋がるところに、藤尾と「詩趣」についての説明の特殊性がある。

この段差を無視した説明で、藤尾の理屈と甲野の理屈には優劣がつく。説明がこのように変則的であることは、甲野の理屈の正当性が自明視されていることを示していると考えられる。論理の接合部分が目立たないのは、この優劣が基本的に自明視されているからである。登場人物の水準での説明の省略と同一判断の繰り返しも、同様に、甲野の理屈を自明視し藤尾の理屈を劣等化する効果をもつだろう。

甲野は藤尾の理屈を説明抜きで積極的に劣等化している。「藤尾は駄目だ。飛び上りものだ」（十七）という。ここまでに述べてきたように、その理由は説明されていない。藤尾と宗近の結婚について、甲野は母に対しては藤尾に対するよりは多く説明しているが、「約束があるなら遣らなくつちや悪い。義理が欠ける」「宗近の方が小野より母さんを大事にします」（十五）という義理と孝行の点から説く。藤尾の「詩趣」とは別の問題だ。藤尾の「詩趣」という価値については直接説明されることがない。「詩趣」ある人間の人格が必然的に劣等なのか、それとも小野の個性のための劣等なのか。『虞美人草』が直接説明するのは後者のみである。「詩趣」を解する点での小野の劣位は、結局説明されていない。しかし、小野を好む藤尾の理屈はたしかに劣等視されている。藤尾の理屈の劣位は証明されていないが、決定されている。

もう一つ加えて確認しておきたいことがある。甲野という登場人物は他の登場人物と地位の異なる人物だということである。というのは、甲野の日記が地の文にたびたび引用され、語り手の水準との距離がなくなるからだ。末尾におかれた甲野の悲劇論は『虞美人草』全体を解くコードとして読まれ続けてきてもいる。そのような甲野の判断の自明さは語り手にも共有されている。たとえば「同じ言葉が人に依つて高くも低くもなる。言葉を用ゐる人の見識次第である。欽吾と藤尾の間には是丈の差がある」（十二）と甲野の優位を説明する部分は、「或人は十銭を以て一円の十分一と解釈し、或人は十銭を以て一銭の十倍と解釈す」という「欽吾の日記」の一節を援用したものである。甲野の日記の援用で、甲野と藤尾の優劣を判断する。藤尾の劣等性、「詩趣」という価値の劣等性は、こうして水準の違いを無視した説明によって、十分な根拠が示されないまま『虞美人草』全体によって構造的に決定されているのである。

## 四　藤尾＝『青春』の死

そして『青春』は、藤尾の劣等性、「詩趣」の劣等性の自明性を保証するものとなっている。『青春』は悲恋物語であり、優柔不断な文学青年関と、それに恋した小野繁が不幸に陥る物語であった。『虞美人草』の過剰な説明の中にあって、藤尾の劣等性が省筆されているのは、『青春』での不幸を前提としているからではないだろうか。藤尾の劣等性とそれによる死の合理性は『虞美人草』の外側に探さなければならないのである。ここではそれを『青春』にみようということである。

本章の冒頭で確認したとおり、『虞美人草』の人物配置は驚くほど『青春』に似ている。それぞれの役割や性質も基本的には重なる。文学的趣味を持つ女学生繁と藤尾、友人の園枝と糸子。その兄で女主人公に恋心をもちしかも詩趣を介さぬ香浦速男と宗近一。女主人公の恋人役で文学的趣味を持つ小野清三と関欽哉。身よりのない男の面倒を郷里でみていたお房の母と孤堂先生。その娘で恩と義理が絡んだ許嫁となるお房と小夜子、ともに男主人公を愛し東京の恋人に悩まされる。そして男の郷里での友人であり人格的に問題のある佐藤と浅井。『青春』は『虞美人草』発表の直前に大評判となった新聞小説である。時間的にもジャンル的にも非常に近いこの『青春』に『虞美人草』の外枠をみることは妥当であろう。

さて、このような要素の上での重なりをみせながらも『虞美人草』が『青春』と大きく異なるのは、前述のとおりその過剰さであり、ここではそれを美文的過剰さのみならず、全く独立した非恋物語を存在させている点にみてきた。『虞美人草』が『青春』にならないのは、小野が、宗近が、悲恋物語の結構から独立しているからである。そして甲野や母がやはり悲恋物語とは異質な物語を引き込んでいるからである。『虞美人草』で悲恋物語をつくるのは藤尾だけなのである。藤尾は一人で『青春』を背負っている。

もちろん繁と藤尾の形象を具体的に比較すれば、二人が全く異なることは明らかである。しかし、『虞美人草』はそれでも「結構着意の上からみると、極めてありふれた」小説なのである。『青春』の要素をもりこんだ、その「ありふれた」結構を構成するのは、父と息子の物語でもなければ、継母と継子の物語でもなく、文学かぶれの女学生の悲恋物語に他ならない。ここで、藤尾が『青春』を背負っているというのは、こうした意味である。そして、『青春』の改心する繁とは対照的に、藤尾は改心もせず死ぬ。藤尾は『青春』を背負って死ぬわけである。つまり、『青春』は『虞美人草』の中で孤立させられたあげくに殺されている。

『虞美人草』には「小説」に対する自己言及がある。たとえば、「小説は自然を彫琢する。自然其物は小説にはならぬ」(七)。甲野・宗近の二人と孤堂先生・小夜子の二人が同じ電車に乗り合わせるという都合の良い偶然を語る箇所で挟まれた一節である。甲野の台詞にも「小説なら、是が縁になつて事件が発展する所だね」(七)とある。『虞美人草』はこれを縁にして事件の発展を図る小説である。また、小夜子の「世界が二つに割れ」た箇所では「多くの小説は此矛盾を得意に描く」「小説は是から始まる。是から小説を始める人の生活程気の毒なものはない」（九）という。こうした自己言及には「小説」に対する微妙な揶揄の態度が覗いている。そしてこの「小説」的な部分というのは、一つには都合の良い筋立てと、小夜子に関する部分、つまり悲恋物語の結構を脇から支える部分である。藤尾が劣等化されると同時に、悲恋小説は劣等化されている。『虞美人草』はそれを、説明すら省略する自明なこととして語るテクストということができるだろう。『青春』を引用しながら、『青春』に付随してあらわれたものとしての「小説」（悲恋物語）を一身に背負って藤尾は殺されるのである。

『虞美人草』に三つの層があること、ことに藤尾の悲恋物語をずらす非恋物語が二つあることは、過剰さであると同時に、悲恋物語の解体を意味している。『虞美人草』の道義と藤尾の恋愛の分裂は否定的な評価を引き出してきたが、分裂していることにこそ新聞小説としての意味をみることができるだろう。[10]『青春』を引用することで新聞小説に連なる要素を入れ込みながら、同時に『青春』的新聞小説を殺し解体しているのである。その過程を語る漱石の初めての新聞小説が『虞美人草』なのである。

## 五　藤尾＝家庭小説の死

主に『青春』との関係をみてきたが、家庭小説的道徳性と新聞小説『虞美人草』の関係についても、考えておきたい。それは、どのように語り込まれているのか。

ここで確認した藤尾の悲恋小説と甲野・宗近が司る二つの非恋小説の齟齬を、西洋恋愛小説と漢文学の齟齬として説明したものとして水村美苗の論文[11]がある。非常に示唆に富む論文なので参照してみたい。

水村は、藤尾の行為をつきつめて考えてみると、ただ「自分の運命を自分で定めたい女」であったにすぎないという。この意味で藤尾は無罪。代わりに、罪を罪として語る装置として『虞美人草』に特徴的な「美文」に注目し、「美文」の論理が「妖婦」として藤尾を造形し罪を科すと説明している。さらに、一方で藤尾の世界は、恋愛を描く英文学(抽象的な意味での「男と女」の世界)を代表していること、それに対する小野を巻き込んだ甲野・宗近の世界は漢文学(「男と男」の世界)を代表していることを指摘している。漱石が慣れ親しんだ漢文学の世界から出て、英文学に出会ったときあまりの違いに動揺し不快を感じたことは有名である。『虞美人草』にこの二つの異質な文学のぶつかりをみたわけである。漱石はここで、英文学なるものにぶつかりそれを殺したことになるが、かといって「男と男」の世界に戻ることはできない。水村は、漱石テクストのその後の展開を、「漱石が「男と男」の世界へ戻らなかったということは、漱石がたんに「男と女」の世界へ移ったのを意味しはしない。『虞美人草』以降、漱石がそこに描くのはたんなる「男と女」の世界であるよりも、「男と男」の世界を裏切るものとしての「男と女」の世界だからである。漱石の作品に執拗にくりかえされる三角関係の構造も、この「男と男」の世界と「男と女」の世界の対立からくるものにほかならない」とまとめている。

水村が指摘する西洋恋愛小説は、新聞小説という場においては、つまり『虞美人草』を描いた漱石にとっては、先行する日本の新聞小説としてのそれでもあったということを、水村の図式に重ねて理解したいと思う。この点で重要なのが、家庭小説である。家庭小説は西洋恋愛小説を近代文学に持ち込んでいる。家庭小説の祖ともいえる菊地幽芳は英文学と非常に近い存在とされている。『己が罪』は「純然英国種にはあらぬども、多分英国種と日本種との四部六部加減なる環」（晴嵐生「『己が罪』を読む（前編の評）」『大阪毎日新聞』明三三・九・三）、「外国の小説としては首肯するが、日本の小説家としては感服せぬ」（頭取・阿羅漢・肥満漢・長袴庵「幽芳子作『己が罪』合評」『新声』明三四・一〇）などと評され、『乳姉妹』はまさに翻案物である。西洋仕込みの恋愛小説は、新聞小説において代表的なジャンルである家庭小説の起点であり基本的な属性となっているのである。『虞美人草』で西洋恋愛小説を背負った藤尾が殺されたことには、漱石固有の問題と同時に、新聞小説としてはこのような家庭小説殺しとしての意味をもっている。そして家庭小説の道徳性は、西洋恋愛小説という枠組みが破棄される一方で、甲野と宗近という男と男の関係の中にあらわれるのである。『青春』という新聞小説との関係が複雑なものであったように、家庭小説という新聞小説との関係も、『虞美人草』では複雑なものになっている。新聞小説らしい道徳性をとりいれながらも、それが拠っていた枠組みそのものが解体されているのである。

第Ⅰ部でみてきたような「文学」の位置が再編成される明治四十年代に、新聞小説家として小説を書くことが、このような複雑さを生むことは十分に想像される。たとえば正宗白鳥は「これから先、新聞はますます商品的になり際物的になるのだから、骨を折つた創作を掲げるのは勿体なくもなるし、又純粋の文学的作物は、新聞の方で歓迎しなくなる」(「新聞と文学」『文章世界　青年文』明四一・八・一)といった。「文学」が芸術として立ち上げられていくそのとき、家庭小説が切り捨てられていくということは、家庭小説もろとも新聞小説が「文学」という場から切り捨てられていくことを意味してもいる。白鳥は「兎に角単行本と雑誌とによつて、作家が自己の立場を作るやうにならねば、日本の文学の発達は余程妨げられるのだ」という。白鳥がいうように、ゆっくりとではあるが、たしかに時代は「新聞」を文学発表の代表的な媒体としては認めなくなっていく。漱石が新聞小説を書き始めた明治四十年、微妙な交渉の跡を『虞美人草』にはみることができる。この後の漱石テクストは、『虞美人草』のような新聞小説らしさとの連続性を持ちはしない。漱石テクストとしての連続性がつくり出されていくのである。

## 六　〈謎〉の不在

それでは最後に、漱石テクストの系譜における『虞美人草』の位置について考えてみよう。漱石テクストとして興味深いのは、女の登場人物の扱いである。水村も指摘するように、漱石的三角形の始点として『虞美人草』を位置づけることができるだろう。漱石的三角形の一点となる女は、男と男の間に挟まって〈謎〉性を帯びることになる。『こゝろ』の静に最も抽象化された形をみることができるだろうが、『虞美人草』に特徴的なのは、「謎の女」が描かれていることと、にもかかわらず〈謎〉の女が存在しないということである。

「謎の女」は藤尾の母である。この「謎」は、先に述べたとおり、すっかり解明された「謎」である。語り手はこの「謎」を説明しつくしている。そして甲野がこの「謎」を把握する要となる。説明されつくした藤尾の母とは対照的に、本来〈謎〉に該当するのは藤尾である。藤尾は一人、他の登場人物と異なる理屈に生きる女主人公であるからだ。説明が省略された〈謎〉である。しかし、この説明の省略は先述のとおり、藤尾を〈謎〉ではなく自明のものとして描くことを可能にしている。藤尾の理屈を説明はしないが把握している登場人物は、ここでも甲野である。

『虞美人草』は、語り手の水準と登場人物の水準を行き来する甲野という人物によって意味を統括することで、〈謎〉としての女を存在させないテクストである。そして同時に、〈謎〉の中味を自明視するという形（〈謎〉を否定される形）で、三角形の一点となる〈謎〉の女が登場するテクストでもあるのである。「謎の女」を登場させるというずらしは、〈謎〉の女登場に対するテクストの微妙な態度を示しているだろう。

この後の漱石テクストでは、三角形をつくる女は徐々に〈謎〉化していく。『三四郎』では、女の〈謎〉が積極的につくり出されるだろう（第五章参照）。〈謎〉化は他者化でもある。理解の範疇を超えた存在を「女」が代表することになる。漱石的三角形は、水村も指摘するように、女を登場させ男と女を語りながらも、男を、男と男を語ることを可能にする図式である。漱石的三角形では、〈謎〉である「女」についての説明が主眼におかれることはない。「女」の他者性は、「男」のアイデンティティを浮き彫りにする装置として機能し始める。本書ではその具体的な有り様の一例として『行人』をとりあげたいと思う（第六章参照）。

悲恋物語を非恋物語へとずらす『虞美人草』は、こうした過程の始点におかれたテクストなのである。

(1) 高木健夫『新聞小説史　明治篇』（国書刊行会、一九七四・一二）。

(2) 前掲注(1)。

(3) 明治三十九年に話題になったものとして、他には、小杉天外『コブシ』、二葉亭四迷『其面影』などがあるが、評判の大きさとしては『青春』が目立っている。

(4) 日夏耿之介「家庭文学の変遷及価値」（『明治文学襍考』梓書房、一九二九・五）では「其他の家庭雑文学」に含められ、加藤武雄「家庭小説研究」（『日本文学講座』第一四巻、改造社、一九三三・一一）では「家庭小説の系統」に含められている。

(5) 平岡敏夫「「虞美人草」論―〈自我〉と〈虚構〉をめぐって―」（『日本文学』三五-一〇、一九八六・一〇）。「関欽哉は小野清三であり、小野繁は藤尾であり、欽哉の許嫁お房は小夜子であり（お房は自殺する）、小野繁を愛する香浦速男と園枝の兄妹は宗近・糸子となろう。むろん人物の性格や構図はまったく異なるが、同じ小野という姓や欽吾・欽哉などまぎらわしい命名にも漱石の「青春」への意識がうかがわれもする」と指摘する。

(6) 柄谷行人「漱石と「文」」（『群像』四五-五、一九九〇・五）。

(7) 藤尾と甲野のずれに焦点をあてれば、「道義」の理屈とそれが機能していないことを指摘する論（越智治雄

「喜劇の時代―『虞美人草』―」『漱石私論』角川書店、一九七一・六、石崎等「虚構と時間―『虞美人草』の世界―」『漱石の方法』有精堂、一九八九・七など）が立つだろうし、藤尾と小野のずれを前提とすれば、小野を中心とした論（橋浦洋志「小野の「人情」―漱石文学の転回点―」『日本近代文学』三八、一九八八・五、大久保典夫「『虞美人草』論ノオト」『作品論　夏目漱石』双文社、一九七六・九など）を立てることが可能になるだろう。テクストの全体を読むことをいたずらに重要視するつもりはないが、それらの論が『虞美人草』の一部分を論じたものであるということは確認しておきたい。また『虞美人草』を恋愛小説としてのみ読むことが部分的であるように、「勧懲」のみに絞って読むこと（否定的に論じる場合、たとえば唐木順三「漱石概観」（『夏目漱石』修道社、一九五六）も、肯定的に論じる場合、たとえば平岡敏夫「「虞美人草」論」（『日本近代文学』二、一九六五・五））も部分的な読みである。漱石自身のコメントを紹介しておくと、「つまりあれはね、ラヴといふものを唯一のインテレストとして貫ぬいたものぢやないから、恋愛事件の発展として見ると中々不完全です……つまり二つか三つのインテレストの関係が互に消長して、それが仕舞に一所に出逢つて爆発するといふ所を書いたのです」（夏目漱石「文学雑話」『早稲田文学』明四一・一〇）とある。『虞美人草』の複層的な構造の説明として適当だと思われる。

（8）前掲注（7）橋浦、大久保論文。

（9）藤尾の死が強引であることは繰り返し指摘されてきた。例えば前掲注（7）越智、石崎論文。

（10）「この作品の装飾的「美文」と、類型的「性格」と、作為的「構成」と、そしてその他作品独自の特質を確定して評価に資することは、漱石論の幾つものアポリアの中の重要なものの一つ」（内田道雄「「虞美人草」―藤尾の死をめぐる序章―」『別冊国文学』五、一九八〇・二）といわれるわけだが、本章では、漱石論として漱石的主題へ回収する前に、明治四十年に発表された新聞小説であることを前提にした時の特異性をおさえたつもりである。

（11）水村美苗「「男と男」と「男と女」―藤尾の死―」（『批評空間』六、一九九二・七）。

## 第五章 『三四郎』 美禰子と〈謎〉

### 一 〈謎〉としての女

次に扱う漱石テクストは『三四郎』である。〈謎〉の女の行方をみよう。

美禰子を〈謎〉の女とし、それを『三四郎』を解釈する鍵にする論は多い。そうした論に対し、かつて千種・キムラ・スティーブンは次のように異論[1]を提示した。冒頭の挿話である「同衾事件」を三四郎自身が引き起こしていることを指摘したうえで「「女」の行動を詳細に検討すれば、三四郎を誘惑しようという要素は少ない。とは言え、そこに模糊とした部分が残るのも否定出来ない」とし、その理由を「構想上、三四郎に「女」が謎に見える必要性から出ている」とみる。キムラ・スティーブンの論は三四郎の欲望を明らかにしたという点で評価されてきているが、ここで重視したいのは「女の謎」を『三四郎』の「必要」として位置付けた点である。つまり、『三四郎』の語り手は、〈謎〉ではないものをわざわざ〈謎〉として語っているということである。これはもちろん冒頭の挿話だけの問題ではない。女の挿話を伏線として語られる美禰子は、同様にあくまでも〈謎〉の存在としてあることを要請されていると考えられる。美禰子が〈謎〉の存在であってはじめて『三四郎』は成立すると言い換えてもいいだろう。これが一つめの前提である。三四郎の中には三四郎以外の人物による美禰子評があるが、どれも一般論として提示されているという共通性がある。「イプセンの女」（六）・「露悪家」（七）・「西洋流」（七）といわゆる〈新しい女〉をイメージさせる像であるが、美禰子がこうした一般的なコードで読み解けるのなら彼女は〈謎〉の女にはならないはずだ。こうした一般的な解釈コードにおさまらない形で〈謎〉は仕掛けられていると考えるべきだろう。

それを考える際におさえておくべきだと思われるもう一つの前提は、小森陽一がいう『三四郎』には「三四郎とは異なった統辞のし方が読者には許されているのもまた、この小説の重要な仕掛け[2]」という点だ。ただしそれを一足飛びに小森のいうような「限りなく自由」なものと考えることはできない。『三四郎』は、基本的には登場人物である三四郎に焦点化しながら語られているが、その焦点化から明らかにずれ、物語の外にある存在に焦点化した部分がある。石原千秋が「かなり実体化した語り手による表現[3]」と説明する言説である。二つめの前提はこうした『三四郎』の言説の複数性である。三四郎に焦点化した言説、語り手に焦点化している言説、これらが示す情報のレベルの差異に敏感な読みが必要だと思われる。以上を前提に、〈謎〉の内容を埋め〈謎〉を無化することではなく、

〈謎〉がいかにして〈謎〉らしく語られているのかを検討したいと思う。

## 二 〈謎〉を生む装置

三四郎に焦点化した言説における美禰子の〈謎〉の枠組みを明らかにすることからはじめたい。美禰子は次のように登場している。

> 不図眼を上げると、左手の岡の上に女が二人立つてゐる。(略)女の一人はまぼしいと見えて、団扇を額の所に翳してゐる。顔はよく分らない。けれども着物の色、帯の色は鮮かに分つた。白い足袋の色も眼についた。鼻緒の色はとにかく草履を穿いてゐる事も分つた。(略)此時三四郎の受けた感じは只綺麗な色彩だと云ふ事であつた。けれども田舎者だから、此色彩がどういふ風に奇麗なのだか、口にも云へず、筆にも書けない。たゞ白い方が看護婦だと思つた許りである。(略)「さう。実は生つてゐないの」と云ひながら、仰向いた顔を元へ戻す、其拍子に三四郎を一目見た。三四郎は慥に女の黒眼の動く刹那を意識した。其時色彩の感じは悉く消えて、何とも云へぬ或物に出逢つた。其或物は汽車の女に「あなたは度胸のない方ですね」と云はれた時の感じと何処か似通つてゐる。三四郎は恐ろしくなつた。(二)

次の三つの点を確認しておきたい。一つめは、美禰子の服と眼が相反する二項対立として提示されていること。はじめに三四郎の眼にとまるのは服装であり、その時顔は「よく分らない」。その後彼の注意を引いたのは「黒眼」であるが、そのとき、服装が導いた「色彩の感じは悉く消え」ている。「あの色彩とあの眼付」は「矛盾」の一つとして提示されている。二つめは、どちらも三四郎が確定しえぬ、不可解さを示していること。「口にも云へず、筆にも書けない」服と、「何とも云へぬ或物」を示す眼。「矛盾」する美禰子の服と眼はともに〈謎〉を生み出す核となっていると思われる。三つめは、服から顔・眼へという順序である。服についての〈謎〉は、眼の〈謎〉に取って代わられている。さて、この三点を確認したうえで、まずは美禰子の服装について考えてみたい。

美禰子の服装はその後も繰り返し描写され、その「分らな」さはその度に説明されている。「着物の色は何と云ふ名か分らない」(三)、「女の着物は例によつて、分らない」(四)。この美禰子の服に特徴的な「分らな」さは、『三四郎』の中で非常に特殊である。他の人物の衣服と比較してみればそれは明らかである。三四郎の眼を通して描かれる服装は、美禰子を除けば、非常に制度的な、ある階級や職業を示す、つまり〈制服〉ばかりであるからだ。

三四郎自身は「卒業したしるしに徽章丈は挘ぎ取つて仕舞つた」「高等学校の夏帽」を被って登場する(一)。これが彼の境遇を示す記号になっていることはいうまでもないし、三四郎という人物が意識的にそれを身につけていることも間違いない。三四郎は「被つてゐる古帽子の徽章の痕が、此男の眼に映つたのを嬉しく感じ」る青年として語られている。それは、「大学の制服を着た写真を寄こせ」(四)という手紙を寄こす母を田舎に持つ、上京した学生としてのアイデンティティを保証するものになっている。

制服に対する三四郎の思い入れは、彼自身の制服にとどまらない。すべての衣服は〈制服〉として認識されている。三四郎にとっての男の世界である「第二の世界」の特徴は「大抵不精な髭を生やしてゐる」ことと「服装は必ず穢ない」ことであり（四）、穢ない服装が「貧乏」と「晏如」な精神の象徴となる。アイデンティティの外観としての〈制服〉への注視は、最初から三四郎の視線の特徴となっている。たとえば広田先生は、髭をはやし貧乏な服装で登場する（一）。「面長の痩ぎすの、どことなく神主じみた」「たゞ鼻筋が真直に通つてゐる所丈が西洋らしい」という形容はその後まったく無視され、「髭」のみが彼の形容表現になることを考えれば、「学校教育を受けつゝある三四郎は、こんな男を見ると屹度教師にして仕舞ふ」という「こんな男」とは「髭の男」であると考えられるし、「白地の絣の下に、丁重に白い襦袢を重ねて、紺足袋を穿いてゐた」という「此服装から推して、三四郎は先方を中学校の教師と鑑定」している。野の宮さんの「所々に染がある」「背広」（二）、青木堂での広田先生の「決して立派なものぢやない」「背広」（三）、原口さんの「広田先生よりずつと奇麗な和服」（七）へ向けられた視線もそうした類型にそったものと考えられる。

語り手は、「学校教育を受けつゝある」田舎学生が「屹度」試みる「鑑定」として揶揄的に語る。こうした類型化は教師に限らず、三四郎に焦点化した言説の中に、三四郎の習性とでもいうべき確実さで積み重ねられていく。たとえば「文芸家の会」。「縞の羽織を着た批評家」、「フロツクを着た品格のある」「博士」、原口さんは「佛蘭西の画工」風の「折襟に、幅の広い黒繻子を結んだ先がぱつと開いて胸一杯になつてゐる」装い（九）。それぞれの服は、階級や職業を明示する〈制服〉である。そうした男たちの服装が必ずチェックされる一方で、女の服は実はほとんど語られないが、わずかに出てくるのは看護婦の「白い」服（二）やよし子の「紫の袴」（十二）であって、いうまでもなくやはり〈制服〉性の顕著なものである。

以上のような服装による類型化を考えると美禰子の服装描写の特殊性は明らかだと思われる。「分らない」固有性をもつ彼女の服装は彼女を〈謎〉の存在たらしめる装置になるはずである。ところが、重要なのは、こうした美禰子の服装の特異性が三四郎の認識の中では抑圧されていくということだ。その「分らな」さは、「田舎者だから」と説明されていた。美禰子の服装の特異性は、三四郎の文脈の中では、彼の解釈コードとの関係で位置づけられてしまい、そこにあるかもしれない美禰子という存在の固有性には全く繋がっていかない。

## 三　女の顔

三四郎にとって〈謎〉となるのは「眼」や「顔」であって「服装」ではない。三越呉服店の看板という、本来なら服装・モードをこそ宣伝するはずのそれを見て、その女の顔にのみ注目し美禰子と比較しているほどである（六）。そして確認しておかなければならないのは、顔に視線が向くこと自体は、三四郎にとって決して特殊な経験ではないということである。

美禰子の眼が汽車の女へと容易に繋がっていくことに注目しよう。男の服装が「鑑定」されるのと同様に、女の顔はつねに「鑑定」の対象となっているのである。汽車の女は「九州色」の肌にはじまり口・眼・額というそれぞれの要素が、お光さんと比較されて観察の対象となる（一）。野の宮さん宅の下女も顔だけは「主人の言つた通り、臆病に出来た眼鼻」（三）と語られ、轢死した女でさえ「顔は無創」で、三四郎は「眼の前には、ありく〳〵と先刻の女の顔が見え」（三）怯えたことが語られる。こうして女の顔についての記憶が積み重ねられていくのである。

美禰子とよし子についてはとくに眼が重視された記述があるが、それもこうした女の顔に向けられた視線と無縁ではないだろう。美禰子の眼が汽車の女に繋がり、顔の色もまた「薄く餅を焦した様な狐色」として容易に「九州色」へと繋がっていく（二）。さらにいえばそれはお光さんにも繋がっている。[4]よし子の顔は「遠い故郷にある母の影」に還元される（三）。つまり、三四郎は女の顔についての記憶の累積を参照し、男の服装同様、女の顔についても類型化を試みているわけである。

ただし、よし子と美禰子の顔の描写を汽車の女の顔の描写とひとしなみに扱うことはできないだろう。というのも、汽車の女の顔の描写はあくまでも要素の描写に限られているのに対して、よし子と美禰子は表情をもっているからだ。顔の向こうに内面の存在が想定されるとき、顔は部分的な要素の総和ではない「表情」をあらわす。ことに内面をあらわす窓として決定的に重要になる要素である「眼」の描写がある美禰子とよし子は、その意味で内面をもつ存在として特別な視線を向けられているというべきだろう。よし子の「咄嗟の表情」が、「生れて始めて見た」ものとして語られているのも、他の顔に一概に還元できない彼女たちの顔の特殊性を示しているだろうし、美禰子の眼について参照された「グルーズの画」が「二三日前」「美学の教師から」入手したばかりの非常に新しい情報であるのも（四）、美禰子の眼がこれまでの記憶では処理できていないことを示している。

しかし〈謎〉の女は美禰子であって、よし子ではない。眼の描写を比べればその違いは明らかである。よし子の「大きな、常に濡れてゐる、黒い眸」は、「この女はどんな陳腐なものを見ても珍らしさうな眼付をする様に思はれる。其代り如何な珍らしいものに出逢つても、やはり待ち受けてゐた様な眼付で迎へるかと想像される。」というように断定のない（つまり誤読に対してあらかじめ寛容な）穏やかな解釈を喚び起こしており、「落付いた感じ」を三四郎に与える（六）。誤読が緊張を生まない以上、よし子の内面は〈謎〉にならない。

ところが美禰子の眼はそうは語られていない。「不可思議なある意味」（五）をあらわし、「然し其眼は此時に限つて何物をも訴へてゐなかつた。丸で高い木を眺める様な眼であつた」（六）、「其眼は流星の様に三四郎の眉間を通り越て行つた」（十）、「三四郎を遠くに置いて、却て遠くにゐるのを気遣ひ過た眼付である。其癖眉丈は明確落ちついてゐる」（十二）、解釈の困難な〈謎〉めいたものとして語られる。ただし正確にいえば、美禰子の眼は三四郎には向けられていないのであって、そもそも美禰子は解釈を促していないといえる。しかし、三四郎は機会をとらえて意味を引き出す。解釈したのは二回、一度は「オラプチユアス！　池の女の此時の眼付を形容するには是より外に言葉がない」（四）という解釈をする箇所であり、もう一度は「女は瞳を定めて、三四郎を見た。三四郎は其瞳の中に言葉よりも深き訴を認めた。——必境あなたの為にした事ぢやありませんかと、二重瞼の奥で訴へてゐる」（八）という箇所である。両者に共通しているのは、解釈の独断性である。前者は仕入れたばかりの知識によるもので、その後はもう二度と繰り返されることもない軽率な解釈といえるだろうし、後者はよし子についての記述と比べてみると無理が明らかである。断定することのできないことを断定する無理がここにはある。

「眼」の表情を記述することは、原理的に、見る主体と対象の内面のずれを生じさせ、見る主体の意識をむしろ前景化する作用があるが、[5]ここではことにその効果が強調されて語られているといってよいだろう。三四郎の解釈の恣意性が説明され、その三四郎の意識のヴェールの向こうに美禰子の内面が〈謎〉として想定される。しかし、ここでおこる〈謎〉が、三四郎の強引さによって引き起こされたものであることを忘れるわけにはいかない。三四郎が何かの意味を確定しようとするから、美禰子の触れ得ぬ内面が存在するように感じられるわけである。三四郎が解釈しようとしなければ、よし子の場合にそうであったように〈謎〉は生まれない。つまり、〈謎〉は三四郎が仮構したものなのである。ここで語られているのは〈謎〉を生み出そうとする三四郎の欲望であって、美禰子という登場人物の〈謎〉ではないといってよいだろう。三四郎の視線が制度的であることは先に述べてきたとおりである。美禰子の眼の問題を、美禰子の特殊性にのみ還元することはできない。しかも、『三四郎』には三四郎が謎をつくり出す枠組みを揶揄する語り手がときおり顔を出す。三四郎の美禰子ではなく、『三四郎』の美禰子について考えるためには、三四郎の認識の枠組みの外で語られたことに注意しなければならないだろう。美禰子の眼が三四郎にとって〈謎〉を生み出す装置となっているのは確かだが、それを確認したうえで、三四郎が抑圧し、外部に押し出してしまった〈謎〉である美禰子の服装について、三四郎の水準を離れてもう一度検討していこう。

## 四　美禰子の服

服装の〈謎〉は「田舎者だから」という一言でかたづけられ、抑圧されていた。しかし、この「田舎者だから」という言説は三四郎に焦点化した言説ではない。語り手に焦点化した言説である。石原千秋はこの部分を含む十二例を、「明らかに彼の言葉の読みに対する方向付け（コード化）をしようとしている」、「かなり実体化した語り手による表現」として分析している。[6] これらの記述のほとんどは、相原和邦が指摘した、『道草』における「反措定叙法」と同様の記述と考えられる。[7] たとえば『道草』の「彼は～とさへ思はなかつた」（十五）という記述がそれにあたるが、『三四郎』の「田舎者だから敵(のつく)するなぞと云ふ気の利いた事はやらない」（三）という記述はそれと同様の記述と考えることができる。

さて、この「反措定叙法」について、藤森清は、「「批判」するという働きに限定されるようなものではな」く、「物語内容の伝達という役割の下に抑圧しているもう一つの行為」として読むことができることを指摘している。[8]『三四郎』においても、実体化した語り手を想定させる言説について、「透明」な「伝達」でないのはもちろん、三四郎についての批判や三四郎の言葉の「方向付け」としてだけでもなく、語り手の欲望をあらわす「遂行的行為」として読む必要がある。

「けれども田舎者だから、此色彩がどういふ風に奇麗なのだか、口にも云へず、筆にも書けない」。美禰子の服装の〈謎〉に関わる「反措定叙法」とも異なるこの記述は、一見単純な「批判」のようであるが、そうではない。語り手は田舎者を批判しうるのであるから、都会・東京の者と想定されるが、にもかかわらず彼自身も美禰子の服装を具体的には描写していないからである。「反措定叙法」では、具体的に他の可能性が指示される。先にあげた「敲（のつく）する」ことはその一例である。もう一例あげておけば、「けれども学生生活の裏面に横たはる思想界の活動には毫も気が付かなかつた」（二）という例で、「思想界の活動」が別の可能性、東京の常識として提示されているようにである。ここでは「明治の思想は西洋の歴史にあらはれた三百年の活動を四十年で繰返してゐる」という語り手の説明すら挿入されている。これらの語り方にのっとれば、語り手は美禰子の服装に関しても、東京の常識として具体的な名詞で○○であることがわからなかったと記述するのが通常の語り方となる（または、三四郎なりの語彙でそれを説明することも可能である。たとえば原口の黒繻子の襟飾りを「兵児帯」と説明するように（九））。先に述べたように三四郎の認識の枠組み（〈制服〉としての類型化）をはみ出す重要な特殊性をもちながら、当の三四郎の中では抑圧されてしまう美禰子の服のわからなさは、三四郎（の田舎性）に還元しうるものではない。語り手は顔を出しながらも「反措定叙法」の形をとらない。説明の補足を拒む語り手の欲望をそこに読み取ることができるだろう。そして具体的に語られないことで、美禰子の服装は〈謎〉となる。つまり、服装の〈謎〉は、『三四郎』の語り手の欲望によって生み出された〈謎〉と考えられるのである。

この〈謎〉の行方について述べよう。三四郎の外部に設置されたこの〈謎〉は、三四郎に内的焦点化した言説の中で一旦抑圧された後、美禰子の肖像をめぐって、ふいに再び浮かび上がってくる。

この肖像画について描き手の原口と美禰子の間には大きな隔たりがあることに注意したい。「着物も帽子も背景から区別の出来ない程光線を受けてゐない中に、顔ばかり白い」（八）と語られ、顔が主題となっているエラスケスの肖像画同様、同じ場所にかけられる予定の美禰子の肖像画で原口が描こうとしているのは、「西洋画には、あゝ細いのは盲目を描いた様で見共なくつて不可ない（略）其所で里見さんを煩はす事になつた」（十）というように、美禰子の「眼」である。一方、美禰子が描かせようとしているのは、あの服を着たあの日の彼女である。団扇を翳したポーズは、「構図」として原口も関心を示している。しかし、服装については一言も触れない。「あの服装で分るでせう」（十）と、美禰子のみがあの服装に言及しているのである。原口が「あなたが単衣を着て呉れないものだから、着物が描き悪くつて困る」（十）と不平をもらしていることからわかるように、美禰子の意志によって、物語現在に（ポーズは再生されるが）あの服装は再生されない。そしてその服装こそが肖像画が描かれはじめた時期を明示し、また原口でなく美禰子自身がその時期を望んだことを明示するのである。[9] 原口にとっては「単衣」でしかない画の中にのみ残されたその服装はここでも決して具体的には説明されず、〈謎〉めきを漂わせたまま美禰子の言葉によって甦り、美禰子によってあの日の象徴として意味を与えられている。

あの日の象徴という意味づけは、広田先生の夢によって補強されている。すでに指摘されているように[10]、広田先生の夢は美禰子の行為を意味づける参照枠となっている。広田先生の夢の女は「二十年前、あなたに御目にかゝつた時」（十二）を意味するものとして、顔も服装も髪もその日そのままに残している。画を「あの通り」と説明する美禰子の行為をこの夢で読み解くのはたやすい。〈謎〉は、「あの通り」を残す画の中に入り込むことによって意味を与えられる。その意味に、美禰子を封じ込めるのは、美禰子自身ということになる。

彼女の服装は美禰子の意志を仄めかす。美禰子の服装の描写を整理すると、光らず地味なものから、「派手な着物」（五）や「光る絹」（八）へ変わっていることがわかる。三四郎の言説では特記されないこの変化は、三四郎の外部にあると考えてよいだろう。この変化は、他の服装が〈制服〉的で無変化であるのと対照的である。社会のコードに完全に属した〈制服〉と違って、美禰子の服装だけは彼女の管理のもとにおかれているのである。肖像画に残されたあの服装もまた美禰子の意図のもとで配され、そこにある彼女の意志を垣間見せる。服装は彼女の意志の存在を提示する装置となっているのである。

美禰子の服装は〈謎〉を喚起し、その具体的な内容は埋められないまま、ただ美禰子の意志がそこに存在しているということを示している。美禰子のみが知っている何かがそこにあることになる。こうした美禰子の物語は、「無意識の偽善家」・演技者美禰子という解釈を誘引するだろう。夢の女を参照すれば、美禰子の意志はあの日の誰かに向けられたものとして意味づけられ、さらに男を誘惑する美禰子像は補強される。

三四郎に焦点化した水準ではあるともないともいえない美禰子の内面は、三四郎の外部、すなわち語り手に焦点化した水準にこそ存在しているのである。語り手が作り出した〈謎〉を管理している美禰子という女の像が、そこには浮かんでいる。このようにして、〈謎〉の女美禰子は、語りの水準に、服装を装置としてあらわれているのである。

美禰子があの日の肖像画を描かせた意図、その恋愛の対象、結婚の意味、多くの議論を喚んできたこれらの問題は、透明ではない語り手の欲望がつくり出した〈謎〉である。

## 五　語られる〈新しい女〉

さて、美禰子の眼に向けられた三四郎の視線は、同時代の小説がいわゆる〈新しい女〉に向けた視線と共通している。〈謎〉の女美禰子と〈新しい女〉について最後に考えてみたい。『三四郎』の外側へ目を向けてみよう。

それらの小説の中で、彼女たちは特別な眼、特別な表情をもった女として登場している。たとえば、『蒲団』の芳子は「美しい顔と謂ふよりは表情のある顔（略）眼に光りがあつてそれが非常によく働いた」（三）と語られ、『煤煙』の朋子は「眉と眉の間の暗い陰（略）冥府の烙印を顔に捺したやうな――一度見りや一生忘れられない顔」（十）をしており、『或る女』の葉子は「素性が知れぬほど顔にも姿にも複雑な表情を湛へたこの女性」（前編一）とされる。特殊な表情は、複雑な内面をもつはずの〈新しい女〉の特徴である。「四五年前までの女は感情を顕はすのに極めて単純で（略）三種、四種位ゐしか其感情を表はすことが出来なかつたが、今では情を巧に顔に表す女が多くなつた」（三）という『蒲団』の説明は象徴的である。感情の複雑さを示す表情の複雑さは新しいのであり、三四郎にとって「何とも云へぬ或物」を眼に浮かべる美禰子もまた、同様に〈新しい女〉として複雑な感情を期待されていたと考えてよいだろう。他の登場人物の「イプセンの女」（六）・「露悪家」（七）・「西洋流」（七）という一般論を含めて、登場人物の水準では美禰子は〈新しい女〉としてとらえられている。

しかし『三四郎』の語り手は、そうした三四郎の視線自体を積極的に前景化し、美禰子の眼に特別な意味を読もうとする三四郎の意識の制度性を浮き彫りにする。同時代の小説との重なりをみせながら、より外側の水準で根本的にそれからずれ、むしろその視線の制度性を浮かび上がらせるのが『三四郎』という小説である。語りの水準では、美禰子は〈新しい女〉としては語られないのである。服装についてはどうか。三四郎は美禰子の服装の特殊性を抑圧し、語り手は〈謎〉めいたものとして語った。

ここで確認しておきたいのは、服装は社会的なコードにより意味付けられるものであるが、つねに類型化を被るためだけに装われるものではないということだ。その類型を壊すための装いもまたある。たとえば平塚らいてうは、そうした戦略的な装いをした女性だった。女学校時代は、「活動に不便な和服を、新時代の女性にふさわしく、活動的なものに改良しようという試み」に則って「袖口にひだをとってくくった」「自分で考案した改良服」を一人装い、女子大時代は「わたくしだけの格好」という「低くはいた袴に日和下駄」で、大学に呼び出されている。[11]「着物は長着では歩きにくい」「女の帯というものは、胸がしめつけられる」という観点から改良されたそれぞれの彼女独自の装いは、いうまでもなく類型としての女学生の装いを完全にずれている。類型を壊す意味を服装にもたせるとしたら、こうした具体的なずれを語る必要がある。類型を示すことも、逆に類型を壊すことも、具体的に語ることによって可能になる。

だとするなら、そうした具体性を語らぬことは何を意味するのだろう。らいてうをモデルに書かれた『煤煙』の朋子は、「平常地味な服装をして、つとめて若い血潮の溢れるのを隠さうとしてゐる」（十四）と語られた。モデルらいてうの服装の具体的な特殊性は単なる「地味な服装」へ完全に抑圧され、語り手の目はその内側にある「若い血潮」に向いている。服装の具体性が失われるとともに、朋子は語り手の期待する内面をもたされている。こうした方向性を〈新しい女〉の語られ方とするなら、美禰子の服装を抑圧し顔へ向かっていく三四郎の視線の方向性はやはりこの点でもそれらと重なる。

そして、語り手の提示したもう一つの美禰子の服装の物語は、そうした三四郎の視線の制度性を明らかにし、同時に同時代の視線の制度性をも明らかにしているといえる。語り手は美禰子を〈新しい女〉としては決して語らない。語り手も美禰子の服装を語らない点では同様であるが、それは〈新しい女〉とは異なる物語、ある男のために装われた服装の物語へ美禰子を誘っている。〈謎〉は、彼女の「自我」へ向かって開かれているのではないのである。『三四郎』は美禰子が〈新しい女〉になる可能性を消し去ったところに成立した小説である。こうして〈謎〉の語られ方に注意を向けるとき、森田草平の語った平塚らいてうを「みずから識らざる偽善者」と解釈し、『三四郎』でそうした女を書いてみせようと言ったという作家漱石の顔が、語り手の向こうに重なって見えてくる。[12]

(1) 千種・キムラ・スティーブン「『三四郎』論の前提」(『国文学　解釈と鑑賞』四九-一〇、一九八四・八)。
(2) 小森陽一「漱石と女たち—妹たちの系譜—」(『文学』季刊二-一、一九九一・一)。
(3) 石原千秋「鏡の中の三四郎」(『東横国文学』一八、一九八六・三)。この点を明確に打ち出した論は他に、三好行雄「迷羊の群れ—「三四郎」—」(『鷗外と漱石—明治のエートス—』力富書房、一九八三・五)、相原和邦「青春の彷徨—「三四郎」—」(『漱石文学の研究—表現を軸として—』明治書院、一九八八・二)などがある。
(4) この点についてはは石原千秋の指摘がある(「鼎談　漱石文学における男と女」『国文学　解釈と鑑賞』五五-九、一九九〇・九)。
(5) この点については、金子明雄「沈黙する語り手」(『日本文学』四二-一一、一九九三・一一)に多くの示唆を得た。
(6) 前掲注(3)石原論文。
(7) 相原が「反措定叙法」の特徴として指摘した(「道草」『漱石文学』一九八〇・七、塙書房)「別の可能性の想定」があること、「段落の終末に位置している」こと、「第一文を抑制し、否定」していること(「イロニカルな発想」は認めにくいが)などの特徴は『三四郎』の「かなり実体化した語り手による表現」にも共通している。

(8) 藤森清「語り手の恋—『道草』試論—」(『日本の文学』年刊一二、一九九三・一二)。

(9) この事実は『三四郎』における美禰子の恋愛を〈謎〉めかす。三四郎との思い出とも、三四郎に初めて会った時点ですでに美禰子は青春を見切っているとも、読めるからだ。美禰子の恋愛対象をめぐる議論を引き起こす鍵になっている。

(10) 前掲注(3)三好論文など。

(11) 平塚らいてう「叔父一家のこと」および「感激の実践倫理」(『元始、女性は太陽であった』大月書店、一九九二・三)参照。

(12) 森田草平『続夏目漱石』(甲鳥書林、一九四三・一一)。

＊ 参照及び引用した本文は、田山花袋『蒲団』(『明治文学全集』第六七巻、筑摩書房、一九六八・三)、森田草平『煤煙』(『現代日本文学全集』第二二巻、筑摩書房、一九五五・七)、有島武郎『或る女』(『有島武郎全集』第四巻、筑摩書房、一九七七・一一)によった。

## 第六章 『行人』 二郎と一郎

### 一 二郎と一郎

〈謎〉の女が捏造される様を、前章でみてきた。そのあと、『それから』『門』『彼岸過迄』『行人』、そして『こゝろ』に至るまで、男二人と女一人からなる三角形のヴァリエーションが続く。ここではその中から、三角形そのものへの欲望がはっきりとあらわれた作品として、『行人』をとりあげよう。そこでは、三角形が捏造される様を、はっきりみてとることができる。

『行人』では、長野一郎とお直という夫婦に、一郎の弟二郎が加わって三角形がつくられている。妻の不貞を疑う知識人一郎が、それをきっかけに狂気に陥っていく様を、弟二郎が語る物語である。一郎を中心に読めば、たしかに妻の〈謎〉に翻弄される男の姿を読むことで、恋愛と結婚の対立という男と女の物語を読むこともできるが、[1] 忘れてならないのは、『行人』は、次男二郎が語る小説であり、二郎の「都合」から語り起こされる話であるということだ。二郎を無視することなく『行人』を読むとき、一郎と直と二郎からなる三角形が捏造されたものであることがはっきりみえてくる。お直の〈謎〉への関心は、あるとしても一郎にであって、二郎にはない。この捏造の主体となる語り手二郎の関心は、ほかでもない一郎に向けられているのである。本章では、二郎に注目することで、男と男の物語を読むことにする。三角形は物語の枠組みをつくっているが、そこにある具体的な欲望は女に向けられたものではない。女は相変わらず〈謎〉めいて登場するが、その解釈は重要な問題ではなくなっているのである。

三角形が捏造されることで語られる具体的な物語は、「長野家」という家における二人の男の物語である。「梅田の停車場を下りるや否や自分は母から云ひ付けられた通り、すぐ俥を雇つて岡田の家に駆けさせた」。これが『行人』の冒頭一文である。ここからわかるように、二郎がはじめに語ったのは母の「云ひ付け」である。『行人』は母の「云ひ付け」の枠組みの中から語りはじめられたテクストであるといえる。母の「云ひ付け」とは、いうまでもなく長野家という家の要請に即したものである。テクストの出発点を「長野家」の要請が規定しているように、「長野家」という家をめぐってつくられた制度は、これ以後語られる物語の意味生産に深く関わっている。本章では、この「家」をめぐる制度を参照しながら、具体的な物語を読むことにする。

さて、その『行人』の語り手であり、重要な登場人物でもある長野二郎は、テクストの中の事件にどう関わっているのだろうか。一郎を中心に論じた研究とは異なり、「長野家」という家に注目する研究では、「記述者」「報告者」として積極的にその存在について論じられてきているが[2]、基本的に「家」「家族」の抑圧性に無自覚な存在、それを自覚する他の登場人物を理解しえない語り手として論じられている。しかし、本当に二郎は無自覚な語り手なのだろうか。

「長野家」の制度に照らし合わせて二郎という男について考えれば、「次男」だということが重要な特徴となるだろう。石原千秋による「〈家〉制度に支えられている文化にあっては、次男坊は、姉妹とはもちろん、他の兄弟とも異なる不安定な境界線上の存在、すぐれて魅力的で、しかも「危険」(「それから」十七)な文化記号となる」という指摘[3]もあるように、次男は、「家」の矛盾が集約された立場にある。次男二郎は冒頭で語った母の「云ひ付け」であった岡田宅の訪問について、すかさず次のように語る。「けれども夫はたゞ自分の便宜になる丈の、いはゞ私の都合に過ぎないので、先刻云つた母の云付とは丸で別物であつた」。二郎は、「家」の構成員にとって絶対の制度である「家」の要請、母の「云ひ付け」に、あたかもとらわれたようにみせながらも、その実「私の都合」にすり替えているのである。そもそも二郎という名は一郎という長男があってはじめて成立する名であり、二郎はその存在の根本に「家」の劣位者(次男)のレッテルを貼られているといえる。二郎は「二郎さん」という呼称を「一郎さん」の「お余り」として意識している(兄二)。二郎を「家」の抑圧性に十二分に意識的な語り手として考えるとき、『行人』の冒頭第一節は、二郎の物語が、その劣位を「私の都合」で引っ繰り返していく物語であることを示しているということができる。

また、二郎という名がもつもう一つの特性は、一郎という名との並列性である。漱石テクストに兄弟は多く登場するが、『行人』の二郎と一郎にみられるような並列性をもつケースは見当らない。二郎と一郎という名がもつこの特殊な並列性は、二人の物語が並列し絡み合って『行人』というテクストを生み出していることを示している。一郎中心に読まれてきた『行人』を、二郎と一郎という二人の男の物語として読んでみたいと思う。すなわち、二郎を通して漱石的三角形を「長野家」の中で読むことになる。

## 二　捏造される「性の争ひ」

長野家が、封建的な「家」の枠組みを依然強く残した家族であることは既に指摘されていることだが、その「家」の「云ひ付け」に対する二郎の批判は、『行人』第一章「友達」にあらかじめ示されている。岡田の子供をめぐるエピソードの中での「自分は子供を生ます為に女房を貰ふ人は、天下に一人もある筈がないと、予てから思つてゐた」（友達四）という発言や、「家」的な要素を強くもつ貞の結婚に批判的であることなどが、その顕著な例である。

貞の結婚については、もう少し説明を加えておきたい。二郎は、結婚相手の佐野に関して、「多数の妻帯者と変つた所も何もない」（友達十）としか報告しえず、自ら語るように「無責任」（友達九）である。二郎のこうした言動について、余吾育信は「差異の隠蔽[4]」、小森陽一は「一般化」「翻訳[5]」とし、ともに個別性を抑圧する機能を読み取っている。が、小森は他の箇所で「二郎が直面してしまったのは、「結婚」という物語の枠の中で、固有なる者をその固有性において表現することの不可能性なのかもしれない」とし、二郎の中の「躊躇」と「懐疑」を指摘してもいる。ここではこの後者の立場を支持したい。二郎は「一番何うでも好かつたのは岡田の所謂「例の一件（貞の結婚――引用者注）」であつた」（友達五）と、当初から、その無責任さを隠さない。貞の結婚が「厄介」（友達七）払いに近いものであることも、あまりに「簡単」（友達七）にすぎるということも二郎は承知している。そのうえでの無責任さは、無自覚であるどころか、堂々誇示されたものといえるのではないか。二郎は自らその無責任さを指摘はしても、直後に「此無責任を余儀なくされるのが、結婚に関係する多くの人の経験なんだらうとも考へた」（友達九）という注釈を加え、「家」の枠組みの中での結婚という制度そのものが普遍的な無責任さをもつことを示している。そして興味深いのは、批判を示すと同時に、貞の結婚のため佐野に会うという母の「云ひ付け」を「私の都合」へとずらそうとしていることである。

「私の都合」とは三沢に会うことである。三沢との関係で語られていることをまとめておきたい。ここに、漱石的三角形の捏造をみることができるだろう。あらかじめいっておけば、これが第二章「兄」以降の伏線となる。

二郎は三沢との関係を「此方が大事がつて遣る間は、向ふで何時でも跳ね返すし、此方が退かうとすると、急に又他の袂を捕まへて放さない」（友達二十七）と語る。二郎にとってのそれは、自己と他者が分離せず、曖昧に癒着しながら反応し合う関係といえる。ゆえに二郎は「自分を丸で他人扱ひにしてゐる」（友達二十八）と三沢に腹を立て、わかるはずのない三沢の心中について「実際は双方共（あの女が——引用者注）死ぬとは思はなかつたのである」（友達二十四）と断定しうるのである。そして、（これまた三沢の視点をとりこんだ）「あの女」と称される女性との間に、二郎は勝手に「性の争ひ」（友達二十七）をつくりあげていく。

こうした三沢との、自己と他者を一緒くたに扱ってしまう同一化、それによる嫉妬の争いは、明らかに三角形を形成している。漱石のテクストに頻出する三角形である。エディプス三角形のヴァリエーションであり、あたかも自発的にみえる主体の欲望が他者の欲望の模倣によって生まれる関係を指摘したルネ・ジラールのいう欲望の三角形[6]と読むこともちろんできるが、ここではそれを兄弟というメタファーを用いてアイデンティティ形成の問題として説明するジャック・ラカンの兄弟複合の図式[7]を参照しておきたい。ラカンによれば、自己愛的構造の中から自我が構成される過程において、兄弟に代表される同類、一対の関係の中では、それ以前の自己愛的構造に第三の対象の導入による不協和が生じ、その結果おこるパートナーと自分との同一化によって、嫉妬に引き込まれ、「三角関係的状況の競い合い」が生じるという。そして自我が、競い合いの中で他者と「同時」に構成されていく。ラカンはこの過程を「嫉妬のドラマ」としている。

二郎は「性の争ひ」を次のように語る。「自分の「あの女」に対する興味は衰へたけれども自分は何うしても三沢と「あの女」とをさう懇意にしたくなかつた。三沢も又、あの美しい看護婦を何うする了簡もない癖に、自分丈が段々彼女に近づいて行くのを見て、平気でゐる訳には行かなかつた」（友達二十七）。二郎が作り上げた性の争いは、三沢への同一化によるものであり、「あの女」に対する興味からなっているのではなく、二郎と三沢との競い合いによって生じている。

ところが「能く承知してゐ」る筈の三沢は突然退院を決意するため、二郎は戸惑う。はじめて、三沢が「是程あの女に動かされるのは不審」（友達三十二）と考える。三沢の態度が理解できず「益変な気持」になり、ついに「妙な話」を聞かされ「意外の感に打たれ」る。「不審」「変」「妙」「意外」と、二郎の中につくりあげられていた三沢の像が完全に揺らいでいく。そして三沢の話を聞き終わった時点で、ようやく事態を理解した二郎は「「あの女」の為に、又「其娘さん」の為に三沢の手を固く握」（友達三十三）る。種明かし的に、二郎が考えもしなかった三沢の事情が証されていったわけだが、この娘さんの挿話を経ることによって、二郎は三沢への精神的な同一化と嫉妬を和解させ、自己と他者の境界を築いていくのである。

二郎の嫉妬のドラマ、またこの「友達」の章は、『行人』全体の冒頭として、次のような意味をもつだろう。二郎が発見した他者三沢は、二郎という個にとっての他者であるとともに、「家」にとっての他者でもある。そして三沢が語る「娘さん」の話は、「家」という空間の中では完全に異質で、その秩序を壊してしまう（純粋な）「愛情」の物語を二郎に示すことになっている。「家」にとっての他者の発見が、この後二郎が長野家に波乱を巻き起こす発端となる。

しかしここで重要なのは、こうしたアイデンティティ確立の物語よりも、二郎が三角形的「性の争ひ」をつくりあげているということ、そしていったんつくられたそれが完全に覆されているということである。

これが重要なのは、この「性の争ひ」は、「兄」の章以降で語られる、直を挟んだ一郎との三角関係に重ね合わされているからだ。三沢との「性の争ひ」が二郎の一方的な思い込みによって成立していたことは、二郎自身が語るとおりである。この「伏線」によって用意されるのは、一郎との間におこった三角関係もまた、それをつくりあげた側、一郎の思い込みであるという解釈である。つまり、友達の章を参照すれば、一郎が直をめぐって引き起こした三角関係は、あくまでも一郎の一方的な思い込みということになり、二郎はその責任を逃れることが可能になるわけだ。二郎は単なる「報告者」ではない。こうして「伏線」を用意し無責任を装わねばならないほどに事件に関与していたといえる。一郎が陥った悲劇は、二郎が仕組んだものである。そして、それこそが、「云ひ付け」とすりかえて語られる、隠れた「私の都合」なのである。

## 三　「長男」「次男」と「子供」であること

さて、「兄」の章ではいよいよ一郎が登場する。一郎を規定する枠組みは、従来の研究においても繰り返し指摘されているとおり、「長野家」の「長男」であるということだが、ここでは、さらに、一郎は「長男」ではあっても、「子供」ではないということをおさえておきたいと思う。

一郎の長男性については次のように語られる。「兄は（略）長男丈に何処か我儘な所を具へてゐた。自分から云ふと、普通の長男よりは、大分甘やかされて育つたとしか見えなかつた」（兄六）。しかし、一郎は、「子供」として「甘やかされ」ていたのではないようだ。「昔堅気」の父は「最上の権力を塗り付けるやうにして育て上げ」（兄二）、「母は兄を大事にする丈あつて、無論彼を心から愛してゐた。けれども長男といふ訳か、又気六づかしいといふ所為か、何処かに遠慮があるらしかつた」（兄七）と語られていることを考えれば、兄六でいう「甘やかされ」たというのは、「遠慮」されたというのと等しく、「我儘」を許されたという意味となるだろう。

一郎がこのような状況におかれていたということは、長野家が封建的要素の強い家族であるということから十分考えうる。「長男」であることと「子供」であることの間には、時代の移り変わりが生んだ溝がある。ここで『行人』の背景を覗いておきたい。

明治末期、とくに都市では、期待される家族像も、その実態も、すでに近代的な家族へと移り変わっている。封建的な家族に対する新しい家族を示す語として、「ホーム」「家庭」という語が流行し、そして定着していった。[8] 第I部でみた「家庭小説」というジャンルの一般化はその一例でもある。「家庭」をめぐる言説が雑誌などの媒体を通して氾濫するなか、[9] 現実も徐々に変わってゆく。たとえば、藤井健治郎は、「家」に「主権」をみる「家族主義」を「実際問題として考察したる時」、「世襲」の消滅、「移住の自由」、またそうした状況の結果「次男以下の人々」において「家と云ふ観念は殆ど絶無」少なくとも「非常に弱くなつた」こと等の点から「疑問」がおきると指摘している

（「家族主義に対する疑問」『中央公論』明四一・九）。大正に入ればいよいよその傾向は強まり、生田長江は「小家族が多くなつて来て」おり「家長権が事実上滅亡に帰してゐる」とし、「家族主義はいつの間にか家庭主義に変つて来て」いるという（「恋愛と結婚との関係を論ず」『婦人公論』大六・一一）。

『行人』の長野家はといえば、須田喜代次の検証[10]によれば「明治四十二年以降の明治「四十何年」」におかれているわけであり、十分に「家庭」観が流通する時代に、いまだ「家」的要素を色濃くもつ家族として語られているわけである。父は「昔堅気」（兄二）、一郎は「普通の長男よりは、大分甘やかされ」（兄六）ていたと語られているところをみると、その傾向はかなり強調されているといえる。

そして、夫婦と子供を単位とする新しい家族としての「家庭」においては、「夫婦間に生ずる子供は家庭の全調和に必要なるものにして、子供なければ夫婦の諧合其極に達せず、真の家庭をなす能はず」（小島松之助「家庭に子供の必要なること」『婦人と子ども』明三五・五）というように、「子供」の存在が積極的に重要視され、また家族は互いに愛情で結ばれなければならないとされる。こうした家族像は、フィリップ・アリエスなどが指摘する西欧近代家族と多くの点で重なるものである。アリエスは周知のごとく「子供」が近代の産物であったことを示したわけだが[11]、日本においても「小さな大人」から「子供」の発見へという過程があった[12]。明治三十年代には「子供は大人の雛型に非ず」（古在豊子「稚児の育て方に就ての注意」『女学雑誌』明三一・一）、「行儀といひ言語づかひといひ幼児には幼児相応の事があります」（ふみ子「過ぎたる躾方」『婦人と子ども』明三四・七）、「子供は即ち子供であつて、大人ではありません」（ひさ子「子供は」『婦人と子ども』明三四・九）と繰り返されたが、十年後には「近頃でこそ大人と子供が其性質上又体質上全然別種類に属すべきであると云ふ事が漸く理解つて来たが以前には両者は全く同一のもので子供は単に大人の小さいものに過ない様に考へられて居た」（倉橋惣三「大人と子ども」『婦人と子ども』明四三・二）という指摘へと変わっていく。柳田国男はその根本的な変化を次のように回想している。[13] 以前は「結局は我児の為になるといふ教訓にも、簡単には説明が出来ないで、形は可なり峻厳なものがあつた。それに他の多くの明らかに家の存続を目的としたものが、附け添へられて居た」。それに対し、「悦ばしい新世相」として「活き〳〵とした親の愛を蘇らせてくれた」ことをみ、「もはや教育と利用とを混合するやうなことだけは無くなつた。さうして教育が著しく子供本位になつた。我子の幸福なる将来といふことが、最も大切な家庭の論題になつて居る。職業は幾分か反動的に、家の要求といふものを度外に置いて決せられる」という。つまり、「家」という空間の中には「子供」はいなかったのである。そこにいたのは役割をそれなりに担わされた「家」の小さな構成員である。「家庭」が生まれてはじめて、それぞれの個性をもち可愛がられるべき存在、「大人」とはまったく異なる「子供」が生まれたのである。

こうした背景を参照したうえで『行人』に戻ろう。一郎の「長男」性とは、長野家の「家」性の象徴でもある。「家」の中での「長男」は次代の「家長」に他ならない。一郎は、そうした役割が確実に機能している「長野家」に、つまりいまだ「子供」という存在が生きえない空間に存在していることになる。

そして一郎は、そうした「家」の道徳を内面化した人物である。「おれは御前の兄だつたね。誠に子供らしい事を云つて済まなかつた」（兄十九）という。単に成人として「子供」らしさを問題としているのではないだろう。そうならば、「兄」であることを引き合いに出す必要はない。一郎は、決して「子供」らしくあることの許されない「兄」「長男」なのである。二郎の方も、昇降機に乗ろうとする兄の誘いを「兄にしては些と子供らしい」、「柄にもない稚気」（兄十六）ととらえている。一郎の「天真爛漫の子供らし」さは行き場をもたず、それゆえそれは「何処か馬鹿にし易い所のある男」（兄十九）という評価、「軽蔑」（兄四十四）に繋がるしかない。

一方の二郎は、決して「次男」という役割を内面化してはいない。一郎の「長男」性を強調して語るそのとき、同じ長野家にあっても、一郎とは対照的に「兄以上に可愛がられ」ている「子供」としての自己像が強調されている。「影」で二郎を「可愛が」る「母の仕打」に憤る一郎を尻目に、「母から腹心の郎党として取扱はれる」ことの「嬉しさ」をかみしめ「澄ましてゐた」（兄七）という。母の側の問題は後に触れるが、二郎が「子供」性を強調していることは明らかである。ここには二郎の戦略がみえる。というのは、母の前に並ぶ「子供」として二人を考えるとき、二郎は一郎に対して優位となるからだ。「子供」性は「家」の論理を突き崩す。先に引用した藤井健治郎による、「家」を再生産するシステムが壊れたとき「次男以下の人々」においては「家と云ふ観念は殆ど絶無」または「非常に弱くなつた」という同時代の指摘が思い出される。劣位であるものほど制度の抑圧には敏感だ。二郎は「家」の道徳からの解放を目指す「次男」である。

「子供」であることに自己の基盤を置く二郎の言動の動機が、それゆえつねに母に結びついていることを確認しておこう。たとえば最初の一郎の呼び出しが「厭」だったのは、「母に約束した如く（略）嫂に腹の中をとつくり聴糺した上（略）積極的に兄に向はうと思つてゐた」のに「先を越されでもすると困る」（兄十八）からだ。その後、和歌山行きを「厭」ながらも引き受けたのは「実は此間から僕も其事に就いては少々考へがあつて、機会があつたら姉さんにとくと腹の中を聞いて見る気でゐた」（兄二十五）からという、母との約束があったためである。そしてまた、一度引き受けたそれを断ろうとするのも「自分を信じ切り、又愛し切つてゐると許考へてゐた母の表情」に「猜疑の影」が浮かんだのを見て「忽ち臆した」（兄二十七）からである。このように二郎の言動の動機は、ことごとく母に関与している。これらの前には次のような部分がある。これまでつねに「内所」に「可愛がられ」（兄七）ていた二郎が、岡田に返す金を「左も子供らしく」受け取った後、「何時ものやうに」「兄さんには内所だよ」という母の言葉に「不意に名状しがたい不愉快に襲はれた」（兄七）という。この「不愉快」に、「子供」として「次男」という劣位を覆す欲望の兆しを認めることができるだろう。先にみた母へのこだわりは、それが「影」（兄七）から抜け出そうとする二郎の基盤となるからだ。

『行人』で語られる具体的な物語として、「子供」という概念を介した、この「長男」と「次男」の争いを読むことができる。三角形は、この争いの中で捏造される。

## 四　「性の争ひ」の再現

さて、直接的な二郎と一郎の対立は、直を挟んだ三角関係が生んでいる。一郎を狂わせていく発端でもある。二郎は、それが一郎によって「突然」（兄十八）もち出されたことのように語り、また、自分に対する直の態度が「疑惑」を生むのではないかという懸念を語る（兄四十二）。しかし問題の原因は、一郎や直にあるのではなく、二郎にこそある。「友達」の章には用意周到な「伏線」がひかれていた。隠蔽された二郎の責任を炙り出してみたい。

二郎と直の間に「秘められた愛」を読み取る論がある。[14] 二郎はその「愛」を偽り「一郎とお直の悲劇に決定的な責任を負う[15]」と説明されている。たしかに、二郎と直はそれ以前から親しげな会話を交わしており、また二人の親密さは周囲の他の登場人物の疑いや揶揄、からかいの対象ともなっている。しかしここで指摘したいのは、そういう意味での責任ではない。（問題となる）和歌山での一夜の出来事を詳細にみれば、二人の間に「秘められた愛」は存在しえず、二郎には別の意味で「責任」があることが明らかになるだろう。

和歌山での直は基本的に冷静である。直が動揺して涙を見せるのは一度、妻としての役割不十分を問われたときだけである。「兄さんの性質位妾だつて承知してゐる積です。妻ですもの」と「しやくり上げ」（兄三十二）た時だけだ。「是で全く出来る丈の事を兄さんに対してしてゐる気」（兄三十一）

だという直は、妻という役割を担って生きていくこと、「魂の抜殻」(兄三十一)のまま生きていくことを決意している。「女」であることの意味を知りぬいている女である直が義弟に恋をするのはおかしい。二郎との関係で直が動揺する箇所は一つもない。

にもかかわらず、二人の間に愛をみる解釈が生まれるのは、二郎が、直に動揺を期待し、何かがおきているかのように語るからである。たとえば、停電の際、二郎は「我慢なさい」と声をかけ「例の見当から嫂の声が自分の鼓膜に響いてくるのを暗に予期してゐた」(兄三十五)という。しかし直は「何事をも答へな」い。再度の呼びかけに対しては「何だか蒼蝿さう」ですらある。直が死を語ったときにも「自分は彼女の涙を見る事は出来なかつた。又彼女の泣き声を聞く事も出来なかつた。けれども今にも其処に至りさうな気がするので、暗い行燈の光を便りに、蚊帳の中を覗いて見た」(兄三十八)と期待する。しかし、直は「行儀よく」寝ており、「あなた昂奮昂奮つて、よく仰しやるけれども妾や貴方よりいくら落付いてるか解りやしないわ」とたしなめている。一貫して冷静な直に対し、さらにその態度をほとんど無視するようにいたずらに「昂奮」し、二郎は的外れな期待を重ねている。二郎のこの過剰反応が、疑われる素地、つまり一郎を混乱に陥れる原因をつくり出しているのである。二郎の責任はこの点にある。直に注意をする際にも、「兄さんに対」する「僕の責任」(兄三十)を口にしながらも、気が付けば「浮気な心」(兄三十一)をもってしまうと語られるように、二郎は「兄の為でなくつて却つて自分の為に」(兄三十一)行動しているのである。直に対する過剰反応はその延長にある。一郎に対する密かな抵抗、一郎の直に対する欲望を模倣した二郎の欲望が三角形を捏造しているのである。

『行人』には「今」という時間が設けられている。「今」の二郎は、和歌山から帰り、一郎にそれを報告したときの態度、一郎を怒らした「形式的」（兄四十二）な態度について、「焦らす気味」（兄四十二）であったこと、「たゞ向の隙を見て事をするのが賢いのだといふ利害の念」（兄四十三）が働いていたことを告白している。ただし、それは「嫂の態度が知らぬ間に自分に乗り移」ったためとし、また「形式的」であったことについても「悪かつた」と思い、後には「真に純良なる弟」（兄四十二）として返事をしたと語り、故意ではないこと、直の影響が原因であることを示している。二郎が自らの抵抗について意識的であったか、無意識的であったかを問うてもはじまらないが、二郎の行為は明らかにそうした二郎の説明を裏切っている。そもそも二郎は、はじめて一郎に呼び出されたとき「本当の所」をぜひ話して欲しいと願う一郎に、「そんな腹の奥の奥底にある感じなんて僕に有る筈がないぢやありませんか」と答え、このとき「自分は兄の顔を見ないで、山門の屋根を眺めてゐた。兄の言葉はしばらく自分の耳に聞こえなかつた」（兄十九）という。答え自体が「軽薄な挨拶」と一郎を怒らせるものだったわけだが、さらに答えた後の二郎が一郎の存在を完全に無視していることは明らかである。ここからわかるように、和歌山に行く前、直と話す前から、二郎の密かな反逆は始まっている。和歌山から帰ったとき（兄四十二）と同様に、二郎ははじめの呼び出し（兄十九）でも「僕はあなたの本当の弟です。だから本当の事を御答へした積です」と「弟」であることを強調するが、それは役割を強調し本当の所からは遠ざかることに他ならず、一郎をさらに追い詰めるだけである。二郎は「弟」であることを逆手にとって、一郎を追い詰めていっているのである。「今」の反省的な記述の挿入は、こうした二郎の企てを隠蔽するものである。責任は二郎にあるのであり、直にはない。直は二郎と一郎の衝突の外側で、一人で沈静している。

沈黙した直を挟んで捏造された三角形は、一郎によって現前化させられる。この意味で、二郎の欲望が逆に一郎に転移しているともいえる。何もないところに、こうして二人の男の欲望が重なり合わさって、三角形は生み出されているのである。

## 五　それぞれの「長野家」

『行人』の後半では、三角形が解体していく。二人は独立したそれぞれの文脈で「長野家」から外れていくからだ。「長野家」の物語の終結とともに、欲望を模倣し合う関係も崩れていく。

はじめに、一郎について説明しよう。一郎は知識人として説明されてきたが、この「学問」は、長野家の「長男」であることと結びついている。両者を経由するのは、一郎が次代の「家長」となるため規範としたはずの「父」の属性である。長野家の「父」は「正直な御父さん」（兄十八）と語られる。そして「兄は元来正直な男で、かつ己れの教育上嘘を吐かないのを、品性の一部分と心得てゐる」（帰つてから十二）という部分に示されるように、「教育」は「嘘を吐かない」という品性、つまり「正直」であることを補強する機能を果たしている。また「おれは是でも御前より学問も余計した積だ。（略）所があんな子供らしい事をつい口にして仕舞つた」（兄十九）と一郎自身が語るように、「学問」は「子供」らしさを否定するものでもある。「学問」は、一郎が「正直」でなおかつ「子供」でない存在、つまり「長男」「家長」となるための具体的な方途となっているのである。

それゆえ、「正直」な父像の崩壊を境にして、一郎は決定的に崩れている。いうまでもなく、それは盲目の女の話を契機としている。一郎が自室に閉じこもり「茫然として洋机の上に頬杖を突」くようになったと語られるのは、「帰つてから」二十からであり、父の話が十九で語り終えられた直後である。盲目の女の話は、一郎にとっては父の「虚偽な自白」（帰つてから二十二）を意味している。「家長」となる規範を失い、一郎はとうとう戻りようのない混乱の中へ陥っていくのである。

当然「学問」も、一郎にとっては意味を失うだろう。「研究的」（塵労四十五）であることは一郎を苦しめるだけである。Hさんの手紙の中に、一郎は「目的（エンド）」も「方便（ミインズ）」（塵労三十一）も失った状態にあると語られている。一郎が陥っているのは、取り込むべき規範、「役割」の喪失によるアイデンティティの崩壊である。知識人としての苦悩と解される「人間全体の不安」（塵労三十二）を「一人」で背負ったことによる苦悩ではないだろう。そもそもこれは、「ぼんやりしてゐる許でなく、頗る不快に生温るい」Hさんの言葉を、「軽侮の一瞥」の後引き受けたものであって、一郎が語りはじめたことではない。

さて、一方の二郎はといえば、一郎が「家長」たり得なくなり、正当に「家」の中で優位をうることが可能となるわけであるが、家を出たまま戻ろうとはしない。

確認しておくが、二郎が家を出た理由は、一郎との関係が悪くなったことにはない。一郎に怒鳴られたとき、二郎には「怒るべき勇気の源が既に枯れてゐた」(帰つてから二十五)と語っている。この時点で二郎はもうすでに戦意を失っていることになる。一郎を模倣する欲望の、具体的な根拠がすでに失われていると考えることができる。

家を出た理由はここでも母にある。一郎と話す部分の直前、二郎は母に「早く好い御嫁さんでも貰つて別に成る工面を御為よ」(帰つてから二十)と言い渡されている。この「母の言葉の裏に、自分さへ新しい家庭を作つて独立すれば、兄の機嫌が少しは能くなるだらうといふ意味が明らさまに読まれた」という。しかも、それは「二郎、学者つてものは皆なあんな偏屈なものかね」と、すっかり自閉してしまった一郎に母が見切りをつけた直後だった。この瞬間二郎は「学者でないのを不思議な幸福の様に感じ(略)只えへゝと笑つてゐた」と語られている。一郎と自らの優劣が覆ったかのようにみえた直後、母は二郎に家を出るように告げている。そもそも「家」には、二郎の求めた、「子供」を可愛がる「母」など存在しないのである。「家」にあっては二郎は結局「次男」でしかない。二郎はこのとき「家」の中の劣位を引っ繰り返す基盤も理由も失ったといえるだろう。一郎はもう敵ではない。

「家」の論理を押しつけてくるのみの存在となった母から、二郎は離れていく。二郎の物語、「私の都合」の物語は、(三沢が紹介した)二郎の「秘密でも何でもない例の結婚問題」(塵労二十七)について、「財産」や「親類」や「病気の系統」を「無暗に細かい質問」を投げ掛け、何とか把握しようとする母から二郎が「とう〳〵逃げだすやうにして」去っていくことで閉じられる。

『行人』というテクストが閉じられるとき、「長野家」はすでに「家」としての機能を失っている。一郎は「家長」たりえず、二郎も「家」を出たままだ。母の要請や一郎の要請、「次男」「弟」という役割によって担われるべきをそれを、ひそかに「私の都合」へずらしながら、結局二郎は長野家という「家」そのものを崩壊させたことになる。家族の物語として『行人』を扱えば、二郎の行為が「子供」という存在を基盤にしたものであるという意味で、『行人』は「家」の中に近代家族的な要素を持ち込んだときに何がおこるかを語ったテクストといえるだろう。ただし、「家」の崩壊を語りながらも、一方の近代家族を手放しに肯定しているのでもない。「家庭」といえる家族をつくっている岡田は「何しろ妻たるものが子供を生まなくつちや、丸で一人前の資格がない様な気がして……」（友達四）という。「子供」という存在もすでに制度の一部として成立している。制度は中味をかえただけで、依然として個を抑圧している。それゆえに二郎の物語は「今」という時点を垣間見せながらも、決してどこかに収斂するようには語られていない。

このようにして、「長野家」の物語は終結し、捏造された三角形は姿を消す。

## 六　二人の男と直

さて、『行人』を漱石テクストの一つとして読めば、ここまでに確認した「長野家」の二人の男の物語が、漱石的三角形の中で語られていたということが重要になる。

『行人』の三角形は『こゝろ』の三角形へと続いていく。「性の争ひ」からわかることは、三角形の二つの点は同じ力量で三角形の形成に関わっているのではない、ということである。それが二郎の捏造であったように、つねに「性の争ひ」は一人の男が一人の男を強引に巻き込むことによって成立している。それは「争ひ」である。三角形が父と子の物語となる由縁である。二人の男の癒着した関係は、こうした緊張を孕んでいる。『こゝろ』では、それが死んだ男と生き残った男の間に繰り広げられることになる。緊張は本質的な隔絶でもある。三角形に関わる二人の男の間に交わりがあるようでないのが、漱石的三角形の特徴である。「長男」一郎の物語と、「次男」二郎の物語は、それぞれが「長男」と「次男」という役割と地位をめぐって、つまり男が「家」の中で割り当てられたジェンダーをめぐってその破綻を生きる物語であり、二つの孤独な物語が重なり合って一つの三角形を形成している。

それゆえ、繰り返しになるが確認しておきたいのは、ここでは男と女の関係が語られることはないということだ。『行人』は、あくまでも「男子」が惑う物語なのである。二郎については、「或る女」に向けられた欲望も、直に向けられた欲望も、模倣であることはすでに述べてきたとおりである。一郎にしても、直に向けられた欲望は、物語の進行にしたがってずれていくのであり、ここではそれを「長男」の問題として読んだ。それをふまえれば、「男子さへ超越する事の出来ないあるものを嫁に来た其日から既に超越してゐた」（塵労六）直という女の存在は、彼等の他者として機能していることがわかる。直を特徴的に浮かび上がらせているのは、女は「丁度親の手で植付けられた鉢植のやうなもので一遍植られたが最後、誰か来て動かして呉れない以上、とても動けやしません」(塵労四)という、明確なジェンダーを語る言葉だ。直は、「女」以外の何ものでもない。ここに、それ以外の具体的な要素を読み込むことは不可能だ。直の「不幸」は繰り返し論じられてきたが、惑う男たちに比べれば、この認識は「不幸」というより、役割に完全にはまりきった、ある意味で幸福な安定としてみえてくる。二郎の「自分は気の毒さうに見える此訴への裏面に、測るべからざる女性の強さを電気のやうに感じた」という言葉は、『行人』の中での直の位置を示している。惑わぬ直は、惑う彼らを浮き彫りにする他者、つまり「女」なのである。『行人』は女の「不幸」ではなく、何よりも男たちの「不幸」を語るテクストである。

こうした、女を単純化した他者とし、男たちの関係にこそ複雑さがあらわれる物語を、〈ホモソーシャル〉という言葉で説明しよう。

〈ホモソーシャル〉という概念はイヴ・コソフスキー・セジウィックが提出した分析概念である。[17] ここでは、大橋洋一によるまとめ[18]を参照しながら、基本的な枠組みを説明しておきたい。「〈ホモソーシャル〉は〈ホモセクシュアル〉の謂ではない。ホモソーシャルは基本的に異性愛体制であり、異性愛を維持するための装置である」。重要なのは〈ホモセクシュアル〉と〈ホモソーシャル〉の違いである。同性愛=〈ホモセクシュアル〉は、セクシュアリティが同性間で形成されていることを示すが、〈ホモソーシャル〉はそうではない。あくまでも異性愛=〈ヘテロセクシュアル〉な体制をとっている。〈ホモソーシャル〉は〈ヘテロセクシュアル〉とセットになって構造化されている。こうした状態の典型として考えられるのが、ジラールの三角形、「男二人に女一人の三角関係、〈男―男―女のエロティック三角形〉」である。「男二人は、女一人を求めて競争関係に入る。だがこうした場合、どちらかの男が身をひく。これは競争という疑似同性愛関係を捨て、異性愛の尊重へと移ることではなく、女性の交換と流通によって男性関係を確固たるものにすることである。いいかえればこれは、男がそれぞれパートナーを作ることによって、男どうしの共倒れ的破局を回避することである」と説明される。つまり、〈ホモソーシャル〉は、同性愛に陥ることなく男性関係の親密さを維持する体制なのである。その意味で〈ホモソーシャル〉は、「父権制社会の中心的維持装置」と考えられる。それは、〈ヘテロセクシュアル〉=異性愛が、男性間の関係を維持する装置であるということを同時に意味している。異性愛についておさえておかなければならないのは、このように、それは基本的に女性嫌悪的であるということである。〈ホモソーシャル〉な体制を維持する「ふたつの奇妙な前提――つまり相互に補完的というよりは一見して矛盾しあうがゆえに奇妙な――」は、「同性愛恐怖（ホモフォビア）」と「女性嫌悪（ミソジニー）」である。

『行人』に戻ろう。二郎と一郎のばらばらでしかも濃密な関係が、彼らとはまったく異質なものとされる直を挟んで、三角形の中で語られるという物語である『行人』は、この〈ホモソーシャル〉という概念にぴったりと付合する。漱石的三角形は、始点としての『虞美人草』にすでにあらわれていたように、一方で女性を排除する形で異性愛を語り、他方で男と男の関係を語る物語を生み出してきた。『行人』は、三角形の捏造をあからさまに語るテクストである点で、女性を排除して（女性嫌悪的に）異性愛が語られていることをあからさまに語るテクストであるということを再度確認しておこう。

そして、この女性嫌悪的な漱石的三角形は、同時代の「文学」における女性排除と、たしかに重なっている。第四章で『虞美人草』に新聞小説との微妙な綱引きの痕跡を見、その後新聞小説らしさと手を切る漱石テクストの固有な展開を、『三四郎』、そして『行人』とみてきたわけだが（三角形の形成過程として）、ここにいたって漱石のテクストは〈ホモソーシャル〉な話形を典型的に提出したという点で、別な意味での時代との繋がりをみせている。この繋がりは、『虞美人草』における新聞小説との関係のように（あるいは『三四郎』における〈新しい女〉を語る表現との綱引き関係のように）、直接作家漱石のおかれた位置を読み込むことのできるものではない。第Ｉ部で論じた女性の排除が非常に抽象的なものであるように、漱石的三角形と時代との繋がりも抽象的なものである。具体的で直接的な作品（群）間の関係をそこにみることは難しい。しかし、だからといって、それが時代と無関係でまったく固有なものであると考えるのは乱暴にすぎる。『こゝろ』という作品がある。『行人』の後に書かれた作品だ。これは、〈ホモソーシャル〉な話形としての漱石的三角形を、『行人』以上にはっきりとみせる作品であり（本書第九章参照）、すでに、複数の論がそれを指摘してきた。[19]『こゝろ』の中でも下「先生の遺書」の章に三角形は最も典型化された形で描かれている。第Ⅲ部でみるように、『こゝろ』のこの三角形は、漱石の死後、大正中期のテクストに、明示されない透明な原型として

（『煤煙』における『死の勝利』の引用などとはまったく異なって）引用されている。このような繋がりは、漱石の側から読むことのできる繋がりではない。そしてまた『行人』に「長野家」の物語としてのレベルがあるように、漱石的三角形（『こゝろ』的三角形）は漱石テクスト（『こゝろ』）の全体を語るものでもない。しかし、より抽象的なあるレベルで、たしかに漱石テクストは、後に抽象的に引用される強力な話形を創出しているのである。そしてそれは、男性ジェンダー化による芸術としての「文学」の成立後にあらわれた、大正期の読者共同体の〈ホモソーシャル〉な性質についての、示唆に富む話形となっている。このような繋がりを、漱石テクストと同時代の「文学」の間にあらためてみることができるはずだ。テクストが多様で多層的なものであるということと、ある特定のレベルで何かの意味生産に参加しているということとは、まったく矛盾しないからだ。

（1）水村美苗「見合いか恋愛か—夏目漱石『行人』論—上・下」（『批評空間』一／二、一九九一・四／七）が、中では示唆に富む。結婚と恋愛という対立は、「狭い社会の作った窮屈な道徳」と「自然が醸した恋愛」という一郎が語る言葉（「帰ってから」二十七）に拠って、主に法と自然の対立として読まれてきたが、これに対して水村は、『行人』での見合い結婚（「見合いの世界において人間の意志と共同体の意志は未分化の状態にある」）には、そもそもそのような対立が生じえないことを指摘し、「一郎の狂気とは二項対立のないところに二項対立を見いだそうとするところにある」とする。

（2）藤澤るり「行人論・言葉の変容」（『国語と国文学』五九-一〇、一九八二・一〇）、余吾育信「『行人』への連関性／差異性の運動—「長野家」の外部／内部としての「友達」の〈言説〉—」（『文研論集』一三、一九八七・一〇）、小森陽一『交通する人々—メディア小説としての『行人』—』（『日本の文学』八、有精堂、一九九〇・

一二）など。

（3）石原千秋「次男坊の記号学」（『国文学　解釈と鑑賞』五三-八、一九八八・八）。

（4）前掲注（2）。

（5）前掲注（2）。

（6）ルネ・ジラール『欲望の現象学　ロマンティークの虚偽とロマネスクの真実』（一九六一、吉田幸男訳、法政大学出版局、一九七一・一〇）。ジラールの三角形については、第七章第三節および第四節で詳しい紹介をし、漱石的三角形の典型例である『こゝろ』の下における先生とKと静からなる三角形について検討しているので、参照されたい。

（7）ジャック・ラカン「侵入複合」（『家族複合』一九三八、宮本忠雄・関忠盛訳、哲学書房、一九八六・六）。

（8）たとえば東京書籍商組合編『明治書籍総目録』（復刻、ゆまに書房、一九八五・九）によると、「家庭」の語で始まる書籍数は、明治二十六年版で九冊（収録図書数九八六七）、三十一年版で九冊（二〇八四四）と変化しないが、三十九年版では七八冊（一八八四四）、四十一年版で七六冊（二〇九〇八）というように急激に増加している。「家庭」のイデオロギーについては、石田雄「「家」および家庭の政治的機能」（福島正夫編『家族　政策と法一』東京大学出版会、一九七五・一二）、牟田和恵『戦略としての家族　近代日本の国民国家形成と女性』（新曜社、一九九六・七）などに詳しい。参照されたい。

（9）たとえば、徳富蘇峰による『家庭雑誌』では「決して旧日本の家庭をして新日本の家庭を呑併せしむる勿れ」「新家庭をして直ちに独立せしむるに如くは莫し」といい（明二五・九）、およそ十年後の堺利彦による『家庭雑誌』でも「夫婦の組合を家と云ひ、其組合ひたる夫婦の共に住む場所を家庭と云ふ」とし、「世襲制度」に支えられた「家族制度」を「離れ」るよう説くなど（明三六・四）、封建的な家族像に対して、夫婦とその子供からなる新しい家族像を流布させた。

（10）須田喜代次「「行人」論（1）―新時代と「長野家」―」（『大妻国文』二〇、一九八九・三）。

（11）フィリップ・アリエス『〈子供〉の誕生　アンシァン・レジーム期の子供と家族生活』（一九六〇、杉山光信・杉山恵美子訳、みすず書房、一九八〇・一二）。

(12) この点に関しては沢山美果子「近代と母親像の形成についての一考察—一八九〇〜一九〇〇年代における育児論の展開—」(『歴史評論』四四三、一九八七・三) に詳しい。参照されたい。
(13) 柳田国男「家庭愛の成長」(『明治大正史　世相篇』朝日新聞社、一九三一・一)。引用は、同(平凡社、一九六七・一二) による。
(14) 伊豆利彦「『行人』論の前提」(『日本文学』一八-三、一九六九・三) など。
(15) 前掲注(14)伊豆論文。
(16) 夫が俸給生活者である都市の夫婦のみからなる家族であり、「家庭」といえるだろう。これまでの『行人』研究においても、長野家とは対照的に、新しい家族として語られていることは指摘されている。
(17) 『男同士』(一九八五、未訳)。ただし、邦訳に「クローゼットの認識論」(『クローゼットの認識論』一九九〇の序章、外岡尚美訳『批評空間』II-8、一九九六・一) がある。
(18) 大橋洋一「ホモフォビアの風景—ホモソーシャル批評とクイアー理論の現在—」(『文学』季刊六-一、一九九五・一)
(19) 小森陽一「『こゝろ』における同性愛と異性愛—「恋」と「罪悪」をめぐって—」(小森陽一・中村三春・宮川健郎編『総力討論　漱石の『こゝろ』』翰林書房、一九九四・一)、小谷野敦『夏目漱石を江戸から読む』(中央公論社、一九九五・三)、大橋洋一「クイアー・ファーザーの夢、クイアー・ネイションの夢—『こゝろ』とホモソーシャル—」(『漱石研究』六、一九九六・五) など。『こゝろ』における、〈ホモソーシャル〉体制と〈ヘテロセクシュアル〉の関係については、第九章で詳しく述べる。

# 第Ⅲ部
# ホモソーシャルな読者共同体

# 第七章
# 『こゝろ』的三角形の再生産

## 一　『こゝろ』的三角形の無視

第III部では大正期について考える。第I部で論じたように、「文学」の男性ジェンダー化と芸術としての「文学」の成立は関わっているわけだが、その後の展開をここでみてみたい。大正期テクストと『こゝろ』との特殊な関係に注目しながら、大正期の読者共同体の均質性を明らかにしたいと思う。

はじめに断っておくが、これから問題にしようとしていることは、前章で述べたように、『こゝろ』自体に付随する可能性や限界性とは基本的に関係がない。言及の対象となるのは、『中央公論』の「秘密と開放」号（大七・七）において発表された六編の小説や戯曲である。具体的に列挙しておくと、「芸術的新探偵小説」四編のうち、「二人の芸術家の話」(谷崎潤一郎)、「指紋」(佐藤春夫)、「開化の殺人」(芥川龍之介)の三編[1]、「秘密を取扱へる戯曲と小説」四編のうち「肉店」(中村吉蔵)、「別筵」(久米正雄)、「Nの水死」(田山花袋)の三編である[2]。これらは奇妙なことに、語り手もしくは視点人物が男であり、その男が濃密な感情(たとえば嫉妬)を抱くもう一人の男が設定されており、二人の男の間に関係を媒介する存在(たとえば女)が設定されているという三角関係の構図のもとに書かれている。男の男に対する濃密な感情を説明する三角形であることが、ここにおける三角形の特徴である。八編の中の六編が、この三角形を形作っている。この特集以外にも、たとえば、久米正雄「受験生の日記」(『黒潮』大七・三)、有島武郎「石にひしがれた雑草」(『太陽』大七・七)、菊池寛「無名作家の日記」(『中央公論』大七・七)、佐藤春夫「青白い熱情」(『中央公論』大八・一)、武者小路実篤「友情」(『大阪毎日新聞』大八・一〇・一六〜一二・一一)など、同じ三角形の図式にのっとったテクストが同時期に複数生まれている。これらについては次章で扱う。

この構図の原型を『こゝろ』、正確にいえば漱石の死後『こゝろ』の中核として読まれてきた、下「先生の遺書」にみたいと思う(以後『こゝろ』と記すが、ここで『こゝろ』という場合は「先生と遺書」のみを指している。その意味でもここでの議論は『こゝろ』というテクストそのものについての分析には関与していない)。『こゝろ』との類似が直接指摘されている作品が多いわけではない。既論を参照すれば、芥川の「開化の殺人」には、「「こゝろ」の先生のいふ「自由と独立と己れ」の明治の芥川による展開」とみる樋谷秀昭の指摘[3]などがある。芥川と異なり、作家の伝記的な情報からその類似が指摘されるものには、久米正雄の「受験生の日記」がある。前田愛は、久米の「僕もあの事件を生のまゝ通俗小説にする程馬鹿ではない。ただ親友と恋人との三角関係は、僕に取つては恐らく漱石先生以上に永くテーマとするだらう。『受験生の日記』中の恋愛なども変態だ」(「大凶日記」)という文章を引用しながら、『それから』や『こゝろ』との関係を指摘している。[4] 夏目筆子を挟んだ久米正雄と松岡譲との恋愛事件を下敷きにした久米自身の諸作品以外に、周知のように当事者の松岡譲「憂鬱な愛人」や菊池寛「友と友の間」などもあるが、ここで問題にしたいのは、そうした具体的な事件の結果としての類型の多産ではない。同様に、前田による次のような指摘、「「学生時代」の体験が久米ほど大きな比重を占めた作家は大正文壇には稀」という久米固有の体験からの指摘とは異なる地点から、この問題をとらえたいと思う。

ここに列挙したテクストは、それぞれの作家の作品系列の中では、注目されることの少ない作品である。『こゝろ』との関係の指摘がないことも、そもそもそれらの作品が論じられることが稀であることにも起因しているだろう。そうしたテクストを集めることの意味は、それゆえ、それぞれに固有な可能性を見いだす点にはない。テクストを束ねることによってみえてくる、この類似、同様の図形の引用について考えることが、本章の目的である。芥川は「秘密と開放」号の創作について、江口渙宛の葉書[5]の中でコメントをしているが、この奇妙な重なりについてはまったく無関心である。「独創」性が何より重視されたこの時期[6]に、こうした類似はなぜ関心の対象にならなかったのだろう。雑誌社からの特集を前提とした依頼に応えて一つのテーマにまとめ合わされることを予期して書かれたそれらの作品が近似してしまったということについてなぜまったく無関心なのか。これらのテクストを束ねることによって、この類似の無視について考えてみよう。

## 二　三角形

さて、三角関係を素材にした作品は『こゝろ』以前にも、もちろんある。たとえば『浮雲』や『蒲団』、それぞれ近代文学史上のメルクマールとなるそういった作品にも三角形はあらわれている。まずは、『こゝろ』を原型とすることの理由を述べる必要があるだろう。また、三角形が頻出する漱石のテクスト群の中から、なぜ『こゝろ』をとりあげるのかについても述べねばならないだろう。ことに、大正期の作家がしばしば言及している『それから』ではないことの理由を述べねばならない。

「秘密と開放」号の中で最も『こゝろ』に類似していると思われる「Nの水死」(田山花袋) を紹介することからはじめたい。主人公は博士Kである。彼は瀕死の床にあり、若き日に起こった悲劇、二人の共通の友人Nの水死について、妻治子にある告白をする。水死した際、実は救うことができたにもかかわらず、そうしなかったというのがその内容である。Kは、「俺はあの時、何んなにNに対して嫉妬を抱いたであらう……。人知れない嫉妬、秘密と言ふことは、何んなに恐ろしいものだつたつたらう」と自らの動機を説明し、「俺の一生は、その罪過のためにのみ暗くされて来た。Nが始終俺の心の中に生きてゐた。またお前の中にもNが生きてゐた。お前を見ると、何んな時でも、Nが俺にまつはつて来た。（略）俺は辛かつた。その辛いのをまぎらせるために、俺は書斎に没頭した」と過去を語る。これを読んで『こゝろ』を想像しない読者も、あるいはあるかもしれない。しかし、近似する二人の男の登場人物（差異は個性として説明される）、その二人の男を二点とし一人の女を挟んだ三角形、そこにおける嫉妬による無意識的な殺人のドラマ、しかも、中心になるのが、一方の男の、もう一方の男をめぐる自己の感情についての告白であるという形。女はこのドラマの力学に参加していない。こうした三角形を書いたテクストとして『こゝろ』を想像することは非常にたやすいのではないだろうか。そして、この三角形は残りの五編にも共通しているのである。

この「Nの水死」とそれ以外の「秘密と開放」号のテクストにおける三角形を図にすると次のようになる（図4参照）。

残りの話についても、三角形であることを確かめておこう。「指紋」（佐藤春夫）は、次のような話である。語り手「私」のところに逃げ込んできた「少年時代から唯一の親友」である阿片中毒のR・Nは、ある日二人で見た映画に大写しになった指紋に異常な興味を示す。実は阿片屈で巻き込まれた殺人事件の犯人の唯一の手がかり、現場に残された金時計に残された指紋とそれが同一なのだという驚くべき話を聞く、という話。「指紋」における三角形は、女を欲望の対象にする三角形ではない点で、先に説明した三角形の典型とは異なっている。しかし、これを重ねることに、むしろ『こゝろ』との繋がりを読む意味があると考えている。というのは、R・Nがこだわる「指紋」が、語り手の私が死んだ友人R・Nに重なっていく場として機能していることにかわりはないからである。R・Nの

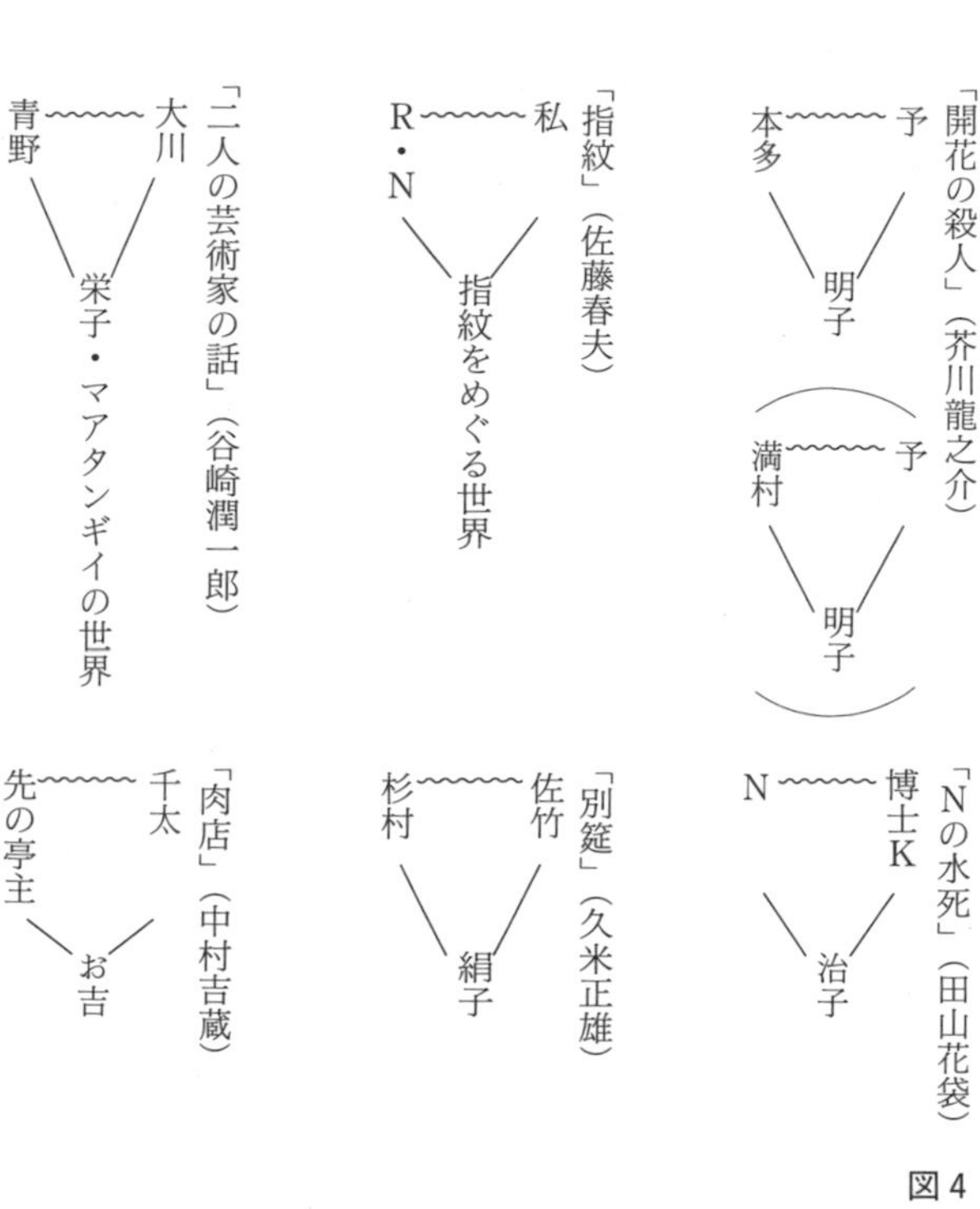

図4

死後、この指紋を軸に語られたR・Nの世界は、私に「別に一個の世界」を感じさせる。これを経由して、私はR・Nを辿り返し、「私の妻は、私があまり指紋のことばかり言ひすぎるので、心配して私自身も狂人になりかゝつたものと思つて居るらしい」という状況をひきおこしている。残った男が去った男を辿りながら、他の人間の入りえぬ幻想の世界をつくり上げている状態は、『こゝろ』と同じである。「実を言へばR・Nだつて狂人ではなかつたのだと、私は近頃思ふようになつた」という二人の同一化をあらわす一文で閉じられるこの小説は、その意味で『こゝろ』の変異形である。

「二人の芸術家の話」（谷崎潤一郎）における「マアタンギイ」の世界がこれと同様の機能を持っているだろう。「マアタンギイ」の世界とは、青野と大川という二人の芸術家がともに描こうとしたもので、酷似する二人の欲望の対象の一例となっている。二人の関係は異常な緊張を孕んでおり、たとえば「己の彼奴に対する敵意は、単純な嫉妬ばかりではなく、自己と全然同型の芸術家が、もう一人此の世の中に居ると云ふ不安な自覚から来て居るのだ」という大川が、「青野が死ぬか、自分が死ぬか、二つの場合より外にない」という決意のもとに青野の殺害を企てる。ただしこのテクストには二人がともにモデルとした栄子という女も登場しているので、三角形の図式であることはより明確である。二人の男の間に生じた密接な関係、そこにおける嫉妬に代表される濃密な感情の存在は、この両者の近似性によって保証されている。

「開化の殺人」（芥川龍之介）もまた、二人の近似する男を配して三角形を描く。「予」は、思いを寄せている朋子の最初の夫満村を殺害、その後、次の夫となる本多とつくられる三角形において「予が子爵を殺害せざらんが為には、予自身を殺害せざる可らざる」と決意して自殺する。予にとっての本多は、朋子が満村と結婚する以前から、朋子を愛していた者同士という近似性をもつ。

「別筵」（久米正雄）は戯曲であるが、絹子は婚約者佐竹に隠れて家庭教師杉村と愛し合っている。その関係を隠したまま素知らぬ顔で、二人は佐竹を上海へ送り出そうとするが、実は佐竹は真実を知っていた、という話。杉村と佐竹は中学時代からの友人である。杉村の絹子への愛情は、佐竹に対する全般的な嫉妬を基盤にして始まっており、「僕は殆んど佐竹が、死んでゞも呉れゝばいゝと考へた位」という競争の中で生じている。やはり三角形的な欲望といってよいだろう。

最後に「肉店」（中村吉蔵）。千太とお吉という夫婦を主人公とするこの戯曲は、千太がお吉の別れた男に嫉妬をし、それが高じて無実のお吉を殺し、無実であったことに気づいた千太も自殺を図るというものである。『こゝろ』と異なるのは、別れた男が友人ではない、つまり千太に近似する存在ではないということである。一度も登場しないこの男の感情を千太が辿るという形にはなっていない。ただし、これもまた千太の別れた男に対する非常に強い嫉妬が物語の推進力になっているのであり、姿の見えぬ男が彼の鏡像になっていることにかわりはない。お吉を通して不在の相手を読みとることが中心となり、お吉が無視されるこの図式はやはり『こゝろ』の変形とみていいだろう。

具体的にはそれぞれの展開をみせながらも、三角形が描かれていることを確認できたと思う。そしてこれらの三角形に共通する重要な特徴は、二人の男の近似性にある。

## 三　内的媒介

さて、具体的にテクストの図形を取り出し、『こゝろ』との類似性について考えてきたが、二人の男の近似性とからめて、そもそもの問題、なぜその原型を『こゝろ』にみるのかについて、次に述べよう。

『浮雲』や『蒲団』、そして『それから』における三角形と『こゝろ』の大きな相違点は、二人の男が近似した存在として設定してあるか否かにある。『浮雲』の内海文三と本田昇は同職であるが、彼らはそれぞれ異なる類型を代表する登場人物となっている。文三が、「秀た眉に儼然とした眼付でズーと押徹つた鼻筋唯惜哉口元が些と尋常でないばかり、しかし締はよささうゆゑ絵草紙屋の前に立つてもパツクリ開くなどゝいふ気遣ひハ有るまい」と描写されれば、昇の方は「中肉中背で色白の丸顔。口元の尋常な所から眼付のパツチリとした所は仲々の好男子ながら顔立ちがひねてこせ〳〵してゐるので何となく品格のない男」とまったく対照的に描写される（第一回）。「愛嬌気といつたら微塵もなし」という文三の免職と、「所謂才子で」「頗る愛嬌に富でゐて極めて世辞がよい」（第六回）昇が昇給するという、わかりやすい二項対立がしつらえてある。文三にとって昇とは「卑屈な軽薄な犬畜生にも劣つた奴」（第八回）であって、間違っても文三の鏡像になる存在ではない。また、『蒲団』における竹中時雄が日常生活に「つく〴〵倦き果てゝ了つた」（二）中年の代表なら、相手の田中は当代の青年の代表となる。

　こうした異質性は『それから』にも共通している。「食ふ為めだから、猛烈に働らく気になるんだらう」という平岡と、「あらゆる神聖な労力は、みんな麺麭を離れてゐる」という代助（六）。代助は平岡に「君の出てゐる世の中とは種類が違ふ」「麺麭に関係した経験は、切実かも知れないが、要するに劣等だよ。麺麭を離れ水を離れた贅沢な経験をしなくつちや人間の甲斐はない」といい（二）、平岡は代助に「僕は失敗したさ。けれども失敗しても働らいてゐる。（略）君はたゞ考へてゐる。考へてゐる丈だから、頭の中の世界と、頭の外の世界を別々に建立して生きてゐる。此大不調和を忍んである所が、既に無形の大失敗ぢやないか」（六）という。『浮雲』よろしく完全に補完し合う二項対立を登場人物の属性が形成している。そしてまた、それぞれの登場人物は、その二項対立を内面化してもいて、互いの理屈はきれいな対照をなしている。二つの陣営どちらに属しているかを互いに認識し合っているわけである。こうした補完性が示すように、個性として語られたそれぞれの属性は、登場人物を超えたレベルに措定された二項対立に依拠するものである。それぞれの登場人物を通して、その価値が前景化し、展開されている。

他方の『こゝろ』における先生にとってKは、個性の差はありながらも近似する存在として設定されており、Kは先生の同一化の対象となりえている。だからこそ、そこには嫉妬のドラマがあらわれうるわけである。[7]

先に列記したテクストとの共通性は、嫉妬のドラマの構造を端的に説明したジラールのいう「《三角形的》欲望」を経由すれば、よりはっきりするだろう。[8] よく知られているように、ジラールは主体―媒体―対象の三角形において、あたかも自発的な欲望にみえる主体の対象に対する欲望が、媒体（他者）の欲望の模倣であることを指摘した。[9] 二人の男が近似した存在として語られ、一方の男がもう一方の男の感情を辿り返す、つまり同一化していくドラマにおける三角形は、あからさまな模倣的欲望に支えられた三角形として読みうるテクストといえる。この点で『こゝろ』は先のテクスト群の原型と考えうる。

『浮雲』や『それから』にみられる補完し合う異質性によってつくられた三角形は、ジラール的な三角形にはならない。『蒲団』における時雄と田中による三角形も同様であろう。ただ、『蒲団』についてでは、もう一つの三角形について説明しておく必要がある。時雄とハウプトマンの『寂しき人』のヨハンネス・フォケラートとが二点をなす三角形である。時雄の芳子に対する欲望が、ヨハンネス・フォケラートのアンナに対する欲望の模倣であることは、テクストにはっきり書き込まれている。[10] しかし、これは『こゝろ』的三角形とは違う。ジラールは主体と媒体の距離の程度によって欲望の三角形を分類し、外的媒介と内的媒介という二つのタイプを抽出しているが、『蒲団』の三角形は明確な外的媒介であり、『こゝろ』的三角形は明確な内的媒介なのである。外的媒介とは、「媒体と主体がそれぞれその中央に位置する二つの願望可能圏が、互いに触れ合うことのないほどに十分離れている場合」を指す。ヨハンネスと時雄の願望可能圏は決して触れ合わないのだから、これは外的媒介である。他方、内的媒介とは、「この距離が縮小して、それぞれの圏が多かれ少なかれ一方の領域に重なり合う場合」を指す。『こゝろ』における三角形は内的媒介となる。先生とKのように欲望の対象が一致する場合は、最もこの願望可能圏が近い例ということになるだろう。近似する二人の男からなる先のテクスト群における三角形もこれに分類される。繰り返しになるが、こうした内的媒介的三角形の典型として、『こゝろ』はそれらのテクストの原型と考えうるのである。以後、これらのテクストを『こゝろ』的欲望に支えられた、『こゝろ』的テクストと呼ぶことにする。

## 四　具体的感情の前景化

さて、それでは『こゝろ』的テクスト群における類似の無視について述べることにしよう。まず確認したいのは、『それから』『浮雲』『蒲団』にみられる三角形と、『こゝろ』的三角形とのより重要な差異である。登場人物のレベルの外側、ひいてはテクストの外側に存在し、テクストが依拠している枠組みに対する反応において、両者は決定的に異なっている。

先にも触れたように、前者の三角形の中の、『それから』的三角形（『浮雲』や『蒲団』の時雄・田中からなる三角形）の場合、物語は二人の異質性を説明する二項対立によって起動し、またその意味はその二項対立により発生することになる。個性として説明される登場人物の属性は、その二項対立のそれぞれを代表しており、登場人物を通してその属性が展開される。そのとき、二人の登場人物が同一化しない以上、二項対立そのものは固定的で崩れない。崩れぬ分割として確固として設定されたこの二項対立によって意味が生産されるわけである。こうした三角形においては、三角の図式に乗せられた具体的な二項対立の枠組みが前景化しているといえるだろう。テクストに固有な登場人物の個性には還元できない、テクストが依拠する枠組みが、テクストの外側のレベルに存在しているわけである。

また、外的媒介の三角形（『蒲団』の時雄・ヨハンネスからなる三角形）の場合、媒体（ヨハンネス）

のもつ、すでに構成された意味（ここでは、青年ではない中年男性の性にまつわる物語として構成されている）が、登場人物のレベルで再構成されることになる。ジラールは外的媒介においては主体と媒体との「協調関係が、深刻に乱されることはけっしてない」という。つまり、このときやはり登場人物によって展開される形で、それが依拠する枠組みが、引用に足るものとして前景化していることとなる。

両者についてまとめると、それぞれのテクストに固有な登場人物のレベルの外側にテクストが依拠する枠組みがあること、登場人物はそれを展開しまた再構成していること、テクストが依拠した二項対立や物語は再構成の対象たりうる枠組みとして前景化し、そこから意味が発生しているということを指摘することができる。

他方、『こゝろ』的三角形の場合はどうか。三角形の図式に乗せて模倣的欲望に支えられた関係を語るこれらのテクストで前景化しているのは、登場人物の関係から生じた両義的な感情の有り様である。

再びジラールを引用すれば、内的媒介においては主体は媒体に対し「最も従順な敬意と最も強烈な恨みという二つの相反するものの結合によって作りだされた胸をひきさくばかりの悲痛な感情を抱く」ことになる。「憎悪」そしてその一変形である「嫉妬」「羨望」、内的媒介に特徴的なそうした感情が重要性を帯び、それぞれのテクストに共通する三角形の存在自体は後退する。ジラールは次のようにも指摘している。この主体は「もはや自分が誰かの弟子であるなどということを望みはしない。

彼は自分が無限に独自なものであると信じている」。登場人物のレベルに構成された、こうした主体がもつ（と信じられた）オリジナリティが、テクストがもつ（と信じられた）オリジナリティを保証している。

思い出して欲しいのは、これらのテクスト群が、同じ三角形を利用し類似する感情を語っているにもかかわらず、その類似性に無関心であること、そしてそれらはオリジナルなものとして扱われているということである。[11] テクストが利用した図式は同一、しかも前景化しているのは、その図式そのものによって構成された感情である。当然生じる類似性を無効にするのは、それぞれのテクストが設定した登場人物のレベルにおける差異しかない。登場人物の固有性が前景化し、「嫉妬」をはじめとするそれぞれの登場人物の具体的な感情によって物語が起動する。三角形そのものは抽象化されて、テクストの後景に追いやられている。登場人物のレベルに構成された主体の持つオリジナリティによって、模倣的欲望は無視され、そして、この模倣的欲望によって形成された三角形、テクストの外側でテクストとテクストを繋いでいる、依拠された図式は無視されるのである。しかも、この三角形の図式そのものによって生じる物語を語る『こゝろ』的テクストにおいては、この三角形の図式自体が、意味をつくり出している。無視されているのは、テクストが依拠した、意味を生産する枠組みの同一性でもあるのである。この枠組みが何の変容も受けず依然として存在し続け、そして繰り返し再生産され続けられるという事態、そして、微細な差異を根拠としてオリジナリティが強調され続けるという事態が、こうして生じる。『こゝろ』的テクストが結び合いつくり出す世界は、オリジナルであるどころか奇妙に同質化した世界である。

## 五　独創と渾然化

こうした『こゝろ』的欲望を語るテクストの特徴は、同時代の文壇における批評的言説のある特徴と連動している。次にそれについて述べよう。問題にしたいのは、この時期の二項対立の扱いにおける奇妙な一致、またイズム嫌悪、そしてそれに結びついた「個人」のレベルにおける「独創性」の強調と、先行する世代への微妙な距離感である。

たとえば次のような二項対立。芸術と生活。個と普遍。主観と材料。物質と精神。理想と現実。自と他。実行と思想。

芸術と生活の一元化は、自然主義の提示した問題系の発展として、相馬御風（「芸術活動は人間生活其の物なり」『新潮』大一・一二）や本間久雄（「新生活の問題」『新潮』大三・三）などにより提出されたが、彼等自身による展開、たとえばウィリアム・モリスに傾倒した本間による展開（「生活の芸術化・芸術の生活化」『新小説』大六・五、「労働の快楽化・芸術化」『文章世界』大七・八など）等にとどまらず、この期に至り一人開花している。[12]

また、芸術と生活の一元化と同様にこの期を特徴づける点で有名なのは、個と普遍の一元化であろうか。「人類的であることと個人的であることは、多くの人の考へてゐる如く、性質の異つた意識内容を指示するものではない。一見両極端に立つて居るやうに思はれる二つの動向は、事実一つの意識内容として共存せしめ融合せしめ得るのである」（石坂養平「人道主義とエゴチズム」『新小説』大六・一二）、「真に個性を掘り尽す時、共有の真理が湧くのである。個性をありのまゝに現ずる時、万人の心に触れ渡る力があるのである」（柳宗悦「自我に就ての二三の反省」『帝国文学』大七・一）、「よき芸術家は万人の心の正当な理解者であり又万人の心と同様の心の持主」（有島武郎「大なる健全性へ」『文章世界』大七・八）という具合である。

他の二項対立についても事情は変わらない。主観と材料は、「然し何れにしてもその発展は各自別々の発展ではない。二つが一つに縒れ合つて発展するのだ」（豊島與志雄「創作心理から」『新潮』大六・三）とされ、物質と精神をとりあげれば「全然身体的のもの、例へば物質の抵抗の如きものも、それが一般に存在するものなら、何等か精神的の所がなければならぬ。それと同様に、知覚されたもの、表象されたもの、思惟されたものの如く精神的のものも、何等か物質的のところがなければならぬ」（石坂養平「無限の流動」『新潮』大六・一二）となる。現実と理想ならば「我々の内生活の自然的発展として、現実と理想との融和合致を実現せしむべき新らしき時代に到着した」（石坂養平「選択時代」『新潮』大七・一）、自と他では「余は自他はその至純な意味に於て唯一不二であると思ふ」（柳宗悦「自我に就ての二三の反省」『帝国文学』大七・一）、実行と思想についても「思想と実行と固と一体であつて、生活は両面を合せた一全体に外ならない」（金子筑水「思想生活と実行生活」『早稲田文学』大八・三）というように、さまざまな二項対立が一元化されるために論の対象にあがっている。

こうして無差別無条件な一元化を被るのは、もちろん二項対立のみではない。「一つにのみ偏して他を否定するのは、否定する方が誤りである」というのがこの一連の運動の基本的な前提なのである。この引用は「何となれば、真も美も善も、それがほんとうに美であり、ほんとうに真であり、それが又ほんとうに善であるならば、それはほんとうの生命が永遠に不壊であるか如く（ママ）に、不壊である可き筈であるからだ」（江口渙「永遠の人生（エターナルライフ）を求む」『新潮』大七・三）という、三つの要素、真善美について述べたものである。芥川龍之介は「大正八年度の文芸界」（大阪毎日新聞社・東京日日新聞社編纂『毎日年鑑　大正九年版』大八・一二）の中で、「両三年以前」からの「特色」としてこれらの「三つの理想を調和しやうとしてゐる」ことをあげ、「潑溂たる総合的精神」とこの期をまとめている。「総合」に「統一」、多を一にまとめることが最たる理念である。流行する形容語は「渾然」となる。(13)

そして、「イズム」が批判される。次のような文壇分析は一つの前提であろう。「現在にはジャナリストの喜ぶやうな、何々主義は流行してゐない」「さうして何々主義の代りにたゞいろ〳〵な「人」が居る、本当に生きやうとしてゐるいろ〳〵な「人」が」（和辻哲郎「文壇は果して不振である乎」『新小説』大五・一二）、「往年の文壇は一種の党派的色彩が濃厚であつた。それが近頃は或る二三者を除いては殆ど一人一党と云ふ風である。謂はゞ純然たる群雄割拠の時代である」（江口渙「創作壇に活動せる人々」『新潮』大六・一二）。『新潮』（大七・五）では特集「芸術家とイズムとの関係に就ての考察」をもうけているが論旨は一つに重なっており、先の現状分析同様、イズムは否定され、代わりに「人」が祀られている。表題をあげよう。長與善郎「如何なる場合にも人間である事」、広津和郎「要するに個人々々の問題なり」、森田草平「作家があつてのイズム」、豊島與志雄「「イズム」に囚はれる時作家は衰へる」とわかりやすい。「唯真正な芸術を産む事のみ」の江馬修も「本当な芸術を産み出した時、何々主義者であるよりも、もつと簡単に芸術家である」と同様の主張である。

やはりイズムの不要を説く芥川は、その根拠を「元来さう云ふイズムなるものは、便宜上後になつて批評家に案出されたもの」であり、「自分の思想なり感情なりの傾向の全部が、それで蔽れる訳はない」と語っている（「イズムと云ふ語の意味次第」）。また、かりに作家個人の作品群の中での名づけであっても「芸術家の多くは、世人が彼れのある種の労作のみを取り上げてそれを以つてその人の労作全部の傾向を律し、彼れの作は××主義に属するとか、従つて彼れは××主義者であるとか――所謂レッテルを貼つてしまうことを嫌う」（三上於菟吉「独特の生・感動の自由」『文章世界』大七・七）というようにイズムで括られることは問題視されている。というのも、当然、「芸術家の特権は、いかなる伝統的な、もしくは因習的な権威にも盲従せずに、各々彼れ独特の生ける情熱の歯と舌とで生生しい実人生を嚙み味はうとするところにある」からだ。こうした、一イズムに代表させえない多様な要素の統合としての個性の主張が、これらのイズム嫌悪の基底をなしている。イズムのレベルとは異なる、個人のレベルにおける「独創性」が信奉されているのである。

ならば、彼らは常にイズムを論じず、あらゆる二項対立を一元化していったのかといえば、そうではない。図らずも何かの主義として括られる、もしくは既存の主義に括り入れられるという事態は常に生じるからだ。

イズムによる説明はなくならない。興味深いのは、そのとき、彼らは「独創」性を主張するため自ら二項対立を作りだし、積極的に自らをイズムの枠組みのなかで説明してしまうということである。

たとえば、島村抱月が新思想を自然主義に連続すると論じたとき（「将に一転機を画せんとす」『時事新報』大六・二・二八、三・一／三）、和辻哲郎は彼らとの「相違」を二項対立的に語ってしまう（「既に一転機、到れり」『時事新報』大六・三・一〇／一三〜一五）。それが行き過ぎた反応であったことは、すぐさま修正が施されることからもわかる。森田草平は「理想主義的自然主義―自然派並びに人道派の人々の一読を求む―」（『文章世界』大六・四）の中で、和辻の反応の「党派心」をたしなめ、[14] 理想主義と自然主義を一元化する論を提示している。また、たとえば、本間久雄が伝統主義[15]を自然主義の連続ととらえる論を提示したとき（「自然主義から伝統主義へ」『早稲田文学』大六・五）、それを「久し振りでイズムにありつけた嬉しまぎれ」（「伝統主義の価値を否定す」『帝国文学』大六・一〇）と批判した江口渙は、一方で「真純なるロマンティシズムの要求」（『文章世界』大七・七）を掲げている。それには当然多くの批判が生じている。江口のいうロマンティシズムが「永遠に若くそして永遠にヴイヴイツドな」ものとして提示されてはいても、ロマンティシズムという語は、過去との連続を想起させるからだ。「明かに文芸思潮のアナクロニズム」（宮島新三郎「現実主義の徹底」『文章世界』大七・九）と反発をまねいている。しかしそこで、またしても批判に共通するのは、一様に二項対立の一方である「自然主義」に加担しているという点である。本間久雄（「文芸時評　浪漫主義か現実主義か」『新小説』大七・一〇）がその立場に立つことは容易に想像がつく。しかし、田中純（「現実主義と理想化」『文章世界』大七・一〇)、さらには長與善郎ですら、「二種の自然主義及び其他」(『新潮』大七・一〇)で、「自然主義」の語によって、自らを「精神的自然主義者」と説明している。

こうして矛盾する事態がおきることは、しかしながら、彼らのイズム否定が「独創的」な「個性」の主張の一ヴァリエーションであることを考えれば、決して不可解なことではないだろう。「統一」と「総合」をときながら、一方で「独創性」を確保しようとする運動の、蛇行する軌跡である。

先行する世代との関係は、それゆえ微妙なものとなるのである。たとえば「父の血は私の中に生きる。然し私は父ではない。祖父の血は又父の中に生きる。然し父は又祖父ではない。況んや祖父の血は尚私の中に生きるが、私は基より遂に祖父ではない。要するに私は私自身である。そして同時に私の意志は遂に私自身の意志である」(江口渙「伝統主義の価値を否定す」『帝国文学』大六・一〇)。またたとえば、「我々は大家の作品を読まなければならない」としたうえで、しかし、その結果「同化」「模倣」に陥る「崇拝者」となることの危険性を警告し、対象との「差異」にこそ「個性」「芸術の独創性」が生じると主張する(後藤末雄「少年の友に与ふ―寧ろ吸血鬼たれ―」『文章倶楽部』大六・七)。結論は、「我々は吸血鬼である。我々は先人の血を啜り、その肉を食んで我我自身の肺臓を大きくし、其の心臓に清新な血脈を打たせなければならない。そして先人よりも肥大し、充実することが必要だ。我々は我々の崇敬してゐる先人や、現代の大家を踏台にしなければ可けない」となる。こうした議論の中では、新と旧という二項は、決定的に対立するものとしてはとらえられていない。しかし、同一性は極力排せられる。そして、二者の切断や対立を述べるのではなく、先行するものからの発展とそこにおける差異を根拠とした独創性の強調という形が選ばれるのである。進化した、発展の根拠としての「個性」が彼らの理念である。

## 六　党派性の無視と共同体的快楽

二項対立の一元化やイズムの否定が意味するのは、意味を生産する既存の枠組みを否定することであると同時に、何よりもそうした主体の外側に設定された枠組みによって主体が規定されることへの強い抵抗である。いくらも想定できる他の方法――そうした枠組みに自己を投企するという形によって主体性を確保する方法や、また、多様な枠組みの多様な絡み合いのなかでそれぞれに異なる主体が構成されるという形で個性を確保する方法や、枠組み自体の無根拠性を前景化することによって枠組みに構成された主体のあり方の無根拠さを前景化するという方法や、そうした枠組みの生産を担うものとして主体をとらえ、枠組みによる外側からの主体の支配という図式から脱するという方法など――ではなく、枠組みの存在自体を溶解し、否定する方法を彼らはとった。そして個人の「独創性」が確保される。そして主体を構成する原型と考えられる「父」や「大家」、自らに先行するものについては、それとの「差異」を根拠に「独創性」が主張されるのである。

圧倒的に「独創性」に関心が集中する一方で、無視されていくのは彼らの同一性である。党派性一般への無関心は、自らの党派性の無自覚と繋がっている。

『こゝろ』的テクスト群にみられる特徴——自らが依拠する枠組みを抽象化し後退させ無視していること、そして類似性を無視すること、微妙な差異を前景化しオリジナリティの抽出に関心を集中させること——は、こうした同時代の心性の特徴と重なっているだろう。自らの党派性への無関心が、この三角形の無視の同時代的な意味である。「独創」を唱えることによって、同一の枠組みを無自覚に再生産し続けてしまうという事態は、この無自覚な同質性によって生み出されていく。また、自らの父との「差異」に関心を集中させることが、依拠する原型の存在を朧化させることと繋がっているだろう。みえなくなった抽象化した枠組みが、そして再生産されることになる。

「秘密と開放」号は最もわかりやすくあらわれたこうした再生産の現場である。とりあげたテクストは、先にも述べたように、たしかにそれぞれの作家の作品系列においては重要視されてこなかったものである。しかし、うっかり書いたものがうっかり似てしまうということ、それこそが『こゝろ』的三角形の機能の仕方を浮かび上がらせている。『こゝろ』的三角形は彼らの想像を支える基盤に確かに蓄えられており、しかも彼らにとって親密で引用しやすい原型となっているのである。共感され共有された原型である。

また、これらのテクストが「新探偵小説」「秘密を取り扱へる戯曲と小説」と名づけられ、「秘密と開放」号でその特集にふさわしいものとして選ばれているということは、この共有という状態について考えるとき、興味深い。というのは、「秘密と開放」を取り扱う小説群として浮上してもよい範疇に、「告白小説」という範疇があるからだ。なぜ、告白小説ではなかったのだろう。同号に特集された論文の中にも、文学に触れて、「告白文学」について論じたものがある。「わたくし共が、到頭、逢著する没批判的な告白文学の流行」と「無思慮な政治開放の要望」が「本能の衝動」として批判の対象にあげられるという具合である（田中王堂「秘密の倫理」『中央公論』大七・七）。自然主義的な範疇として過去に葬り去られていたというわけでもないだろう。同号の一月後には、中村星湖「告白小説の流行」（『早稲田文学』大七・八）、本間久雄「告白文学と自己批評」（『文章世界』大七・八）などが、島崎藤村『新生』、白石実三『返らぬ過去』、徳富健次郎『新春』、田山花袋『残雪』などを例に、依然、告白小説と名づけうるテクストが書かれていることを指摘している。

ここで、告白小説ではなく「新探偵小説」が選ばれたことは、文学テクストにおける「秘密」の有り様、文学テクストの「秘密」をめぐる読者の期待が変容していることを示しているのではないだろうか。

告白小説において「秘密」と「開放」を考えるとしたら、その「秘密」とは開かされる事実の中身であって、読者が知らないテクストの内容を指すだろう。自然主義のテクストに対する読者の期待は、作家が赤裸々に告白するその内容を知ることにあった。より正確にいえば、読者がそれぞれ握った作家に関する情報によってテクストの空白を埋めながら、作家が明かす「秘密」の内容を完全に把握することに快楽を求めていたということになろうか。[16]

それに対して「新探偵小説」における秘密は、読者にすでに共有された「秘密」である。「秘密」が事実であるか否かといった関心をはじめ、「秘密」の暴露により「好奇心」[17]を満たすために書かれ読まれるテクストではないだろう。ことに奇想天外な物語が選ばれているわけでもない。同じ三角形にのっとった物語である。問題にされるのはそれを辿っていく経路における差異、物語の共有を前提にそれぞれにオリジナルな意匠を施された経路を読むのではないだろうか。差異のある反復。その中で、得られる快楽。そして、それは多分、読み手だけではなくこのテクストの書き手の快楽でもあるだろう。『こゝろ』的テクストの書き手は、『こゝろ』の、また『こゝろ』的テクストの読み手でもある。

(1) 残りの一編は「刑事の家」(里見弴)。
(2) 残りの一編は「叔母さん」(正宗白鳥)。
(3) 桶谷秀昭「芥川と漱石—明治の意味—」(『国文学』二六-七、一九八一・五)。他に、吉本隆明・佐藤泰正『漱石的主題』(春秋社、一九八六・一二)、菊地弘「芥川龍之介における「近代」—『開化の殺人』『開化の良人』を読んで—」(『跡見学園女子大学国文学科報』一八、一九九〇・三)。など。
(4) 前田愛「久米正雄の位置」(『成蹊国文』二、一九七九・三)。
(5) 大七・七・二五。全文を引用しておく。「江口君　中央公論では第一里見第二サトウだよ(但これは小説だドラマには久米がゐるからね)谷崎氏のなどは書きなぐりで氏自身も恐らく自信がなからうと思ふ僕は「金と銀」時代に久米が褒めた時から過褒だと思つてゐた続編を見るに及んで更にその感を深くしてゐるマアタンギイの閨なる絵の描写からして甚いゝ加減だと思ふが如何里見のは題にかまはず是非読んで見給へ大したものではないがあの人の才能が最もよく動いた作の一つだと思ふ僕の事は敢て弁じない」。谷崎の「二人の芸術家の間」は「金と銀」という題で『黒潮』の五、六月号に発表されたものの完成版である。芥川はそれを読後「開化の殺人」を発表しているわけで、ここにみられる類似性にまったく無頓着であることがよくわかる。

（6）あらためて確認するまでもなく、「独創」「創造性」を説く言説はこの時期あふれている。それは「個」の重視や「主観」を重視する立場と密着した形で提出された。小説等の「創作」のみならず、批評が「創作」であるか否かというテーマが文壇を賑わしてもいる。福永挽歌「生活と芸術との感想」（『新潮』大六・二）、広津和郎「批評に就いての雑感」（『新潮』大七・四）、加能作次郎「批評問題」（『文章世界』大七・四）、本間久雄「文芸時評　批評問題」（『新小説』大七・一〇）、稲毛詛風「批評の創作性とは何ぞ―本間久雄氏の示教を要む―」（『新潮』大七・一二）など。

（7）「同郷の縁故」があり「同じ下宿」に住んだ親友であり、先生はKを「畏敬」し、その考えに「賛成」（十九）する。先生がKに同一化するという方向によって保証された同一性が二人の関係の基盤として説明されている。Kについてさまざまな解釈説明を試みる先生の言説からは、先生とKが異質な存在としてあるかのような印象を受けるが、「私には平生から何をしてもKに及ばないといふ自覚があつた位です。けれども私が強ひてKを私の宅へ引っ張つて来た時には、私の方が能く事理を弁へてゐると信じてゐました」（下二十四）というように、あくまでも先生はKとの差異を、さまざまな基準における程度の差異として受け取っていることに注意しておきたい。差異をともなってあらわれるKとの同一性は、『それから』の代助と平岡が、そうした程度の差異ではあらわしようのない対称を作っていることと比較すればより明確になるだろう。

（8）『こゝろ』の三角形を、エディプスの三角形や、その変異体でもあるジラールの三角形として読み解く指摘はすでに新しいものではない。先生がKの感情を「擬似」したことを指摘する山崎正和（「淋しい人間―夏目漱石―」（『淋しい人間』河出書房新社、一九七八・八）の指摘、より明確にジラール的三角形として読み解き「「先生」は内的媒介者であるKのお嬢さんに対する欲望を模倣した」とする作田啓一（『個人主義の運命―近代小説と社会学―』岩波書店、一九八一・一〇）の指摘など。

（9）ルネ・ジラール「《三角的》欲望」（『欲望の現象学　ロマンティークの虚偽とロマネスクの真実』一九六一、吉田幸男訳、法政大学出版局、一九七一・一〇）。

（10）正確にいえば、ハウプトマンに限らず、ツルゲーネフの『フアースト』をはじめ複数の文学テクストが連続して引用されているのであるから、そうしたテクストに描かれた欲望の模倣の連続と考えるべきだろう。また、山本芳明「ある三角形の力学―「動揺」と「別れたる妻に送る手紙」をめぐって―正宗白鳥ノート4」(『学習院大学文学部研究年報』三八、一九九二・三)は、正宗白鳥「動揺」における三角形について分析し、〈物語〉の模倣であること、〈物語〉が「彼らが今まで体験したことのない刺激を作り出すためのおあつらえむきの道具だった」ことを指摘しており示唆を得た。ここにおける三角形の有り様も、『蒲団』同様、外的媒介である。

(11) 一方、自然主義的テクストについては類型化が指摘される。標的となった正宗白鳥については次のような批判があがっている。相島種夫(「リアリズムの文芸と正宗白鳥氏の作品」『新潮』大七・一〇)は、「天分が誠に貧弱」「リアリズムらしい仮面を被つたその実涸渇した空想の産物」「類型的人物の類型的生活」とし、作品が「現実化」しておらず登場人物が「個性化」していないと批判している。「白鳥の小説が旧態依然たることは、人物が類型で、観方が型に入つて、同じ文句の繰返しであることは、今更云ふまでもないが、それを褒める人があるのが気に食はぬ」「こんな文句は白鳥の是れ迄の作品で幾度繰返して見せられたことか!」(「不同調」『新潮』大八・二)なども同様。

(12) 山本芳明「大正六年―文壇のパラダイム・チェンジ―」(『学習院大学文学部研究年報』四一、一九九五・三)に詳しい。参照されたい。

(13) 例をあげておく。「主客合一、自他融合の境に入つた渾然たる芸術」(加能作次郎「自己描写と客観化」『文章世界』大六・七)、「所謂渾然とした味はひ」(田中純「私の文芸批評の心理」『新潮』大七・三)、「渾然として吾々の心を引きつける美しい味ひを持つた人間生活の芸術」(西宮藤朝「生活と芸術味」『早稲田文学』大七・一〇)、「到底人為的に分離しがたい渾然たる全体」(金子筑水「思想生活と実行生活」『早稲田文学』大八・三)、つまり「わたしはたゞ、強く大きく、溌溂とした生活力を持つてゐる一つの世界が其処に渾然として形づくられてゐることを欲するだけだ」(前田晁「真に創造されたる世界を求む」『新潮』大七・三)というように、「渾然」は彼らの理念を象徴する語なのである。二項対立の一元化についても、一項に一項を回収するのではなく、二項を「渾然」とした状態に「統一」することが望まれている。

(14) 「同君(和辻―引用者注)が一向人道主義のために弁ぜられるが故に、単にそれが故に同君の近頃書かれる物の中には何処かしら遍頗と党派心が含まれて居るやうな気のするのも又巳むを得ない」という。例にあげられるのが「既に一転機到れり」である。

(15) もとは仏文学者の太宰施門、内藤濯らによって提唱され、三井甲之によるナショナリズム的な拡大（たとえば「伝統主義の精神」『新潮』大六・七）、本間の自然主義への回収などによって、「民衆芸術」と並んでこの年の中心的な話題となった。反論は、ほかに石坂養平「人道主義とエゴチズム」（『新小説』大六・一一）、野上豊一郎「伝統主義を排す」（『新潮』大六・一一）など。

(16)『文学』での特集（季刊四-二、一九九三・四、季刊五-三、一九九四・七）など参照。また、作家についての情報をもとに文学テクストを読む読み方が、大正期のテクストをめぐる問題でもあることは、大野亮司「神話の生成―志賀直哉・大正五年前後―」（『日本近代文学』五二、一九九五・五）、前掲注(12)論文などに指摘がある。

(17) 漱石の作品については「漱石氏の芸術に常に見られる主なる特色の一つはその好奇心を誘発する点」と評されている（大槻憲二「夏目漱石論」『人文』大六・一〇）。しかし、その類話であるこれらのテクストがその点での新鮮さを求められたものとは考えにくいのではないか。

# 第八章
# 逆転した『こゝろ』的三角形

## 一　二つの共通点

本章では、久米正雄「受験生の手記」（『黒潮』大七・三）、有島武郎「石にひしがれた雑草」（『太陽』大七・四）、菊池寛「無名作家の日記」（『中央公論』大七・七）、佐藤春夫「青白い熱情」（『中央公論』大八・一）、武者小路実篤「友情」（『大阪毎日新聞』大八・一〇・一六～一二・一一）をとりあげる。

『こゝろ』的テクストにおける類似の無視、むしろ逆にそれぞれオリジナルなものとして扱われていること、また、テクストが依拠した枠組みである三角形そのものは抽象化されて物語の後景に追いやられていることを前章で指摘したが、三角形の具体的な内容に関わるこれらの点についてより詳し

久米正雄「受験生の手記」

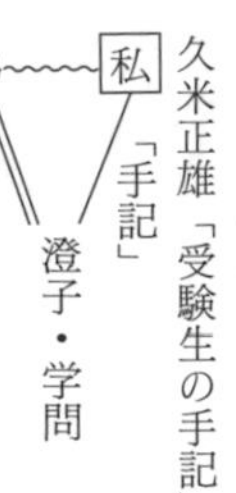


菊地　寛「無名作家の日記」

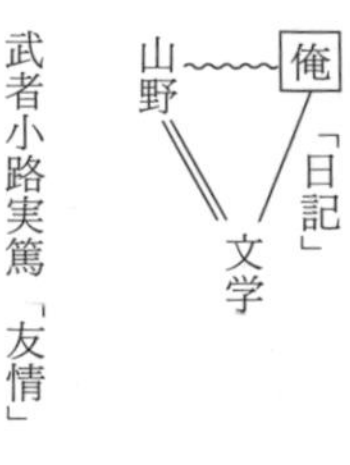


武者小路実篤「友情」
(上)

『こころ』
(上・中)

私
先生
奥さん

有島武郎「石にひしがれた雑草」

佐藤春夫「青白い熱情」

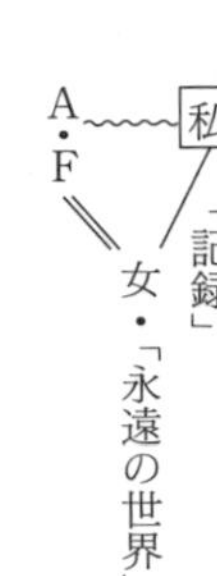


(下)

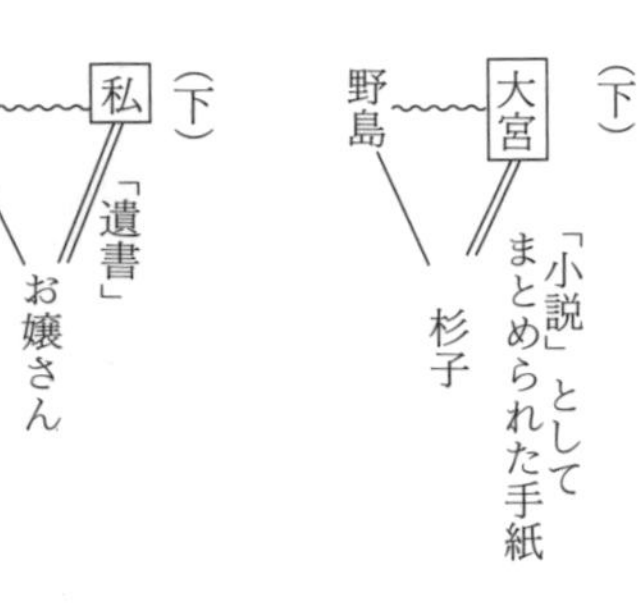


(下)

図5

く検討したい。

はじめに、とりあげたテクストと『こゝろ』について、ここで三角形としてとらえている構図をそれぞれ図によって示しておく（比較の対象として、『こゝろ』の三角形についても示しておく）。三角形にのっとって、二人の登場人物の間で対象を獲得する競争が行われており、その間に同一化を基盤として、嫉妬や尊敬という揺れ動く二つの感情が語られる。四角で囲んだ登場人物が語り手であり主人公となっている。また、二重線の引かれた側は対象を獲得した側、つまり勝者の側をあらわし、一重線は敗者をあらわしている。括弧内は明示されたテクストの形式である（図5参照）。

それぞれの小説の筋も、簡単に紹介しておこう。

「受験生の手記」(久米正雄)は、受験に繰り返し失敗している「私」が、受験に成功した優秀な弟に、恋した澄子の心も奪われ、自殺する話。突堤の端に残された「遺書めいた手記」を弟から預かった友人が公表するという形式をとる。私と弟の間に、学問と女が挟まって、三角形ができている。

「石にひしがれた雑草」(有島武郎)は、失踪する「僕」が、妻の恋人である「君」あての置き手紙で、これまでの経緯と心情を語るという形になっている。「僕」は洋行中、婚約者M子を大学時代の友人「君」(加藤)に奪われる。帰国後、加藤との関係を破棄する約束で「僕」とM子は結婚するが、その後も関係を続けたM子を、「僕」は時間をかけて追いつめ、その発狂を見届けて失踪する。「僕」とM子と「君」が、三角形になる。「無名作家の日記」(菊池寛)は、表題どおりの「日記」形式で、才能のある山野の成功に強烈な焦りを覚えると同時に、自分に対する希望を失っていく「俺」の過程を描く。ここでは欲望されるのは女ではなく「文学」であり、「俺」にとって山野が三角形のもう一項となる。「青白い熱情」(佐藤春夫)は、友人の芸術家A・Fが死ぬ晩に会わせた異様に美しい妻の死体が、彼が命を賭けた「青白い熱情」で生み出した幻影であったことを了解した「私」の手記である。ここでも欲望されるのは女ではなく「芸術」が生み出す「永遠の世界」である。A・Kの欲望に私は同一化していく。そして「友情」(武者小路実篤)は、野島という男を主人公に、恋した女性杉子が、実は友人大宮を愛していたことを知るという話。その事実は、大宮が「小説」としてまとめた手紙によって伝えられる。杉子を挟んで大宮と野島が三角形をつくっている。

さて、ここで焦点をあてるのは、これらの作品に描かれたこの単純化した三角形の構図であるが、テクストの切片をかき集めて『こゝろ』(「先生と遺書」)を組み立てることが可能となる程度には、具体的な内容の設定においてもそれぞれ『こゝろ』との共通点がある。具体的に、確かめておこう。

そもそも、二人の登場人物が非常に近い存在であることはどのテクストにも共通している(これは三角形を形成する重要な特徴でもある)。「ロマンティシズムに於ける唯一の親友」(「青白い熱情」)であったり、同大学(「石にひしがれた雑草」「友情」)、元同人(「無名作家の日記」)、兄弟(「受験生の手記」)と設定される。そのうえで、相手が芸術や学問の面で主人公より優れていることは「無名作家の日記」や「受験生の手記」に、また女性にとっての魅力の面でそうであることは「石にひしがれた雑草」や「友情」に。そしてそうした二人の同居、それによる競争の発生は「受験生の手記」。「受験生の手記」には、相手が競争の対象となっている女と共にいるところを外で偶然目撃する場面もある。競争の中の感情は、相手に対する「尊敬」と「嫉妬」、自らについての自信と「不安」として具体化され、「青白い熱情」以外のすべてのテクストに書き込まれている。[1] この感情がジラールの欲望の三角形を形づくっている。嫉妬のドラマを全面的に展開すると「無名作家の日記」や「石にひしがれた雑草」となる。嫉妬のかわりに、強烈な相手に対する同一化を描き、相手の死と、死後、相手の行為の意味を問い返し理解に辿り着くという設定をとるのは「青白い熱情」である。「青白い熱情」では最後に妻をはじめとする周囲の人物に発狂したと思われるという形で、主人公が死んだ友人に同一化し、友人との二人の世界をつくり上げることになる。

こうした具体的な切片における類似は、より直接的である点で、三角形という枠組みよりもむしろ強く『こゝろ』との類似性をうかがわせる。切り取られた切片がそれぞれのテクストで中心化し展開され、『こゝろ』に共通する特徴を露骨に読みとることが可能である。しかし、ここでは、複数のテクストを束ね、三角形自体に重点をおくことにする。というのも、束にすることで、『こゝろ』に類似していること自体ではなく、『こゝろ』と共通する枠組みをもつ点で同時代的にそれぞれが類似しているという、これらのテクストの間の共通性を明らかにすることを目指しているからだ。この立場からみて、これらの三角形について非常に興味深い点は、一様に『こゝろ』とは設定が逆転して、敗者が主人公または語り手となっている点である。「先生」は三角形の勝者であった。「青年」もまた「先生」との三角形でいえば敗者ではありえず、かつて小森陽一と石原千秋が提示したように[2]勝者として読むことができる。そうした三角形の勝者が語る物語が『こゝろ』だったとすると、これらの敗者の物語は、語られなかった側から『こゝろ』を語り直していることになる。本章で検討する一つめの特徴は、『こゝろ』的テクストにおけるこの図式の逆転である。またもう一つ、やはり共通した特徴となっている点は、それぞれのテクストが「手記」「手紙」「日記」「記録」というように、小説ではない形式のもとに語られたテクストであることを明記している点である。これが二点めである。この二つの特徴について検討を加え、『こゝろ』的テクストについて具体的に考察したいと思う。

## 二　『友情』の三角形

まず逆転について、武者小路実篤の「友情」を中心に論じようと思う。中心となる上の章の野島に焦点化した部分は、下の章の大宮に焦点化した『こゝろ』と共通する勝者の物語を結末として機能させることによって、(他のテクスト同様の) 敗者の物語となる。こうした上・下の二部構成をとる「友情」は、『こゝろ』の語り直しについて考察するのに適していると思われる。

はじめに「友情」の構成について整理しておきたい。

「友情」の最も一般的な読みは、主人公が友情と愛情の葛藤に苦しみながら成長するというものだ。そうした読みに従えば、下は上の物語にとって、成長の契機となる通過儀礼として位置づけられることになるだろう。もしくは出来事を相対化する契機。下では、上で語られた物語内容が別の位置から語られ、真実を主人公に告げる一種の種明かしとして位置づけられる。下を上に従属させた読みでは、上の内容から下の内容へと語られる順に従って意味を読み解き、そうして上の内容に収束させた一貫する主題を抽出することになる。たしかに「友情」は下の末尾にもう一度野島に焦点化した語りが付け加えられ、そうした線状的な読みを促した構成になっている。しかし、あらためていうまでもなく、推理小説やまた『こゝろ』というテクストに典型的にあらわれるように、種明かしはあらかじめ用意された結末として、先に語られる部分を規定している。「友情」というテクストもまた例外ではない。

上には、登場人物野島の物語現在の水準に還元しきれない複数の要素が重なっている。わかりやすいのは、恋愛を語る部分と大宮との友情を語る部分の間の決定的な矛盾である。結論を先に述べておけば、この矛盾が生じるのは、上が下の大宮に焦点化した部分により規定されており、しかもその規定のされ方が二通りあるためと思われる。

まず、恋愛について整理しておこう。そもそも「友情」における恋愛論は、仲田と大宮を軸にした明確な二項対立によって構成されている。「彼女になる資格のあるものは世界には何千、何万」として恋を絶対化しない仲田の立場（上九）と、「運命」と「唯一」の組み合わせを信じ「恋」を絶対視する大宮の立場（上十／十二）である。大宮の恋愛観は下において再度語られているが、「運命」としての「恋」を重視する立場は杉子との恋愛においても矛盾なく貫かれている。そうした大宮の立場からは「理想化」という語が、批判的に使われる語となる。仲田の立場の「恋が盲目と云ふのは、相手を自分の都合のいゝやうに見すぎることを意味する」という説明に合致しており、杉子もまた野島の恋愛を批判する際に「理想化」という語をあてている。大宮と仲田に代表される二つの論理は補完し合い、恋愛をめぐる二つの立場を形づくっているといえるだろう。

野島の恋愛観は杉子による批判に正確に対応して描かれており、明らかに仲田の立場に与している。「結婚が彼にとつてすべてゞあつた。女はたゞ自分にだけたよつてほしかつた。／さう云ふ彼が杉子を見て、すぐ自分の妻としての杉子を思ふのは当然であつた。／彼はさう云ふ女を求めてゐた。

そして杉子がさう云ふ女ではないかと私かに思つてゐた。処が事実は理想的以上に見えた」(上二)。これが冒頭近い説明である。はじめから付された「理想」という語は、三で「反つて益々理想化して来た」と増幅され、野島(の恋)を規定する語となっている。恋人を「彼の仕事を理解し、讃美し、彼のうちにある傲慢な血をそのまゝぶちあけてもたぢろがず、かへつて一緒によろこべる人間」(上五)ととらえ、「彼はいくら恋しても自分の傲りを捨てることの出来ない人間だつた」(上十八)とまとめられる傲慢さは、末尾の「傷ついた、孤独な獅子」という自己認識へと収束する。「仕事の上で決闘しやう」という最終的に提示される決意は、「要するに恋だけが人生ぢやないからね。もつと自分達にはしなければならない仕事がある」(上九)という仲田の恋愛観をそのまま体現している。野島の、自らの「仕事」を絶対とし、対象となる女性の固有性を完全に排除した恋愛観は、仲田の恋愛観と重なり一貫性を保って語られているといえる。

しかしながら、一カ所それに亀裂を入れるのが「本当の恋を知らすのも、我等の仕事の一つだね」(上十一)という台詞である。この部分は大宮との対話として組み込まれているが(上十/十二)、二人の対話は明らかに大宮に主導される形で進行しており、それぞれの台詞がどちらの人物によるものか判別しにくいほどである。登場人物の水準で(感情的に)仲田に反発し大宮に同一化した野島が、他の説明部分と矛盾する発言をしているといえる。「野島は自分で云つてゐる内に、なんだかわけがわからなくなつた」(上十)ともいわれているように、他の部分との矛盾は際立っている。この矛盾に、登場人物と語り手の水準の対立を読み込むことは困難である。野島の恋愛観を語る部分は、語り手による対象化としても野島の自己認識としても読みうるため、どちらかに振り分けることは難しい。上の語り手は野島に密接しており、この水準の区別を明確に示した部分はほとんどない。にもかかわらず、ここに亀裂があることを確認しておきたい。

野島の恋愛観の中でこうした小さな亀裂を引きおこし、より大きく矛盾する要素となっているのが大宮との友情を語る部分である。「二人はお互に慰めあひ、鼓舞しあつた」（上四）「お互に同感のこと許り切り云はなかつた。それ程二人は親しかつた」（上十七）というように、二人は非常に近い存在として語られている。恋愛観において内容的に明確に対立しておりながら、友情を語る部分ではその対立は徹底して不問に付されている。そして、「野島はそのこと（大宮が野島をかばうこと——引用者注）を思ふと涙ぐみたい気さへした」「泣きたい程大宮の友情に感じた」というような二人の密接な関係が繰り返し語られるのである。そして、他の『こゝろ』的テクストと同様、この友情は嫉妬と尊敬の二つの感情によって彩られる。

さて、ここではじめの問題提起に戻りたい。確認しなければならないのは、こうした矛盾は下による二通りの規定により引き起こされているということである。野島の恋愛が「理想化」として語られることは、実は、下に結晶した大宮の論理を補完する機能を果たしている。[3] 大宮の杉子との恋愛が「唯一」の「運命」的なものであるならば、野島の杉子への感情が「本当の恋」であるはずはないからである。この意味で野島の恋愛は、大宮の恋愛の神聖さを証明しているのである。そして、「理想化」という語が下で提出されていることを考え合わせれば、野島についての「理想化」という判断は下の大宮の言葉によって規定されているということになる。

一方の友情についてはどうか。下における大宮にとっての友情は上同様に「尊敬」という語に収束している。「野島は僕の方が尊敬するのが至当の人間」（下二）――この点で、少なくとも野島と同質といえる。さらに重要なのは、下における友情の物語は、〈友情か恋愛か〉という「友情」の主題と認められてきた物語内容そのものを示しているということである。正確にいえば下の物語こそが、この葛藤を提出しているわけである。上の野島の物語では、友情と恋愛の葛藤は中心とはなっていない。野島が大宮を「大敵」と認識するのは終盤間近（上二十八）であり、しかもその時点ですでに大宮の留学は決定している。たしかに、「大敵」と認識した直後、大宮の留学を願い「之が自分の本音か、自分の友情か、野島はさう思ふと自分が骨の髄迄利己主義のやうな気がした」（上二十八）と語られているが、大宮の留学後は極端に「はしよ」（上三十五）られ、いよいよ杉子に申し込む際の（あるべき）葛藤は一切書かれていない。自閉した恋愛と大宮との濃密な関係は、論理的には互いに矛盾しながらも抵触することなく並列して語られている。登場人物の水準の情報を論理的に整理すれば、友情と恋愛の葛藤が上において生じるはずはなく、実際、具体的には何も語られていないのである。むしろ、先に引用した「之が自分の本音か、自分の友情か」という部分は唐突な挿入というべきだろう。この挿入の根拠として考えられるのは、下の大宮の物語以外にない。

以上のように下の大宮の物語は上を規定し、それゆえ上には矛盾や亀裂が生じているのである。一方で下の論理を補完する対立的な内容を語り、一方ではそれを正確に模倣する内容を語る。そしてそれぞれの矛盾する内容が交叉するとき、それぞれの内にまた亀裂が生じているのである。下は「友情」において、先行する規範として機能しており、それとの関係において上が成立しているといえる。また、上を中心とする「友情」が、書かれていない〈恋愛と友情〉の物語として読まれてきたのもまた、先に引用したいくつかの挿入部分や、矛盾しながらも恋愛と友情の両者が語られているということが、下の意味づけを導入する効果を果たしているからと思われる。読者もまた、大宮の物語に提示されたコードに規定されて「友情」を読んできたのである。

そして、この先行する規範となる大宮の物語に漱石の名が付されていることを見落とすわけにはいかない。この偉大なる規範は漱石的なものなのである。

ただし断っておくが、「友情」の中で具体的に言及されているのは『それから』である。「友への義理より、自然への義理の方がいゝことは「それから」の代助も云つてゐるではありませんか」（下八）という杉子の手紙中の一文を直接的な契機とし、大宮が〈友情か恋愛か〉という二者択一の命題を前に「運命」としての恋愛を選択することになる。直接的な内容を重視すればここで問題にすべきなのは『それから』であり、ここで原型としている『こゝろ』ではないということになるだろう。が、一方で、「人間を愛することに不安を感じる男」である大宮が、野島に対する尊敬と嫉妬に揺れながら、「謀反心」を覚え「友の死」すら空想しながら最後には女を「得る」という内容（下九）は『こゝろ』に近似している。さらに、勝者の側から出来事について語り直すという形式、また先に確認したようにそれを種明かし的に下に配置するという構成の面、さらにいえば、下を規範として語り直された上では、女を排除した恋愛と濃密な男同士の友情へと内容がずれ、より明確に『こゝろ』的な三角形が語られているという点では、『こゝろ』を原型と想定しうる特徴を複数もっているといえる。こうしたそれぞれに質の異なる問題を突き合わせて、ここで『それから』か『こゝろ』かという議論をすることは無意味だと思うが、「友情」内部の問題に限らずそもそも大正期の作家が頻繁に言及している『それから』ではなく『こゝろ』を原型とすることの理由を再度まとめておきたい。『こゝろ』を原型として提示するのは、それが欲望の三角形、それも内的媒介による模倣を描いている点で決定的に『それから』と異なり、ここで対象にしている他の大正期のテクストに類似しているからである。そしてむしろこうした無視こそが『こゝろ』を複数の同時代テクストに共通する原型とし、「独創性」が重視されるこの期における再生産を可能にしている。別の漱石テクストの名が出ていることは、その意味で無自覚な再生産の様態を象徴的に示しているように思われる。規範の先行性は、本章で確認したとおりである。そしてその規範には漱石の名が付されている。「友情」は、『こゝろ』の読者が(無自覚に)『こゝろ』をあらかじめの規範・原型として、『こゝろ』に規定されながら語った物語だといえるのである。

## 三　参加型模倣

以上を確認した上で、次に『こゝろ』的テクストにおける逆転について述べたいと思う。テクストと原型の模倣関係のあり方は決して一様ではない。模倣におけるこの逆転は、『こゝろ』的テクストにおける原型との関係を特徴づけている。

模倣の型の別の例として、『こゝろ』内部における上による下の模倣をとりあげ比較してみたいと思う。『こゝろ』の上は、『こゝろ』的テクスト同様『こゝろ』の下「先生と遺書」の読者が語り手となったテクストである。『こゝろ』的三角形は、『こゝろ』においてはどのように語り直されているのだろうか。

小森陽一と石原千秋が物語現在の外部に論理的な可能性として読みとったように、『こゝろ』の上には下を原型とする『こゝろ』的三角形が再生産されているといえる。原型と同型の勝者の物語である。その際重要だと思われるのは、この原型とテクストとの水準の差異が明確につくり出されているということである。

原型を語る先生に登場人物として直接関わる青年がこの三角形を反復するとき、まず考えられるのは、物語現在（上・中の物語内容である青年が先生と直接関わっているときを指す。以下も同様）の水準にその三角形を模倣反復することである。ところがこの三角形が再生産されているのは、物語現在の外側、語りの水準である。青年の語りでは繰り返し、先生の過去の「事実」を追求する姿勢をとらなかったということが注記されている。そして先生の語る断片を断片のまま放置し、決して意味を繋ごうとしない。この知ることの拒否が、『こゝろ』的三角形の物語現在外への押し出しを可能にしている。自身と先生との間に距離が設けられ、同一化とそれによる競争が回避されるからだ。そうして青年自身と先生と奥さんという三者を登場させながらもそこに意味が生じることを極力排することで、『こゝろ』的三角形の再生産は物語現在から排され、語りの水準での模倣が行われている。

つまり、青年という語り手があくまでも「先生と遺書」の読者となった後に、模倣が行われていることを、語りの有り様が明確に示しているのである。正確にいえば、こうして水準が分けられているからこそ、青年という上の語り手は、下における『こゝろ』的三角形の読者であり、読者として得た情報をもとに原型を模倣する語り手となっているといえる。こうした水準の区別によって原型の先行性が生み出され、『こゝろ』は、それ自体の中に、原型となる物語とそれを語り直した物語を二重に構造化したテクストとなっている。この水準の差異を『こゝろ』における再生産の特徴として確認しておく。ジラールの用語を適用すれば、外的媒介にあたる(4)。

比較のために、より単純な外的媒介の模倣についても例をあげておこう。外的媒介の模倣の型を多用したのは自然主義のテクストである。前章でも触れた田山花袋『蒲団』における時雄の欲望がハウプトマンの『寂しき人々』におけるヨハンネスの欲望の模倣となっているというのが一例である。もちろん原型とテクストとの間には明らかな水準の違いがある。ただし、ここにおける水準の違いは『こゝろ』内部におけるのとは違い、よりわかりやすくテクストの外と内の間に設けられている。原型はテクスト外に存在するものとして言及されている。こうしたあり方による『こゝろ』的三角形の模倣の例としては、やはり同じ田山花袋の「Nの水死」(『中央公論』大七・七)があげられるだろう。「Nの水死」には『こゝろ』についてのあからさまな言及はもちろんないが、自己の死を直前にして、過去における現在の妻をめぐる友人との三角形をもとに、友人の死についての自責の念が語られ、『こゝろ』的三角形がそのままに模倣されている。原型通り勝者の物語が再現されている。

さて、そうしたあり方と「友情」を比較してみたい。「友情」では下において、『こゝろ』の原型をそのままに模倣した、勝者の物語が語られている。先に述べたように、これが上に先行する規範の役割をしている。ここでは『こゝろ』はやはり外的媒介的に模倣されている。問題は、次に模倣され取り込まれた『こゝろ』的三角形を規範として語り直す上において、物語が逆転していることにある。そして、重要なのは、上の内容が下の内容とまったく同じ出来事の裏と表の関係となっているということである。つまりここでは規範となる原型との距離が失われているのである。先に検討したように、一方が他方に先行していることを「友情」の語りは示しており、二つの間に水準の違いがあるにもかかわらず、あたかもないかのように語られてしまっているのである。上のテクストの主人公は下のテクストの主人公と同じ水準で向き合っている。原型を取り込んだうえでの、こうした水準の混淆化が、原型を原型としてそのままに模倣するのではなく、逆転した形で模倣することに繋がっているのではないだろうか。わかりやすくいえば、上の主人公は、原型となる物語を外から模倣するのではなく、その内側に参加してしまっているのである。

それゆえ、模倣の形態が逆転する。「友情」は二つの部分によって構成されることで、この参加型模倣の有り様を典型的に示したテクストである。それ以外の『こゝろ』的テクストにおける模倣もまた同様に逆転した形をとっており、ここで考察した「友情」(上)のそれと同質といってよいだろう。

『こゝろ』的テクストにおいては、原型は外部に存在するものではなく、内側に参加し逆の側から辿り直すものとなっているのである。そして、複数のテクストがその辿り直しを実践している。こうしてテクストが再生産される場において重要になるのは、原型があることではなく、それぞれの辿り直しにおける具体的な差異となる。『蒲団』をはじめとする自然主義テクストにおける、明らかに水準が異なるものとしての原型の、それ自体の「存在感」はここにはない。

エディプス的にいえば、原型はテクストにとっての「父」である。しかし、『こゝろ』的テクストに特徴的なのは、「父」である原型との闘いが生じないということである。原型の存在は透明化もしくは後景化し、父の模倣から生じる肯定や拒否に揺れる緊張、同一性と差異に揺れる非安定性はない。「友情」の上が下との関係から孕んだ亀裂は、テクストの中で自己言及的に扱われることはないのである。逆に、下の末尾に上の主人公の教養小説的な結末を設定することで、主題の一貫性が強調されている。正確にいえば、教養小説にある成長の物語もここにはない。「父」との同質さは無条件に前提とされ、主体の安定性を揺るがすことはないからだ。「父」の提示する物語は、彼らの共感の磁場の中にすっぽりと収まっているのである。ここにおける原型はすでにエディプスの「父」ではないというべきだろう。

確認しておかなければならないのは、「父」たるものとの異質さが根本的に無化された磁場の中で語られる、『こゝろ』的三角形における主体と模倣の対象との差異もまた、拮抗や対立とは無縁のものとなっているということだ。野島と大宮との間に語られた友情の物語に顕著なように、根本的な差異が無視されて作り上げられた共感の磁場を大きな前提として、微細な立場の違いのみが彼らの「差異」として捏造されているのである。それは未知の運動に繋がることのないものである。ここでは、それを単なる「違い」とよんでおこう。

矛盾を無化した同一化。それを前提としたうえでつくり上げられる微細な「違い」。それをめぐって繰り返されるありきたりの尊敬と嫉妬の物語。一つの図式にそれぞれが同一化することで、同一の感情の描写が同一の図式のもとに繰り返し再現される事態が生じる。語り手は『こゝろ』的三角形のそれぞれの読者であり、語られるのはそれぞれにとっての『こゝろ』的三角形である。『こゝろ』的テクストにおける逆転には、こうした再生産としての、水準の区別を無視した参加型の模倣をみることができる。

## 四　形式における水準の渾然化

前章で指摘したように、大正中期に流行する形容語に「渾然」という言葉がある。以上に論じた水準の違いの無視は、水準の「渾然」化に他ならない。ここで、二点め、もう一つの特徴である形式の問題について述べたいと思う。これまた水準の「渾然」化のもう一つのあらわれと考えられる。

「手記」「手紙」「日記」「記録」、どれもが『こゝろ』（下）における先生の「遺書」の形式を踏襲している。しかし『こゝろ』と決定的に異なるのは、『こゝろ』にある水準の区別がないことである。『こゝろ』の「遺書」は一つの小説を構成する一部分であって、別に「先生と遺書」の読み手であり上の語り手である青年という登場人物が設定されていた。二人の語り手は並列するのではなく入れ子の形になっており、その二重性が、それぞれの語りの行為性を積極的に前景化している。語り手は同時に読み手なのであり、しかもそうした語ることと読むことのずれは主体と他者の間に、そして（物語現在と語りの時間のずれがわかりやすく示すように）一人の人物内に存在する。そして、それぞれの焦点の限定性自体が、複数の水準の設定によって明らかにされていく。その普遍性は当然揺らぐ。今更ここで確認するまでもなく、『こゝろ』というテクストは、さまざまな水準の違いを設けることで、語りが（原理的に）もつこうした複雑な構造を喚起するテクストである。

一方の『こゝろ』的テクストでは、主人公である登場人物が直接の語り手として実体的に前景化する仕組みになっている。単なる一人称小説ではない。小説ではなく他の形式のもとに語られたテクストであることがそれぞれに明記されている。原理的には存在する小説としての語りの水準は透明化し、主人公の語りのもつ限定性がそのままテクストの成立事情としてテクストを特徴づけている。ここでは焦点の限定性は、揺らぐどころか、積極的にテクストの固有性を保証するものとなっているのである。これがこの形式の明示がもつ一つめの効果である。たとえば有島の「石にひしがれた雑草」では次のように語られる。「僕は唯何んだか君に書き残して置きたいと思ふから書くだけの事だ。強ひて目的といへばそれだけのものだ。君がこの置手紙からどんな結論を引出さうとも、それは僕の知つた事ぢやないのだ」。読み手の反応に無関係であることが明示されてもいる。先に考察した立場の逆転と関わると思われるが、テクスト内部での水準の無化は、こうした固有性の根拠としての立場の限定性を保つ効果がある。語りの場は登場人物についての情報によって固定され、提示された形式がこの語りの場の固有な具体性を枠取り、確固としたものとする。

そして一方で、テクストの外部の読者との関係においては、第一に、その情報とともにテクストを読む読者が直接登場人物と向かい合うという効果をもっている。読者と登場人物の水準の区別が曖昧になる。たとえば同じ「石にひしがれた雑草」では、「僕」が友人で妻の恋人である「君」（加藤）に向けて書いた「手紙」として語られている。読者はこの手紙をそのものとして覗き見る立場におかれることになる。読者を予定しないという意味で、読者を限定しない「日記」ならばその効果はいっそう高まるだろう。「手記」もまた同じである。久米の「受験生の手記」には丁寧に「作者附記」すら設けられている。作者によって「幾多受験生の参考のために、世の中に発表」されたこの「遺書めいた手記」は、小説という媒体のもつ虚構性を無化され読者の手元に届けられたことになる。(5) 最初の「手記」の読者は、作者の「友達」として紹介されまた登場人物である「弟」であるが、読者はこの（最初の）読者としての「弟」と同じ水準にあるものとして扱われている。読者としての「弟」と登場人物としての「弟」の水準の差異は、塗りつぶされている。読者はこの「弟」の場を経由して、物語内容を実体的に共感の対象として読むことになる。

さらに重要なのは、この例にみられるように「作者」と読者の水準が重なることである。物語内容を介して「作者」（小説の語り手）と読者は同じ水準に置かれることになる。「弟」が第一の読者であり、「作者」が第二の読者である。そして、一般の読者はその延長に想定されているのである。

二つの効果を合わせると、登場人物と語り手と読者の水準が「渾然」として交わりあっていることが理解されるだろう。

もちろん手記や手紙の形式をとる小説テクストはいくらもある。それらがつねにこうした効果をもつとはいえないだろう。しかし、『こゝろ』的テクストにおける図式の類似性を前提にこの形式について考えるとき、既知の物語をさまざまな水準にある者が共有している有り様の一つのあらわれとして解釈することが可能だと思われる。図式の類似性と一方の具体的な物語内容の固有性。これらの形式は、一方で、それぞれの物語内容に固有な具体性を際立たせる機能を果たしている。そしてもう一方で、図式の共有を示しているのである。もちろん本章で基盤として重視しているのは、この共有である。具体的な「違い」はそれを基盤に装われたものだ。読み手と語り手が交代しながら、それぞれに強調された微細な「違い」をオリジナリティとして認め合う、均質な読者共同体における快楽のあり方をここにみることができる。

## 五　ホモソーシャルな読者共同体

さて、以上二つの点に絞って『こゝろ』的テクストについて考察してきた。一つめは『こゝろ』的三角形の語り手の位置の逆転という共通点をめぐって、それが参加型の模倣であること、その意味で原型との水準の差異が「渾然」化していることを指摘した。二点めとしては、小説以外の形式を明示しているという共通点をめぐって、物語内容の具体性が強調される一方でそれを作者と読者が登場人物と同じ水準で共有していることを指摘した。どちらにおいても、どのように『こゝろ』的三角形の無自覚な再生産が行われているのかを明らかにすることを目指した。

『こゝろ』自体については、『こゝろ』的テクストとの比較に限って触れたにとどまる。ただし、『こゝろ』の「先生と遺書」において提出された三角形の図式が、大正中期以降に再生産の対象となるものであったことは確認しておかなければならない。本章で述べたように、水準を無化することが可能な、その意味で非常に均質な文学共同体において、共有されるにふさわしい図式であったことは間違いない。それは、徹底して〈何か〉を排除し、その〈何か〉をめぐって物語が紡がれる図式である。競争の対象でありそして排除される〈何か〉は、典型的には「女」であり、そして「芸術」や「学問」である。〈何か〉自体についても、〈何か〉と主体との関係についても決して問われることはない。〈何か〉はブラックホールとして、物語を支え奉仕させられ続けているのである。

〈何か〉を介することで均質性が保たれた共同体であるこれは、第六章で触れたセジウィックのいう〈ホモソーシャル〉という概念に合致している。もう一度振り返っておくと、〈ホモソーシャル〉は、異性愛=〈ヘテロセクシュアル〉な体制において形成された、男と男の関係を説明する概念である。それゆえ〈ホモソーシャル〉な社会は、〈ホモセクシュアル〉を嫌悪する。と同時に、男と男の

〈セクシュアルでない〉関係を最も重要な関係とする点で、女性を嫌悪するものでもある。つまり、〈ホモソーシャル〉な男と男の関係においては、セクシュアルな関係を避けるために（同性愛嫌悪）、その欲望の対象として女を配するのである。そのとき女は、男と男の関係を安全に成立させることを可能にする、空虚な対象となる（女性嫌悪）。同性愛とは違う形で、男と男の関係が圧倒的に重視されるという事態を、〈ホモソーシャル〉という概念は説明するのである。

『こゝろ』的テクストで語られる男と男の関係の特徴は、基本的にそれが近似した関係であるということだった。そして、それに加えてここで指摘しておきたいのは、その間に転倒可能な階層差が設けられているということだ。この階層差が、ある種の複雑さを生み、物語を生み出す。重要なのはこの階層差は転倒可能だということである。その点で、女と男の間の差異とは、決定的に異なっている。男と男の階層の違いは相対的な他者として互いを成り立たせ、それとはまったく異質な女と男の差異が女を絶対的な他者とするといってもよい。

ここでいう転倒可能な階層差は、相対的で微妙な差異として語られている。二人の男は、まったく異なる別々のコードをもったものとして語られるというのではない（それは『こゝろ』以前の三角形にみた特徴である）。常に同一性の中で非常に微妙な差異がつくり上げられているのである。同一化の中での差異の捏造が、差異の揺らぎを生み、そこに複雑なやり取りが生じる。

『こゝろ』的テクストに設定された二人の男は、友人や同人、兄弟といった近似性を基本にして設定とされていた。互いに一つの対象を競い合うわけだが、この近似性を前提として、相手の能力と自分の能力は同じ基準によって判断されている。同じ基準に照らして判断しうるという意味で、そうした二人の差異は異質な差異なのではなく、程度の差異として語られているといえる。そして、同質な差異はつねに上下の階層を生むのであって、その闘いとして物語が生じることになる。

同時に、同一性が、絶対的な条件として維持され続ける。同一化は実現されそうでされないからこそ、より重要なものとなるわけだ。こうした相対的な他者は主体の構成に貢献し、偉大なライバルの捏造を通して、その彼の価値が理解できる主体、またその彼の対戦相手となる主体もまた偉大なものとして捏造されていく。そして闘いにおける苦悩そのものが聖化していくのである。『こゝろ』的三角形に書き込まれた二者の差異というのは、こうしてテクストの内側で、ある基準をつくり、その基準をめぐって物語が語られる過程でそれ自体を権威化していく装置となっている。差異は、のちに転倒したり崩壊したりする物語のために、あらかじめ書き込まれたものである。つまりここでは、差異のある状態こそが欲望されており、差異の揺らぎもまたその欲望に回収されているといえるのである。ライバルである「父」の捏造はこうした根本的な非変容性に繋がっている。いわゆる他者性を欠いた状態である。一方で、だからこそ、それぞれのテクストの具体的な設定の違いが、重要な違いとなり、オリジナリティの根拠となるのである。

大正期の『こゝろ』的三角形を描くテクストは、競争の対象になるのは女であったりまたは芸術だったり、具体的な状況の設定としてはもちろんさまざまに異なってはいるが、このような意味で妙に均質化した物語だといえる。基本形は共通しており、決まって出てくる嫉妬と尊敬という両義的な感情などが、それぞれの具体的には異なる設定のなかで、語られている。男と男の転倒可能な階級性の違いに物語を発生させるこの三角形は、このような均質化された共同体において発生する快楽によって生み出されたものといえるのである。セジウィックの図式に戻れば、このような〈ホモソーシャル〉な大正期の文学共同体は、女性嫌悪的で異性愛的（同性愛恐怖的）な共同体として成立しているといえる。そして、均質な快楽を交換しながら、同じ物語を繰り返し語り続ける。重要なのは、同時にそれが「独創」的な芸術領域として特権化されていることである。この共同体は単に構成員に快楽をもたらしているだけではなく、共同体に参加しない読者を劣等化する力を備えているのである。

以上、第III部での議論では積極的にテクストを単純化した。この均質さは単純以外の何ものでもないからだ。もちろん、ここで無視した小さな違いは拾い出せばいくらでもある。テクストの「固有性」や「豊かさ」といったものを抽出するため、それらの違いを拾う作業はありうる。また原型の引用を考える際、単なる典拠としてではなくそれを取り扱う立場から、原型とのずれに目を向けることも可能だろう。しかし、ここではそうした立場をとることはやめ、類似点のみについて考えた。このような単純な図式の細部を微分する作業は、ともすれば〈ホモソーシャル〉な快楽に加担することになるからだ。かわりに、単純化して抽出した類似点について、複雑に考えてきたつもりである。この三角形は「普遍」的な図式ではないし、図式の模倣のされ方には歴史性がある。彼らの共同体は「普遍」ではないのである。それを検証することが、ここでいう複雑さの抽出にあたる。

(1)「嫉妬」については内容の核となる要素なので、ここでのそれが、男二人の関係を前景化する感情として表れていることを確認しておきたい。「石にひしがれた雑草」との関係を指摘されるトルストイの『クロイツェルソナタ』や、同時期でも芥川龍之介の「袈裟と盛遠」(『中央公論』大七・四) など、三角関係の中で男と女の関係が前景化したものとは異なる。「石にひしがれた雑草」では「嫉妬のorgasm」として顕著に嫉妬そのものが重要視され、M子については「貴様は要するに僕の敵ではない」とはっきり排除される。このテクストが「君」と呼ばれる友人加藤に向けて書かれていることが示すように、この感情は友人に向けられている。「同時に僕は誰が想像するよりも一番深く君の立場を想像してそれに同情してゐた」というように、この嫉妬は彼への同一化が基盤となっているのである。敗者の物語として嫉妬を描く「無名作家の日記」では、最後にあたる次の部分、「俺と彼等との距離は、もう絶対的に拡がつてしまつた。却つて、かうなると、もう競争心も、嫉妬も起らない」(X月X日) に、両者の近似性が必要不可欠な条件となっていることが示されている。その濃密さは「尊敬」と重ね合わされることで増幅する。たとえば「受験生の手記」では「私を嫉妬せしめ、憎悪せしめ、かつ一種の尊敬をさえ強要する、或る力の潜在」と描写される。確認しておけば、「受験生の手記」でも女は重要性を剥奪されており、テクストの外側に追加された「作者附記」において「どうせ澄子のようなコケティッシュな女」と説明され「弟」との関係も破綻したことが後日談として語られている。

(2) 小森陽一「「こころ」を生成する「心臓(ハート)」」(『成城国文学』一、一九八五・三)、石原千秋「「こゝろ」のオイディプス―反転する語り―」(同上)。

(3) 大宮は上十/十一でも恋愛を語っているが、「理想化」という語は下で提出されているので、野島についての判断は下の大宮の言葉によって規定されているといえる。

(4) 誤解を避けるため具体的に説明しておくと、内的媒介の模倣関係である『こゝろ』的三角形を原型として、上では、その原型を外的媒介的に模倣していることになる。上の内部の三角形は原型にならい内的媒介の三角形となる。

(5) 作者は手記を「一篇の読み物にした」とし虚構性に言及しているわけだが、直後に「弟」を「友達」であり「二三級下の大学生」として実体的に紹介するこの附記の中では、この虚構性への言及はかえって物語内容の実体化に貢献している。

* 参照及び引用した本文は、久米正雄「受験生の手記」（『学生時代』新潮文庫、一九五八・四）、有島武郎「石にひしがれた雑草」（『有島武郎全集』第三巻、筑摩書房、一九八〇・六）、菊池寛「無名作家の日記」（『現代日本文学全集』第二七巻、筑摩書房、一九五五・八）、佐藤春夫「青白い熱情」（『佐藤春夫全集』第六巻、講談社、一九六七・九）、武者小路実篤「友情」（『武者小路実篤全集』第五巻、小学館、一九八八・八）によった。

# 第Ⅳ部
# 男と女
## 可能性としての「女」

# 第九章　『こゝろ』　レトリックとしての「恋」

## 一　ホモソーシャルな物語としての『こゝろ』

第Ⅲ部では『こゝろ』的三角形が、均質な読者共同体、〈ホモソーシャル〉な共同体の中で再生産されていることを指摘した。本章では『こゝろ』について論じ、ここまでに論じてきた『こゝろ』的三角形における男と男の関係以外の問題について、『こゝろ』が示す興味深い特徴を指摘したい。すでに男と男の関係については指摘されてきているし、本書でも述べてきたので、ここでは男と女、異性愛の書き込まれ方について検討する。この点について検討しながら、漱石テクストの系譜に『こゝろ』を位置づけたいと思う。第Ⅱ部・第Ⅲ部に引き続き、〈ホモソーシャル〉と〈ホモセクシュアル〉と〈ヘテロセクシュアル〉を関係づけたセジウィックの図式に則って『こゝろ』を分析するので、この点に関係するこれまでの議論を整理することからはじめよう。

『こゝろ』そのものが〈ホモソーシャル〉な物語であることは、このところ繰り返し論じられているが、その前史を振り返れば、重要な転換点はやはり、一九八五年の石原千秋「「こゝろ」のオイディプス―反転する語り―」[1]、小森陽一「「こころ」を生成する「心臓（ハート）」」[2]にあったと思う。石原のまとめ[3]を借りれば、両者の論に共通する点は、(1)「冒頭部に注目し、青年（とりあえずこう呼んでおく）が先生を批判、あるいは先生の遺書の書き方を差異化していると読むところ」、(2)「青年と静について言及したこと」、(3)「先生の「遺書」は、まさにそのために公表される（あるいは公表するためにいま手記を書いている）と考えたこと」である。相違点は石原が「同じことが何度でも繰り返される」と考えたのに対して「差異を生成する開かれたものである」と小森が考えた点とされる。しかし、両者の論が引き起こした批判は、その正確な相違点に向けられることはなかったようだ。『こゝろ』論争といわれる議論の応酬は、静と青年の関係を中心としてなされたとまとめられている。たとえば石原は、「「『奥さん』―と―共に―生きること」というフレイズはたしかに多くの誤解を生んだようだ」とまとめ、小森が「ある過剰な反響を生み出してしまった要因の一つは、「先生」の死後、残された「奥さん」と「私」との間で、性的な交渉がありえたかもしれないということを仄めかしたところにあるだろう[4]」という。押野武志もまた、批判は「主に「先生」の死後「奥さん」と「私」の共生の可能性はあるのかという点にあった[5]」とまとめる。たしかに、先の石原の整理でいえば(2)の点にあたる青年と静との関係は批判を巻き起こした。しかし現時点からあらためて『こゝろ』論争を振り返るとき、青年と静の関係に話題が集中したとまとめてしまうことには若干問題があると思われる。というのも、青年の背信行為といわれた(1)の点は、異性愛的な文脈で読まれた小森論とは異なる方向に、展開してきたからだ。それは、現在の『こゝろ』論における〈ホモソーシャル〉な構造の指摘へと展開してきた。奥さんと私の関係に議論を中心化させてしまうと、こうした継続性がみえにくい。背信という一見競争的なあるいは対立的な関係は、男と男の濃密な関係を物語るものとして解釈されるようになったわけである。三好行雄のいう「〈先生／私〉という関係は、あるいは漱石がなかば絶望しながら夢想していた、もっとも信頼的な人間関係のありかたである」[6]という反感を吸収することすら可能である。

たとえば、小谷野敦は次のように指摘する。[7]「『こゝろ』という作品は、女の策略という解釈を生み出しつつ、しかもそれが従来の「倫理的な」読みを解体するどころか、却って「男同士の友愛」の美学を強化するという狡猾な構造を持つテクストなのである」。また「シジウィックに従うならば、母―妻のような「女」の体を用いることによって、父―自分―息子という男のあいだでの権力の譲り渡しを行おうとする先生の欲望は、ホモセクシュアルでなくホモソーシャル・ヘテロセクシャルなのである」という。同性愛・〈ホモセクシュアル〉なものを『こゝろ』にみる論は、土居健郎や橋本治の論など、以前からある。[8]たとえば島田雅彦は、「「先生」の意識の中では三角関係から奥さんを排除し、男同士の関係を組織しているのだ。異性愛の物語を書きながら、そこには同性愛の感情が隠されているのである」といった。[9]島田が指摘するのも三角形である。それゆえここではっきりさせておかなければならないのは、〈ホモセクシュアル〉と〈ホモソーシャル〉の異なりである。[10] 同性の濃密な関係の説明に、〈ホモセクシュアル〉と〈ホモソーシャル〉という対立概念を持ち込めば、『こゝろ』、とくに『こゝろ』の下にみられる先生とKと静の三角関係が、典型的に〈ホモソーシャル〉な関係を描いていることは、あらためて指摘するまでもないほど明らかである。「是は余事ですが、かういふ嫉妬は愛の半面ぢやないでせうか。私は結婚してから、此感情がだん〴〵薄らいで行くのを自覚しました。其代り愛情の方も決して元のやうに猛烈ではないのです」(下三十四)という、同性に対する嫉妬が異性愛を支えているという三角形は、繰り返し引用してきたジラールの三角形そのものだからだ。〈ホモソーシャル〉という概念を日本の近代文学作品を使って説明しようとするときに、例としてもっともふさわしいテクストといってよいほどだ。この関係については、〈ホモソーシャル〉という概念が、〈ホモセクシュアル〉という概念よりふさわしい。そして、そのように規定することによって、この先生の言説が、〈ホモセクシュアル〉を禁忌とし、女性を排除した〈ヘテロセクシュアル〉体制にのっとっていることがはっきりする。異性愛の物語であると同時に静が排除されているという事態を、〈ホモソーシャル〉という概念は容易に説明する。

しかし、同様に『こゝろ』というテクストにエディプスの三角形に代表される〈ホモソーシャル〉な物語を確認しながらも、さらに〈ホモセクシュアル〉な欲望の存在を指摘する論もある。大橋洋一の論を参照してみたい。[11] 大橋は、たとえば「血と心臓のイメージが喚起する肉体的なエロティシズムによって、『こゝろ』のなかに生じた師弟関係が恋愛あるいは性愛に匹敵する強度をもつことであり、もし男性どうしの師弟関係が恋愛にも等しいならば、それは強く同性愛を志向しているということである」とする。「ホモソーシャル／ヘテロセクシュアル体制の贖罪としての『こゝろ』には、それを破綻させるような同性愛的欲望が回収されえぬまま漂流している」というのである。このように、大橋が〈ホモソーシャル〉な物語にあえて〈ホモセクシュアル〉な欲望を読みとろうとするのは、ホモフォビアな異性愛体制を動揺させる足がかりになると判断しているからだと思われる。大橋は『こゝろ』の分析以外にも、アーサー・ミラーの『るつぼ』の明らかな女性嫌悪と同性愛恐怖を分析し[12]、そこであえて「分析の目的は、著者が魔女という女性差別的カテゴリーから自由ではなく、同性愛への差別意識に呪縛された、中産階級的心性の持ち主であることを指摘することではな」く、「著者が言論思想弾圧の全体主義を、ホモフォビアを介して同性愛とむすびつける回路を用意したこと」を指摘することにあったという。「一見異性愛体制にしかみえない物語やテクストに同性愛的無意識を浮き上がらせること」「文学作品の不在の原因が同性愛であることを証明する〈クイアリング〉をつづけること」が「可能であるかぎり、異性愛体制はゆらぎつづけるだろう」と判断しているからだ。わかりやすくいえば「むしろわたしは男性に、みずからの同性愛的欲望を認識してもらい、そこから出発することによって、同性愛差別をなくすことをめざすべきだと考える[13]」ということだ。ただし、この戦略は非常に微妙なものだ。同じ根拠を提示しながら、著者が「中産階級的心性の持ち主」であること自体を指摘することは、当然できる。明らかなホモフォビアを、それとして指摘するか、逆説的に「不在の原因」としての「同性愛」の存在と読み解くか否かは、論者の現状認識と戦略にかかっている。

それでは『こゝろ』に関してはどう判断すべきなのだろうか。問題を二つに分けて考えよう。同性愛差別に関しては、大橋の戦略は理解できる。もちろん、高く高く祀り上げられた日本近代文学の正典である『こゝろ』の「中産階級的心性」は、ようやく指摘され始めたばかりであることを考えると、〈ホモソーシャル〉な物語のもつホモフォビア（同性愛嫌悪）を可視化すること（同時にそれが歴史的に構築されたものであることを指摘すること）が、現段階では必要だと考えることもできる。が、差別の可視化と大橋の戦略は、決して抵触するものではないだろう。さらに、同性愛的欲望を指摘してきたのが日本近代文学研究者では無かったことを考えれば、大橋が言うように「同性愛的無意識を浮き上がらせること」は衝撃力をもつとも思う。橋本治は『こゝろ』における同性愛的欲望のあり方を指摘して、「ホモを知らない人間が書いた、レッキとしたホモ小説」といった[14]が、このようなねじれを指摘したうえで、「きみがこわがっているそのことについて」語る橋本の大声は痛快である。

しかし、女性嫌悪の点についてはどうか。大橋は「同性愛関係の強化は、仮借なき資本主義化によって破綻する共同体を再構築するための抵抗の拠点ともなるだろう」というが、これが女性嫌悪への抵抗力をまったくもたないことに注意しなければならない。男と男の共同体が再構築されるのみでは、女性嫌悪はまったく温存されたままとなる。異性愛体制が、同性愛差別と女性嫌悪の共同で支えられていることを考えれば、大橋のいうような形での同性愛の発見は、この点に関しては不十分なものといわざるをえないと思う。

以上のように『こゝろ』論の文脈をおさえた上で、ここでは、女性嫌悪のあらわれ方を検討することにしたいと思う。『こゝろ』では三角形にあらわれるそれとは別に異性愛が語り込まれている。『こゝろ』が異性愛を無視できたわけでもないことを確認しよう。〈ホモソーシャル〉な体制においては、異性愛が強制される。それに関連して、『こゝろ』の〈ホモソーシャル〉な物語と、〈ホモセクシュアル〉な欲望の関係についても考えてみることにする。

## 二　漱石テクストにおける「恋愛」の構造

漱石テクストにおける（異性愛的な）「恋愛」について蓮見重彦が興味深い指摘をしている。[15] 蓮見は『それから』をとりあげて、「「愛」の一語は、（略）**一**人称から**三**人称（「私は好いた女があるんです」）、**二**人称から**三**人称（「貴方は平岡を愛してゐるんですか」）と**三**人称から**二**人称（「平岡は貴方を愛してゐるんですか」）という関係を、すべてカヴァーしうるほどの流通ぶりを示している」（括弧内、引用者）にもかかわらず、「I love you の翻訳にあたる表現」つまり「**一**人称から**二**人称へと向けられる関係」だけにはそれが使われないことを指摘している。また、にもかかわらず代助から三千代への思いの伝達は完璧であることを語り手が明示している点から、『それから』においては「「官能」にうったえかけるのではなく、直接「心」に達する記号表現として、愛情の共有が確認されること」が、「描かれるに値いする恋愛」となるという。そして、これが有名な「漱石が西洋小説の恋愛場面に対して示すこだわり」に関わっていること、「I love you」という「言葉の配置が日本語には存在しないが故に、それを「愛」の「台詞」として発話するわけにはいかない」という認識によることを指摘している。

興味深いのは、一人称から二人称へとむけられる「愛」の表現が無いという、第一点めの指摘だ。これは、漱石テクストにその後もみられる、「恋愛」からの疎外についての説明と考えることができる。たとえば、『行人』について、水村美苗は見合いと恋愛の根本的なずれを指摘し、一郎の狂気を、「人間の意志と共同体の意志」が「未分化」な見合いにおいてはそもそも「恋愛」などありえないにもかかわらず、それを望むことにみている。[16]『行人』においては、このような形で「恋愛」からの疎外があらわれているといえる。また、さらに『道草』についての藤森清の指摘[17]を参照しよう。藤森は「恋愛といふ意味」が登場人物である御住と健三のレベルでは抑圧された虚の記号となっていること、その意味内容を満たし御住の他者としての側面に対応しているのは、健三ではなく語り手であることを指摘している。こうした事態もまた、一種の「恋愛」からの疎外とみることができるだろう。漱石テクストでは、「恋愛」の関係がそのままに描かれることがない。正確には、蓮見がいうように『それから』ではそれでも「恋愛」は「伝達」されえているが、後のテクストでは、伝達などありえない事態が描かれるようになっていくというべきだろう。『行人』と『道草』に挟まれた『こゝろ』にもまた、「恋愛」から疎外された事態が極端な形で描かれている。有名な先生の恋愛観を引用すれば、「本当の愛は宗教心とさう違ったものでない」、「もし愛といふ不可思議なものに両端があつて、其高い端には神聖な感じが働いて、低い端には性慾が動いてゐるとすれば、私の愛はたしかに其高い極点を捕まへたものです」、「御嬢さんを考へる私の心は、全く肉の臭を帯びてゐませんでした」（下十四）というものであり、これが静を出来事から排除する装置になっていることは、いまさらいうまでもない。関係として成就することのない「恋愛」が、またしても、というよりもっとも極端ともいえる形で描かれているわけだ。

この特徴は、漱石テクストが〈ホモソーシャル〉であることに、重ねて理解することができる。男と女の恋愛が描かれない一方で、男と男の関係が語られてきたからだ。女性嫌悪的な異性愛の描かれ方のヴァリエーションを、漱石テクストにみることができるといえるだろう。『こゝろ』はその一つである。しかし、本章で指摘したいのは、このような「恋愛」からの疎外＝女性の排除そのものではない。指摘したいのは、具体的な登場人物の関係の水準では女性が排除されているのと同時に、『こゝろ』では、具体的な女性の登場人物、つまり静とは無関係な水準において、異性愛的恋愛が超越的で強力な解釈格子として機能していることである。〈ホモソーシャル〉と〈ホモセクシュアル〉の問題に、いったん戻った上で、その点について述べたいと思う。

## 三　二つの三角形

〈ホモソーシャル〉と〈ホモセクシュアル〉の問題に戻ったところで整理したいのは、『こゝろ』における、先生とK、先生と青年という二つの関係の差異である。大橋は「同性愛のふたつのヴァージョンは、ここでは差異というより類似性によって際立っている」というが、具体的な分析では、ジラールの三角形そのままの明らかに〈ホモソーシャル〉な物語を形づくるものとして先生とKの関係を分析し、先生と私の関係に「肉体的なエロティシズム」をみている。小谷野論も同様である。小谷野論は〈ホモセクシュアル〉な関係と解釈される部分を提示した後、それを〈ホモセクシュアル〉ではなく〈ホモソーシャル〉だと「反転」させているが、根拠としてあげられる引用箇所をみれば、前者については『こゝろ』の冒頭や下の冒頭といった、青年と先生の関係を引用しており、後者については先生とKの関係を引用している。これらの論からわかることは、〈ホモソーシャル〉と〈ホモセクシュアル〉という図式を『こゝろ』に持ち込んだとき、先生とK、先生と青年という二つの関係の差異が浮かび上がるということである。

『こゝろ』の中で最も〈ホモソーシャル〉なのは、先生とKの関係である。この点については第III部でも論じたが、基本的に近似し、同時に転倒可能な階層が設けられた二人の男の物語であって、欲望が模倣され、競争がおこっている。「Kの方が常に上席を占めてゐました」「私の方が能く事理を弁えてゐると信じてゐました」(下二十四)という表現に示されるように、二人は同一基準で比較可能な存在として語られている。実現されそうでされない同一化が、物語を生み、ライバルである「父」の捏造が、エディプス的な三角形の中でアイデンティティを形成させていくことになっている。エディプス的な三角形というより、ジラール的な三角形と説明したほうが、三角形の性質ははっきりするだろう。『こゝろ』的三角形と呼んできた三角形である。この三角形を読みとるのはたいへんに容易である。

それに比して、先生と青年の関係における三角形は、複雑なあらわれかたをする。ここにも〈ホモソーシャル〉な物語が読み込まれてきたのは、「知」の譲渡をめぐる先生の誘惑の欲望と青年の伝授への欲望がエディプス的な父―息子関係を生むと読まれてきたからだ。しかしここには、〈ホモセクシュアル〉な欲望も読み込まれる。二人の関係にはセクシュアルな比喩が溢れているからである。この二つの点について、それぞれ検討してみたい。第一におさえておきたいのは、青年と先生の場合、語りが二重化しているということだ。語りの現在においては、近似性は拒否され、先生の示した断片的な情報は決して繋ぎ合わされることなく、切断され続けている。「私は先生を研究する気で其宅へ出入りをするのではなかつた」(上七)というように「研究」的でなかったことが、ことさらに強調されているのは、周知の特徴だ。「知」を欲望の対象とする形で形成されるエディプス的三角形が完成するのは、先生の過去が明かされた後、つまり先生の死後である。かりに静を欲望の対象とする三角形を考えてみるとしても、物語現在では、三者が三角形をつくるようには描かれていない。物語現在においては「奥さんの女であるといふ事を忘れた」(上十八)というのが、青年の静に対する関係であり、静の態度を「徒らな女性の遊戯」(上二十)と「批評的」にみることがあったとしてもそれは物語の現在を離れた時間においてである。青年と静はともに、先生の謎を解く存在として位置づけられ、青年が先生の欲望を模倣するかたちでつくられる三角形が形成されるとしたら、やはり先生の死後ということになる。『こゝろ』的三角形は物語現在外へ押し出されているのであり、この事情を第八章では、水準に差異が設けられていると説明した。三角形の力学が最終的に完成するという意味では青年と先生の関係はやはり〈ホモソーシャル〉な関係ということになるが、それが物語現在からは押し出されているため、青年と先生の関係は競争からひたすら遠いものとして語られ、親密さだけが浮かび上がる。ここに二点めの、〈ホモセクシュアル〉な比喩が絡む。これまでに指摘されてきた、冒頭の海岸での出会いの場面性や、「血」を譲渡するという身体的なイメージなどがそれである。大橋洋一は、ここに〈ホモセクシュアル〉な欲望を読み込んだ。橋本治もそうである。そして、「あなたの心はとつくの昔から既に恋で動いてゐるぢやありませんか」「異性と抱き合ふ順序として、まづ同性の私の所へ動いて来たのです」（上十三）という一節が、そうした青年と先生の関係に〈ホモセクシュアル〉な欲望を読むことに妥当性を与える鍵となってきた。しかし本章では、このセクシュアルな関係が、異性愛のメタファーで語られてしまっているということに注目したいと思う。

## 四　レトリックとしての「恋」

先にあげた一節は、青年に理解できない謎として上で示されながら、下でも解き明かされない、謎解きを大枠とする『こゝろ』において、その謎解きゲームから逸脱する解けない謎となっている。というのも、ほとんどの上で示された謎は、下で語られる先生の二つの経験に対応して二つに大別できるからだ。確認しておくと、「友達の墓」（上五）から始まる一つめの謎かけは、「天罰」（上八）、「私達は最も幸福に生れた人間の一対であるべき筈です」（上十）、「何うしても私は世間に向つて働らき掛ける資格のない男」（上十一）などの言葉と連鎖し、「とにかく恋は罪悪ですよ、よござんすか。さうして神聖なものですよ」（上十三）という仄めかしでまとめられる謎である。これについてはKと先生の『こゝろ』的三角形が、答えとなる。もう一つが、「いざといふ間際に、急に悪人に変るんだから恐ろしい」（上二十八）、「私は彼等を憎む許ぢやない、彼等が代表してゐる人間といふものを、一般に憎む事を覚えた」（上三十）という謎で、こちらは叔父の裏切りの話で解かれる。二つとも物語現在の青年の想定を越えた事実があるという設定になっており、前者については青年が想定した「美くしい恋愛の裏に、恐ろしい悲劇を持つてゐた」（上十二）とされ、後者については「先生のいふ事の、先生として、あまりに実際的なのに私は少し驚ろかされた」（上二十八）、「私は先生をもつと弱い人と信じてゐた。さうして其弱くて高い処に、私の懐かしみの根を置いてゐた」（上三十）という青年の物語現在の実感を超える事実があったことが仄めかされている。そして先生の経験が答えとして明かされるわけである。先生の経験、先生の遺書によって答えが確定されたかどうかは別の問題として（確定されないからこそ、これまでの『こゝろ』論が存在しているわけだが）、とりあえず構成上、大方の謎かけは、この二つの事実に対応している。

けれども、先に示した「異性と抱き合ふ順序として、まづ同性の私の所へ動いて来たのです」という謎は、直接、Kとの三角形にあてはめることも、叔父の裏切りにあてはめることもできない。Kとの関係でいえば、Kが来るまえからお嬢さんとの恋は始まっているし、金銭的な裏切りを語る叔父のエピソードに同性の恋など想定しようもない。『こゝろ』の中に具体的な対応を持たないこの表現は、レトリックとして用いられているといってよい。「あなたが私から余所へ動いて行くのは仕方がない」(上十三)という謎の言い換えとして示され、「あなたは私に会つても恐らくまだ淋しい気が何処かでしてゐるでせう。私にはあなたの為に其淋しさを根元から引き抜いて上げる丈の力がないんだから。貴方は外の方を向いて今に手を広げなければならなくなります。今に私の宅の方へは足が向かなくなります」(上七)という部分が繰り返されたところに、比喩的に語り込まれたものである。こうした《心変わり》とでもいうべき関係の変化は、具体的にはまったく異なる先生の二つの経験を繋ぐ鍵になるもので、「かつては其人の膝の前に跪づいたといふ記憶が、今度は其人の頭の上に足を載せさせやうとするのです。私は未来の侮辱を受けないために、今の尊敬を斥ぞけたいと思ふのです。(略)自由と独立と己れとに充ちた現代に生れた我々は、其犠牲としてみんな此淋しみを味はわなくてはならないでせう」(上十四)という三角形に対応する謎と、「いざといふ間際に、急に悪人に変る」(上二十八)という財産相続をめぐる裏切りに対応する謎に繫がっている。先の一文に直接対応する箇所がないのは、二つの具体的にはまったく異なる経験を抽象的に繋ぐ役割をしているからと考えられる。先生は、関心や期待、あるいは尊敬というような感情が変化するという事柄を総じて語るのに、異性との「恋」をレトリックとして使用しているわけである。

そしてこの部分は、先生が過去を繋ぎあわせる要としているだけでなく、青年にとっては、青年と先生の関係自体に直接関与する重要な部分となる。青年は、下で明かされる謎についてはわからなかったと語ることで謎への関心を強化するだけであるが、この《心変わり》に関する部分には物語現在の時点で敏感に反応を示している。上十三の部分では「私は変に悲しくなつた」「少し不愉快になつた」と語られる。また「先生を憎らしく思つた」「少し業腹になつた」（上三十）というのは、「君の気分だつて、私の返事一つですぐ変るぢやないか」（上二十九）という先生の揶揄の後である。「先生の話のうちでたゞ一つ底迄聞きたかつたのは、人間がいざといふ間際に、誰でも悪人になるといふ言葉の意味であつた」（上二十九）とされ、上の最後は「考へてゐるうちに自分が自分に気の変りやすい軽薄ものゝやうに思はれて来た。私は不愉快になつた」「人間の何うする事も出来ない持つて生れた軽薄を、果敢ないものに観じた」（上三十六）で閉じられる。謎を仄めかす役割を逸脱して、物語現在に先生との関係が語り込まれる部分が、ここなのである。

青年の「変に悲し」い気分と「不愉快」は、先生に対する関心がいつか変化すると言われたときに生じる。その反応を引き出しているのが「あなたの心はとつくの昔から既に恋で動いてゐるぢやありませんか」「異性と抱き合ふ順序として、まづ同性の私の所へ動いて来たのです」という「恋」を用いたレトリックである。同性である青年の関心の変化が、「異性」との「恋」を比喩として語られるとき、特殊に悲しさと不愉快さが語り込まれる。「恋」に見合う感情として、それは生じているのである。先生が用いたこのレトリックは、このようにして青年自身の語りの中にも滑り込んでいる。「恋」というレトリックが生み出した濃密な感情は、謎解きに回収されることなく、青年のオリジナルな感情として残っていく。中に入って語られるのは、はじめの父から新しい父へという《心変わり》である。先生の言葉を実証するように、青年の《心変わり》の物語は展開していく。この変化を恋に喩える不自然さを、『こゝろ』というテクストは問わない。

知の所有や、血の所有をめぐる、先生と青年の誘惑と伝授の物語が、ここでは異性愛的な感情の交錯としてあらわれていることになる。〈ホモセクシュアル〉な欲望が読み込まれる青年の先生との関係には、このように〈ヘテロセクシュアル〉な関係がレトリックとして使用されているわけだ。これを、異性愛を比喩とした同性愛的欲望の密かな書き込みとみることは、当然できる。そして逆に、同性愛的関係が色濃く語られながらも、レトリックとしては異性愛が引用されなければならないという事態として読むこともできる。大橋の戦略は前者にあり、本章での戦略は後者にあるということになるだろうか。〈ホモソーシャル〉な関係が、〈ホモセクシュアル〉として読みうるのは、このように同性間の親密さが、競争を省いてそれのみで語られるとき、異性愛が参照されているからといえないか。

というのも、レトリックとして異性愛が引用されるのは、この箇所だけではないからだ。同性愛的感情とは無縁な下における財産相続をめぐる経験の部分にも、やはり出てくるのである（下七）。叔父の裏切りを知ったそのことが、「尤も是は私に取つて始めての経験ではなかつたのです」として「今迄其存在に少しも気の付かなかつた異性に対して、盲目の眼が忽ち開いたのです。それ以来私の天地は全く新らしいものとなりました」という体験に準えられる。「全く是と同じなんでせう」とされる（下七）。この「美しいもの丶代表者」としての女性の「発見」のエピソードは、具体性を欠いている。この発見がいかにしてなされたのかはまったく不明である。叔父の裏切りを発見するという経験が、このように非常に抽象的に女性を発見するという経験によって説明されているわけだ。両者に直接的な関係はまったくないまま、にもかかわらず、それは説明を補強するものとして引用されているのである。またたとえば、叔父が「此二三年来又急に盛り返して来た」という噂が語られる直前には、叔父が「妾を有つてゐるといふ噂」が挿入される（下八）。「妾」は異性愛における劣等な例に他ならない。この比喩が、叔父の裏切りを直接的に表す噂をレトリカルに支えているのである。

　そして、Kと先生の三角形でも、このレトリックは用いられている。Kの自殺が発見されるときである。「其時私の受けた第一の感じは、Kから突然恋の自白を聞かされた時のそれと略同じでした」（下四十八）。ただし下においては他の例と事情は少々異なり、このレトリックが具体的な内容としても読み込めるようになっている。「恋の自白」は、ここでは静についてのそれを具体的に意味している。模倣する欲望が直接的に三角形をつくっているからだ。あまりに〈ホモソーシャル〉なこのジラールの三角形に、〈ホモセクシュアル〉な欲望を読み込むのは、不可能ではないが、難しい。この三角形においては、「恋」のレトリックがレトリックとして機能していないのであり、その場合、〈ホモセクシュアル〉ではなく〈ホモソーシャル〉な性質が前景化するという構造になる。

　このようにみてくると、重要な特徴は、一つには、〈ヘテロセクシュアル〉なレトリックが、『こゝろ』全体を覆うレトリックとして機能しているということになる。決して同性愛的な関係を語る場合に限られているわけではないのである。そしてもう一つには、〈ヘテロセクシュアル〉なレトリックが機能しなくなると、〈ホモソーシャル〉な物語がそのまま顕示するということである。繰り返しになるが確認しておけば、逆にレトリックが機能している場合である上では、〈ホモソーシャル〉な物語がセクシュアルなヴェールを被るということである。

と同時にここではっきりさせておかなければならないのは、このレトリックがこのように抽象的なものである以上、物語の登場人物である静には何の関係もないということだ。具体的な物語の水準では、女性を排除した「恋愛」が語られていた。つまり『こゝろ』は、非常に女性嫌悪的に「恋」というレトリックを使用するテクストなのである。

『こゝろ』という物語は、異性愛を具体的に書くことを徹底して避け、しかも異性愛をレトリックとして使用する。この事態は、非常に女性嫌悪的であると同時に、異性愛というレトリックの強度を示してもいる。非恋愛な物語を語る際に、唐突に異性との恋がレトリックとして入り込んでしまうわけだからだ。ここでは異性愛は、ほとんど超越的に機能している。青年が父を選び直すという、エディプス的な物語。そして、信じていた叔父に裏切られるという、金による人間の変化の物語。どちらも、その内容はまったく恋愛からは遠い。そこに、直接的な関係を欠いたまま異性愛がレトリカルに入り込んでいるのである。

作家漱石のレベルを参照すると、この唐突な「恋」のレトリカルな使用をもう一つ見つけることもできる。漱石は『こゝろ』執筆用と思われるメモに、「○乃木大将の事／○是は罪悪か神聖か」（「断片―明治末頃―」）と書き残している。この「是」が『こゝろ』の中では「恋」に変わってしまう。「とにかく恋は罪悪ですよ、よござんすか。さうして神聖なものですよ」（上十三）。理由不明の殉死の物語が描かれる「自由と独立と己れとに充ちた現代に生れた我々」（上十四）の「悲劇」は、「美くしい恋愛の裏」にある「恐ろしい悲劇」（上十二）の形式をとって語られる。恋愛に関係のない話が、恋愛の枠組みで語られると、『こゝろ』的三角形になる。

最も〈ホモソーシャル〉な物語を描き、〈ホモセクシュアル〉な欲望ともみえるほどに女性排除的な物語を語る『こゝろ』が、一方で異性愛によって意味生産の要を超越的に縛られているのは興味深い。漱石的三角形が最もあからさまに描かれるとき、同時に、異性愛が強烈なコードとして機能する事態がおこっていることになるからだ。異性愛は強制されているのである。女性嫌悪的であることとそれは決して矛盾しないが、女性を排除してもなお、異性愛が強制されるというこの事態を受け止めておくべきだろう。

さて、漱石がどのように感じたかは知りようもないが、漱石テクストは、このような皮肉な事態を繰り返しはしないようだ。漱石的三角形は、描かれなくなる。次に用意された『道草』は、まさに財産・金を軸にした物語が語られることとなる。そしてその後、「恋愛」は超越的な比喩ではなく、物語の中に再度ひき込まれる。男と女について語る物語が、語られることになる。やはり抽象的に、極度に非現実的な目的として、しかし同時に唯一の可能性を付与されて、『明暗』は「恋愛」を語る。最後に『明暗』について論じよう。

(1)『成城国文学』一（一九八五・三）。

(2)前掲注(1)。

(3)石原千秋「『こゝろ』論の彼方へ」（『漱石研究』六、一九九六・五）。

(4)小森陽一「『こゝろ』における同性愛と異性愛―「恋」と「罪悪」をめぐって―」（小森陽一・中村三春・宮川健郎編『総力討論　漱石の『こゝろ』』翰林書房、一九九四・一）。

(5)押野武志「「静」に声はあるのか―『こゝろ』における抑圧の構造―」（『文学』季刊三-四、一九九二・一〇・一二）。

(6)三好行雄「ワトソンは背信者か―『こころ』再説―」（『文学』五六-五、一九八八・五）。

(7)小谷野敦「『こゝろ』は同性愛小説か？」（『夏目漱石を江戸から読む』中央公論社、一九九五・三）。

(8)土居健郎「「こころ」について」（『漱石の心的世界』至文堂、一九六九・六）、橋本治「いかにして男はみんな嘘つきになったか」（『蓮と刀』一九八一、文庫版、河出書房新社、一九八六・七）。ただし土居健郎のいう同性愛は、エディプス的な関係を指しており、〈ホモソーシャル〉と〈ホモセクシュアル〉の区別にあてはめれば、〈ホモソーシャル〉に限りなく近い関係を説明しようとしていると思われる。

(9)島田雅彦「『こころ』」（『漱石を書く』岩波書店、一九九三・一二）。

(10)小森陽一も〈ホモソーシャル〉であることを指摘するが（前掲注(4)）、ヘテロとホモの対立を重視し、〈ホモセクシュアル〉な先生と〈ヘテロセクシュアル〉な青年という対立を世代差に注目して引き出しているため、〈ホモソーシャル〉と〈ホモセクシュアル〉の違いに留意していない。先生とKの関係を〈ホモソーシャル〉で〈ホモセクシュアル〉な関係と読む。

(11)大橋洋一「クイアー・ファーザーの夢、クイアー・ネイションの夢、―『こゝろ』とホモソーシャル―」（『漱石研究』六、一九九六・五）。

(12)大橋洋一「ホモフォビアの風景―ホモソーシャル批評とクイアー理論の現在―」（『文学』季刊六-一、一九九五・一）。

(13)大橋洋一「フェミニズムからの呼びかけ」（『新文学入門』岩波書店、一九九五・八）。

(14) 前掲注(8)。
(15) 蓮見重彦「「愛」の抑圧の人称的構造―漱石の場合―」(『国文学』二五‐一〇、一九八〇・八)。
(16) 水村美苗「見合いか恋愛か―夏目漱石『行人』論―」上・下(『批評空間』一／二、一九九一・四／七)。
(17) 藤森清「語り手の恋―『道草』試論―」(『日本の文学』年刊二、一九九三・一二)。

第十章

# 『明暗』〈嘘〉の物語・三角形の変異体

## 一 「相対化」という問題

さて、『明暗』である。

『明暗』は、さまざまな対立の徹底した相対化による「日常」、さらにはその日常の奥底に横たわる存在の「闇」を書いた作品として読まれてきた。たとえば三好行雄は「〈我執〉をきびしく断罪する超越的な倫理を表にふりかざすことをもうしない」「書き手としての作者」による「徹底した日常的現実の提示」と、その「原点」として「〈我〉を喪失した非在の時間」を読んだ。(1) しかし、本当に『明暗』は多元的に相対化された「日常」をあらわし、「存在」または「非在」の闇を語るテクストなのだろうか。

「相対化」とは、『明暗』における次のような仕組みを解釈したものだろう。登場人物たちがそれぞれ異なる対立の構図のもとに対置させられ、一つの対立において優位に立った人物も、その後別のレベルの対立の中におかれることによって必ずその優位性が剝脱され、相対化されること。そして、語り手はどの人物のどのような論理にも加担しないため、相対的な視点を獲得したと解釈される。

一例をあげれば、津田夫婦とお秀の対立は、「自分自身の主人公」として生きているお延に対する、「姑」持ちの「世帯染みた」お秀の「非難」にいったん還元される（九十一）。語り手はお秀の「身贔負」を指摘し、お延を「気の毒」としている。つまり、ここではお秀的な論理、簡単にいえば「家」的な論理が、お延的な「家庭」の論理に対置され相対化されているといえる。[2] しかしこの相対化は、後には「自分丈の事しか考へられないあなた方は、人間として他の親切に応ずる資格を失つて」いるのだというお秀の批判にずらされる（百九）。こうしたエゴイズム論とでもいうべき問題にずらされた段階で、家族制度をめぐる問題における相対化は無化され、新たな相対化がおこる。そして、語り手はどの対立にも加担せず、安定しつづけている。

たしかにこうした相対化の連続を『明暗』に認めることはできる。ただ、問題だと思われるのは、いったん語られた相対化が、その度ごとに無化されてしまうということだ。『明暗』における相対化は、一つの問題系の中で螺旋状に相対化が重ねられていく形にはならず、別の問題系にいつのまにか移ってしまう形になっている。しかも『明暗』に語られた対立、批判の体系は、目新しいものではなく、大正五年当時すでに分節化されていたものである。先の「家」的な論理への批判もその一つだ。

エゴイズム論にずらされることで、その批判は宙に浮いたまま、物語が進むうちには消え去ってしまう。『明暗』のなかでは、同時代にその批判がもっていた力も無化されかねない。

また、さまざまに相対化が連続しているとしても、そこにまったく偏りがないわけではない。「日常」を主題とみる論では、「津田がオリジナルでないのと同様に、お延もまたオリジナルではない[3]」、「津田やお延を描く眼は、もはや『こゝろ』の先生夫妻を描く眼ではなく（略）そこではすべての人物が徹底して相対化される[4]」という説に代表されるように、津田やお延の差異性とそれが生むダイナミズムを無視し、『明暗』というテクストを「日常」という言葉の中に閉じ込め、徹底した相対化によりつくりあげられた静かで均質的な世界にしてしまう。しかし『明暗』というテクストは、津田とお延という一組の夫婦を、ぐるりと五つの家族（岡本、藤井、吉川、堀、津田の実家）が取り囲み、その異質性を浮き上がらせる構造になっている。二人が、どの家庭からも肯定されていないことが最も簡単にそれを証しているだろうと思う。五つの家族の間ではそれぞれの論理の交流が語られているのに対して、である。単純化すれば、二人対他のすべての家庭という配置がなされているなかで、二人が他に対してもつ差異性を、他の差異性とひとしなみに扱うことは、その格差の大きさを考えれば少々乱暴に過ぎるといわざるをえない。

さらに問題になるのは、語り手が登場人物間の対立に距離をもつことで、語り手が無傷のまま、何の対立に巻き込まれることもなく自らの超越性を誇示しうるということだ。「超越的な倫理」を明示しなくとも、自らの超越性を守ることはできる。関谷由美子は『明暗』の語り手の登場人物に対する

「独特の距離感」を「揶揄的な態度」であると指摘している。[5]『明暗』の登場人物、ことに主人公である津田が「ツマラン坊」であることは指摘されているが、[6]そもそも津田が揶揄されるべき存在として方向づけられ語られているとすると、『明暗』の（語り手が）もつ相対化の力はかなり差し引いてみなければならない。強固に構造化されたイデオロギーを相対化するのに必要な力と、あらかじめ「揶揄」の態度でもちだされたそれを相対化するのに必要な力とでは比較にならないからだ。相対化から生まれる存在論的な「闇」なるものについても、その深さや暗さの程度を疑わざるをえない。

以上のように、『明暗』に「相対化」された世界を読むことは、さまざまなレベルで、『明暗』がもつはずの力学を無視することになりかねない。そうしないために必要なのは、構造化された差異を、もう一度あらいなおすことである。

ここでは、『明暗』における言葉の使用をめぐって考える。それはジェンダーによってはっきりと構造化されている。相対化という術語のもとで曖昧にされてきた『明暗』の構造化された差異をとりだしたい。そうすることによって、同時にみえてくるのは、その構造の亀裂でもある。前章で予告したように「愛」という言葉の特殊な使われ方を、お延という登場人物にみることができるだろう。そして、『明暗』における漱石的三角形は、ずいぶんと特殊な有り様をしていることを確認してみたい。

## 二　『明暗』における〈嘘〉

言葉の使用を考えるにあたって注目したいのは、『明暗』の二人の主人公が、ともに〈嘘〉つきだということである。

主人公は津田由雄と津田延子という夫婦であるが、二人の間の「暗闘」（百十三）の原因となる二つの事柄は、両者とも、津田のお延への〈嘘〉という形式をとって語られている。二つの事柄の一つは津田の実家との送金をめぐる経済的な関係、もう一つは津田がもともと結婚するつもりだった女性、つまり清子との関係である。『明暗』のプロットはこの二つの〈嘘〉が引き起こしている問題と、その解決によって構成されているといえる。一つめの〈嘘〉は百三十五節で一応の解決に辿りつく。その後、二つめの〈嘘〉が浮上し、『明暗』は、この〈嘘〉が、さらなる〈嘘〉によって塗り固められていくところで中断している。[7]

そして、二人の主人公は、頻繁に〈嘘〉をつき、また〈嘘〉を肯定する人物として語られている。津田は「嘘吐な自分を肯がふ男」「同時に他人の嘘をも根本的に認定する男」であり、「寧ろ其反対に生活する事の出来るために、嘘が必要になるのだ位に考へる男」（百十五）である。お延は「酔興で自分の虚栄心を打ち殺すやうな正直は、彼女の最も軽蔑する所であつた」（百四十四）という女である。お延は「口にしつゝあつた甘い言葉とは全く釣り合はない妙な輝やき」（四）を目に宿し、自ら口にした言葉を状況次第で「嘘よ」と容易に撤回する。お延に与えられた「技巧」という形容は、駆け引きのために言葉を操るお延のこうした性質の言いかえととることができるだろう。「嘘」を「生活」のための「必要」と考える津田、「女として男に対する腕」によって「自尊心」を支えている(四十七)お延、二人の主人公は〈嘘〉を生きていくための技術としているといってよい。

二人に向けられる批判もまた、彼らの〈嘘〉を焦点にしている。津田は、はっきり〈嘘〉吐きと言われる男である。お秀に(百二)、吉川夫人に(百三十八)、そしてお延に(百四十六)。お延もまた津田に「細工」(百八十三)、小林に「お手際」(八十三)を皮肉られ、吉川夫人に「正直」(百三十一)でないといわれる。互いの批判も引き込みながら、〈嘘〉を操る人間として二人の輪郭は刻まれている。

このように、『明暗』は〈嘘〉を肯定する男と女を主人公に、彼らの〈嘘〉をめぐる物語を語る。ウンベルト・エーコは「嘘をつくことが可能であれば、必ず記号機能が存在する」[8]という。〈嘘〉は、「現実に対応するものがないのに、あることを意味する(そしてそれを伝達する)ことができるということ」、つまり、言葉が真実を映す鏡などではなく、解釈格子=コードによって流通する記号であるということを象徴的に示す言語行為である。ここでは、『明暗』全体に散りばめられた〈嘘〉という現象から、『明暗』における言葉の使用の問題をもう一度丁寧に読み直してみることにする。二人が肯定している、生きていくための技術としての〈嘘〉について検討することからはじめよう。

まず、先に引用した津田の〈嘘〉論について細かく検討してみよう。津田が嘘について考える契機となったのは、岡本が貸した本にあった次のようなエピソードである。「娘」を愛しているのかと尋ねた「父」に、「青年」が「お嬢さんの為なら死なうと迄思つてゐる」「あの懐かしい眼で、優しい眼遣ひをたゞの一度でもして頂く事が出来るなら、僕はもうそれ丈で死ぬのです」などと答え、「父」に「嘘付」だと断られたという。ここにおける「青年」の言葉は、もともと効果をねらった言葉であって、透明に事実をあらわすものとしての言葉ではない。青年が口にする「死」は、熱意の程度を示す通俗的な紋切型レトリックである。青年はそこに成立している解釈コードを当然前提とし、聞き手である父親は、青年のメッセージを、言葉どおりにではなく、その解釈コードに従って受け取るはずであった。ここでの青年の不幸は、父親がその解釈コードを裏切ったことにある。

津田が「必要」と考え、「認定」しているのは、そのような、承認された解釈コードのもとで効果を引き出すために使用される〈嘘〉である。津田は、この道具としての言葉をうまく使い、望ましい効果を引き出すというゲームとして、コミュニケーションをとらえているといえる。たとえば、津田と吉川夫人とのコミュニケーションについて、次のような説明がある。「自分の態度なり所作なりが原動力となつて、相手をさうさせたのだといふ自覚が彼を猶更嬉しくした」(十二)。ここでの吉川夫人との関係は、「茶屋女」との関係に喩えられるように、ある類型として解釈しうる関係である。そうした関係を成立させるコードのもとに津田の言動は選ばれ、またコードに従って予測した反応を引き出していると考えられる。そして喜びは、吉川夫人を上手くコントロールしえていることにある。

津田の欲望の中心はコントロールすることにある。それゆえ、コミュニケーションの全体を把握しうるメタレベルに立とうとする。「吉川の細君などが何うしても子供扱ひにする事の出来ない自己」を「わざと押し蔵し」「背後は何時でも自分の築いた厚い重い壁に倚りかゝつてゐた」（十二）と語られる。「自己」を隠し〈嘘〉をつくことは、自らについての情報を制御することを意味し、有利にこのゲームをすすめることを可能にするだろう。

このような、ゲームとしてのコミュニケーション、その道具としての〈嘘〉という津田の認識は、真実を説明する言葉の透明性を否定する。その意味で、「思つた通りの所」（百三十五）を言えと津田の嘘を批判する吉川夫人やお秀のような、〈真実〉と〈嘘〉とを言葉の意味内容と現実の関係から区別し（一方は合致し、一方はずれている）、道義的に〈嘘〉を否定する素朴な立場とは対照的である。津田は言葉を使い方の面から認識している。[9] しかし、注意しておかなければならないのは、コード自体の無根拠性あるいは非対称性については、津田は鈍感であるということだ。あるコードに従って、自らの言動を制御選択し、それについての相手の解釈や反応を予測しうると考えること、そういった認識を可能にするのは、コミュニケーションが固定的なコードの枠内で対称的にすすめられているという幻想である。津田の〈嘘〉論をめぐってみえてくるのは、話し手と聞き手の間にずれのない対称的なコミュニケーションという幻想に、津田が無自覚なまま依存しているということである。

津田と同様の認識と欲望はお延においてもあらわれている。正直さを愚弄する彼女にとって重要なのは、「女として男に対する腕」（四十七）である。「自分の思ふやうに良人を綾なして行」かなければならないと考えるお延は、やはりコントロールすることへの欲望をもっている。前述したように同様の欲望のもとに自己を「押し蔵」す津田を相手に、次のようにお延は考えている。「夫の此特色（「自制の念」と「腹の奥で相手を下に見る時の冷かさ」——引用者注）中に、まだ自分の手に余る或物が潜んでゐる事をも信じ」「それは未だに彼女に取っての未知数であるにも拘はらず、其所さへ明瞭に抑へれば、苦もなく彼を満足に扱かひ得るものと迄彼女は思ひ込んでゐた」（百五）。津田が隠した情報を把握することが、彼女にとっては最も重要な問題となる。お延の戦法は正しい。なぜなら、情報を多く握っているものが、より状況をコントロールしやすいはずだからだ。〈嘘〉は、知っているものの知らないものへの権力行使でもある。より多く知っているものが、知らないものの行動を計算し、管理しやすくなることになる。

そうした〈嘘〉つきな二人の争いは、単純にいえば、〈嘘〉の付き合いとでもいうべきものだ。百四十六節から始まる「波瀾」の一幕を例にとれば、「そりや嘘だ」「何うして嘘なの」「それこそ嘘です」「嘘よ、貴方の仰しやる事はみんな嘘よ」と互いの嘘を攻撃し合うということになる。「お延流の機略」対「彼相当の懸引」との戦いである。

さて、しかしながら、以上のようにお延と津田のコントロールすることへの欲望が語られる一方で、語り手はその欲望の破綻をもあらかじめ示唆している。

『明暗』の冒頭（二）には、津田が「暗い不可思議な力」に恐怖を覚えていることが提示されている。それは、「為る事はみんな自分の力で為、言ふ事は悉く自分の力で言つたに相違なかつた」（二）という彼の万能なコントロールが崩れることからくる恐怖である。また、お延に視点が移った直後

（四十七）には、やはりお延が「自分の思ふやうに良人を綾なして行けない」という「屈辱」を自覚していることが語られている。

『明暗』は、コントロールすることへの欲望をもつ二人を主人公とし、（それぞれの物語の冒頭から）その限界性、不可能性を暗示するところから語り始められている。『明暗』は、〈嘘〉をめぐって、彼らが前提とする対称的なコミュニケーションという幻想の崩壊を語るテクストであるといえよう。

## 三　解釈共同体の境界

二人の主人公が、対称的なコミュニケーションを前提として言葉を操る人物であることを確認したところで、次にそうした言葉の使い方が、ある限定性をもっていることを指摘したいと思う。人をコントロールする道具として言葉を扱うという事態が、男たちの使う言葉における一般的な状況として提示されていることを確認しておきたい。『明暗』は、このような言葉によるゲームの参加者が限定されていること、コードの共有に限定性があることを語り、そのようなコードの共有による共同体、つまり非物理的な限界を境界とする共同体が存在することを語っている。

参加者の男たちとは、藤井と岡本、吉川の三人である。「批評家」である藤井、「成効に少なからぬ貢献をもたらしたらしく思はれる、社交上極めて有利な彼のこの話術」（六十一）をもつ岡本、津田を「挨拶に窮」させるほど「口」が「重宝」、つまり〈世辞〉がうまい吉川（十六）。〈批評〉〈話術〉

〈世辞〉、彼らの言葉は、〈嘘〉と同様、意味内容よりも言葉の使い方の巧拙が問題とされる言葉である。たとえば藤井の〈批評〉について、「単に言葉の上丈でも可いから、前後一貫して俗にいふ辻褄が合ふ最後迄行きたいといふのが（略）彼の態度」（百十九）と説明される。このような意味での〈批評〉は、議論のための議論とでもいうべき性質をもつものであって、意味内容そのものの検討が無視された言葉である。有効性は、意味内容の妥当性ではなく、その「辻褄」合わせの巧拙により決まるといえるだろう。そしてコードを共有した聞き手、たとえば岡本は、藤井の「辻褄」合わせを楽しむ能力をもっているのである。楽しまない女たちとは対照的に（七十五）。またたとえば、吉川が津田の父を誉める言葉を、〈世辞〉として津田が受け取る過程は次のように記述される。「津田は自分の父が決して是等の人から羨やましがられてゐるとは思はなかつた」「それは固より自分の性格から割り出した津田の観察に過ぎなかつた。同時に彼等の性格から割り出した津田の観察でもあつた」（十六）。受け手である津田は、それが〈世辞〉であることを正しく了解していく。津田と「彼等」（複数形であることは、吉川固有の性格ではなく、類型としての会社人が想定されているということを示すだろう）は、それが世辞であるということを了解するコードを共有しているのである。こうした共示義レベルでの言葉の流通はコードの了解が安定しているからこそ可能になる。『明暗』は、男たちに〈話術〉の巧みさを付与し、彼らのコミュニケーションを対称的なものとして強調して語っているのである。そして、言葉を使う能力が彼らの共同体での地位を保証している。

　このゲームに参加しているのは男たちと、お延のような特殊な女である。[10] お延の特殊性は、彼らの言葉の使い方を学習しているという点にある。彼女には、「千里眼」（六十四）や「直覚」（百十四）と説明される特殊な読み取りの能力が与えられている。それが可能なのは、彼女が彼らのコードを学習しているからである。次のような説明がある。「さうして夫（岡本の「話術」――引用者注）が子供の時分から彼（岡本――引用者注）の傍にゐたお延の口に、何時の間にか乗り移つてしまつた」「軽口の吐き競をやる位は、今の彼女に取つて何の努力も要らない第二の天性のやうなものであつた」（六十二）。彼女は岡本のもつコードを正しく学び、その達成が、叔父の「気合を能く呑み込んで」彼の「思ひ通りに楽々と運んで行く」（六十二）能力に繋がっているのである。確認しておくが、ここでいうのは、語られる内容についてのコードではなく、語り方についてのコードである。お延が学んでいるのは、ある言葉を、意味内容に頓着することなく、〈軽口〉として了解する能力であり、「話術」の妙を楽しむ能力である。問題なのは内容ではない。それは、お延同様叔父の言葉を学んだはずのお秀と比較すればより明確になる。「書物に縁の深い叔父の藤井に教育され」た（百二十六）お秀が学んだのは、「知識」の内容である。「議論のために議論をしてゐる」ことに無自覚なお秀は、理屈の積み重ね自体を「面白半分」（七十六）に楽しむ岡本や藤井の言葉の使い方を学んでいるとはいえない。それゆえ彼女の「理屈」は道具としては有効とはいいがたく、津田の説得にもお延との勝負にもまったく役立たない。それに対し、お延は言葉の使い方、いかに語れば有効なのかを学んでいる。お延の「技巧」の能力は、このような学習の成果として語られているのである。

さて、ここにあげた安定したコードの共有を無自覚に前提とする共同体から、当然はみ出すものも

『明暗』の中には語られている。はみ出すもの、他者の存在が、コミュニケーションの対称性を揺るがせ、その非対称性を露呈させる。

## 四　二種類の他者

『明暗』に語られる他者には二種類ある。

一種類めの他者は小林である。彼は「津田の予期とは全くの反対を云」い、津田からみれば「不論利な断案」(二十八)でしかない「自分に都合の好い理屈を勝手に拵らへ」(三十三)る男である。つまり、津田のもつ解釈コードを無視し、小林自身のコードの中で語っているといえる。彼は津田が属する中流階級とは違う階級に属している。「田舎もの」で「貧乏」(百五十六)だという「階級」(八十八)の差異が、二人の間のコードの差異を生み出している。そして、小林は津田やお延のコードに、相対する自分のコードをぶつけ、彼らが自明としているコードを揺るがせ、意味の把握を困難にさせる。お延は「其表面上の意味を理解する丈でも困難を感じ」「相手を何う捌なして可いかの点になると、全く方角が立たなかつた」(八十二)という。小林は彼女にとって「軽蔑の裏に潜んでゐる不気味」(八十四)を喚起する存在となる。津田にとっても、それは同じである。「彼に対する津田は実の所半信半疑の真中に立つてゐた」(百十七)、「津田は畧小林の言葉を、意解する事が出来た。然し事解する事は出来なかつた。従つて半醒半睡のやうな落ち付きのない状態に陥つた」(百六十一)

と繰り返される。

そのような異なるコードに生きる小林が、彼を軽蔑する津田たちに対してとる戦略の一つは、「奥さんの気に障つた事があつたら、総て取消します。みんな僕の失言です」（八十八）というように、言うだけ言った後、解釈に先んじて意味を無化することである。そしてそれは、お延たちのコードとは別のコードが存在しているということを逆に強調することになる。もう一つの戦略は、津田が「何時でも二様に解釈する事が出来た」（百十七）というように、意味を二重化させることである。小林のとる戦略は、常に意味作用の操作に関わる。小林は、あくまでも言葉という道具を手放さず、津田のコードに自らのコードを対抗させる形をとっている。

しかし注意しておかなければならないのは、この二つのコードの相対は、一時的な混乱は引き起こしても結局もとの安定した状態に戻るということだ。「意解」しても「事解できな」い津田の状態、つまり「彼相応の意味で」「了解したといふ迄」で、それ以上「先へは一歩も進まな」い（百六十五）という状態は物語が進行してもかわらない。二人の言葉の関係の非対称性が語られているといえるだろうが、より明確にいえば、ここにあるのは、硬直したディスコミュニケーションの状態なのである。

二つめの種類の他者は、女たちである。彼女たちの言葉の使い方は明らかに男たちとは異なる。彼女たちの言葉を特徴づけるのは、「事実」という前提である。藤井の叔母は「議論にならなくつても、事実の上で、あたしの方が由雄さんに勝つてる」（三十）、お秀は「私は言葉に重きを置いてゐやしません。事実を問題にしてゐるのです」（百二）、吉川夫人は「私のは認定ぢやありませんよ。事実ですよ」（百三十八）と津田を批判する。女が「事実」を問題にし出すこれらの状況において、やはり男との間に決定的なディスコミュニケーションが生じている。「言葉」によるゲームを成立させている男たちに、まったく別のレベルである「事実」を女が持ち出すことでコミュニケーションの回路は断たれる。お延との違いは彼女たちが男たちのコードを学習しない、少なくとも彼らのゲームに参加しない女であるということである。家庭の中の彼女たちは「女らしくない」と語られる。岡本の叔母は「膏気が抜け」「女らしい所がなくなつて仕舞つた」（六十）、藤井の叔母は「殆んど性（セックス）の感じを離れた自然さへあつた」（二十五）と語られる。お秀もまた「器量望み」で貰われたあとは「妻」でなく「母」となり「世帯染み」（九十二）る。つまり彼女たちは、〈男〉たちの共同体に参加する際の〈女〉という資格に合致しない、または、それを捨ててしまったものたちなのである。彼女たちはお延がしたような男の欲望の読み取りを、放棄した存在であるといえよう。

言葉の有り様はそれにしたがって分断されている。一方は学習した男の言葉を使い、一方はそれから排除されて「事実」へ向かう。そのとき、「事実」という、言葉の表示的な内容そのものが問題になっているということも確認しておきたい。家庭の彼女たちの言葉の使用法は彼らの言葉の使用法と非常に対照的に語られている。また、言葉が直接「事実」に結びつき、言葉より「事実」に重きがおかれることは、彼女たちの言葉に効力が与えられていないということを意味する。「議論」にならない「言葉」しかもたない、つまり「言葉」のレベルでコミュニケートする術をもたない女が、もう一つ別のレベルを設定することでそれに対抗しているといえる。

わずかに語られた部分で判断するなら、清子もまた彼女たちの一人といえる。清子の言葉は無色透明、「事実」を「事実」のままに表す「言葉」である。「そりや仕方がないわ。疑つたのは事実ですもの。其事実を白状したのも事実ですもの。いくら謝まつたつて何うしたつて事実を取り消す訳には行かないんですもの」「私隠しも何にもしませんわ」「嘘でも偽りでもないんですもの」（百八十六）。しかしその「事実」はといえば「私の胸に何にもありやしないわ」（百八十六）「たゞ昨夕はあゝで、今朝は斯うなの」（百八十七）というように、それ自体が無形のものである。言葉の裏には何もない。

ところが「単純な、もしくは単純とより解釈の出来ない清子」（百八十五）とさえ語られているにもかかわらず、津田には清子が理解できない。それは、結局、津田が清子に求めているのが彼のコードの中におさまる回答であるからだ。津田は清子の言葉の裏に「本音」（百八十五）があると考えるばかりで、清子の「単純」さ自体を信じていない。「津田は其微笑の意味を一人で説明しよう（ママ）と試みながら自分の部屋に帰つた」（百八十八）。これは、『明暗』の末尾の一文であるが、「一人で説明しようとすること自体が、津田の閉鎖的な解釈の有り様をあらわしている。津田には何もつかめないだろう。

清子は、漱石テクストが語る女の一つの典型である。正確にいえば、男たちのコードを学習しない女たちの典型である。『行人』のお直、『こゝろ』の静、彼女たちは、男たちの理解の範疇をこえた、不可解な存在として語られてきた。そして、男たちは彼女たちに「技巧」を感じてきたのである。彼らの視点に同化した読者もまた、女の「技巧」を問題にしてきた。しかし、『明暗』が示唆するのは、そうした「技巧」が、彼らの側が生産した解釈に過ぎないということだ。津田のように、コードの違いを認識しないもの、またはコードの違いがあることは認識していてもその相対するコードを学習する意志のないものが、他者を前にどういった言説を生産するかを『明暗』は語っている。

そしてまた、清子も津田とのディスコミュニケーションを気に留める風はない。「ぢや解らないでも構はないわ」（百八十六）。言い訳を試みる津田には「だからもう変ぢやないのよ。訳さへ伺へば、何でも当り前になつちまふのね」（百八十八）と説明を押し止めてしまう。「何でも当たり前に」といふが、明らかに津田の説明には無理がある。しかし清子はその「訳」の合理性を確かめることもしない。「彼女は何処迄も逼らなかつた。何うでも構はないといふ風」（百八十八）と語られるとおり、彼らとゲームをする気のまったくない清子は、津田にとって出会うことのない他者であり続けるだろう。

以上に述べたように、『明暗』は言葉の非対称性を、硬直したディスコミュニケーションの現場を語ることで示す。ただし、『明暗』は、そうしたコードの複数性を語るだけではない。複数のコードが並立することによっておこる事態を明確に語りながらも、それは『明暗』にとっては結論ではなく、前提である。対称的なコミュニケーションに対する無意識的な信仰の存在。またはその信仰の崩壊。それらもまた、結論ではなく前提である。

## 五　津田とお延

津田とお延について、もう一度とりあげよう。二人が、コミュニケーションの対称性を前提としたゲーム、争いに興じていることは第一節で論じた通りである。と同時に彼らの対称性への無自覚な信仰が崩れる瞬間が、物語の出発点として暗示されていることも論じた。硬直した複数性を語る『明暗』の中で、変化し動いていくのはそうした危機が語られる二人の主人公をおいて他にはない。

まず津田である。津田の場合、彼の使う言葉が「嘘」といわれてしまうことにもう一度注目しよう。彼は繰り返し、非難を受けている。お秀に（百一）、吉川夫人に（百三十八）、お延に（百四十六）。たしかに津田は道具として〈嘘〉を肯定する男であった。しかし、彼の言葉はうまく機能していない。というのも、彼の言葉の運用がうまく機能していれば、それらの言葉は、他の男たちのように、〈批評〉や〈話術〉や〈世辞〉として肯定的に評価されるはずだからだ。それらには言葉としての力がある。効を奏した〈嘘〉は、〈世辞〉に〈話術〉に反転する。〈嘘〉と指摘されるばかりということは、それが否定的に評価されていることを示している。

実は、先に引用した津田の〈嘘〉論には続きがある。津田は自分の「漠然とした人世観」を「知ら」ず「たゞ行なつた」だけで「だから少し深く入り込むと、自分で自分の立場が分らなくなる丈であつた」と語られている。語り手は、津田には結局言葉の制度、「組織正しい形式」がつかめていないということを付け加えているのである。津田が受ける批判は、結局彼の予想違い、コントロールの失敗から生まれている。

たとえば返済についての父との約束である。「約束通りにしないのが悪い位は、妹に教はらないでも、能く解つてゐた。彼はたゞ其必要を認めなかつた丈なのである。さうして其立場を他からも認めて貰ひたかつたのである」(九十五)。返済の約束は実行する必要がない、周囲にもそれは了解されているという、津田の予想は外れる。「親子だつて約束は約束」というのが周囲の承認事項であり、彼の言葉は実行を迫られてしまう。また、お延に甘いという「世間」の「評判」も(百三十三)、彼にとっては効果を見込んだうえで(百三十四)故意に流したままにしている「誤解」でしかなくとも、吉川夫人をはじめ周囲には事実として受け取られ批判を受けてしまっている。

津田夫婦と周囲の人物との齟齬は、こうした予想違いが引き起こしている。物語が語り続ける二人の夫婦への批判は、それ自体がコミュニケーションの非対称性の証左である。これは、同一のコードの中でゲームに興じているはずのものがいつのまにかずれているという、不意の偶然的なずれを喚起している点で、小林や清子に読み取りえた、コードの差異による非対称性とはまったく異なる。津田は、小林や清子によっては結局根本的に動揺することはないが、自らの内部におこってくる不意のすれ違いは彼を冷静にさせてはおかない。『明暗』が語る、津田の安定を崩していくものとは、こうした予想不能性である。津田のいう「暗い不可思議な力」(二)とは、そうした事態を説明したものと考えられる。

そして、ここにはもう一つ重要な事態が引き起こされている。それは、「約束」の内容や「評判」の内容が事実として扱われることを語るこれらの例が、言葉に現実を規定していく力があることを露呈しているということである。言葉は何らかの効果を媒介する道具でありながら、同時に意味を生産し現実を構成している。〈話術〉に〈世辞〉に、「言葉の上丈」の〈論理〉に充足している男たちはそのことに無頓着であり、津田もまた同様に無頓着であり続けているが、ゲームの下手な津田は、道具としての言葉の流通性を途切れさせ、言葉のもう一つの力を露呈させるのである。

ただし、津田はあくまでも無自覚な男として語られている。「畢境女は慰撫し易いものである」(百五十)というのが、残された『明暗』の中のお延に対する最後の態度である。延々と「彼女の気に入りさうな」〈嘘〉を重ねていく津田には、『明暗』が語る事態の変化がまったく見えていないのである。津田は一貫してゲームの無自覚な失敗者とでもいうべき存在として語られ、それが対称性を壊すことになっているわけである。

では、お延はどうなのか。

「結婚前千里眼以上に彼の性質を見抜き得たとばかり考へてゐた彼女の自信は、結婚後今日に至る迄の間に、明らかな太陽に黒い斑点の出来るやうに、思ひ違ひ疳違の痕迹で、既に其所此所汚れてゐた」(六十四)と説明されるように、自らの予測不能性に非常に敏感になっている。結婚後、お延は「直覚」への自信を失い、一方で「下らない彼(岡本——引用者注)の笑談」のうちにすら「何か真面目な意味があるのではなからうか」(六十二)と問いはじめている。叔父の〈話術〉はそれとして受け取られることなく、内容が重視され始めている。お延が叔父と共有していたはずのコードがここでは機能していないのである。「今日迄二人の間に何百遍となく取り換はされた此常套な言葉（「人が悪い」――引用者注）を使つたお延の声は何時もと違」い、「例の調子」で「何時もの笑談」をいう叔父に答えたのは、お延の「涙」である（六十八）。岡本とお延の関係は完全に変化している。

こうして叔父の（男たちの）解釈共同体から外れてしまった彼女が語りだした言葉をあげてみよう。

お延は「思ひ違ひ」を認めながらも自らの幸せを語って、継子には「あなたあたしの云ふ事を疑つてゐらつしやるの。本当よ。あたし嘘なんか吐いちやゐないわ。本当よ。本当にあたし幸福なのよ」（七十二）と言う。両親に送る手紙は、次のようなものだ。「この手紙に書いてある事は、何処から何処迄本当です。嘘や、気休や、誇張は、一字もありません。もしそれを疑ふ人があるなら、私は其人を憎みます、軽蔑します、唾を吐き掛けます。其人よりも私の方が真相を知つてゐるからです。私は上部の事実以上の真相を此所に書いてゐます。それは今私に丈解つてゐる真相なのです。然し未来では誰にでも解らなければならない真相なのです。私は決してあなた方を欺むいては居りません。私があなた方を安心させるために、わざと欺騙の手紙を書いたのだといふものがあつたなら、其人は眼の明いた盲人です。其人こそ嘘吐です。どうぞ此手紙を上げる私を信用して下さい。神様は既に信用してゐらつしやるのですから」（七十八）。

お延について説明されるときに頻繁に引用されるこれらの部分については、愛情を追求するという内容の点で注目を集めてきた。しかし、津田とは対照的にお延が予測不能性に敏感になっていることと考えあわせるとき、お延が執拗に説明するのが、内容ではなく、これらの言葉を使う意図であることが注目される。とりわけ手紙の中の「私は決してあなた方を欺いては居りません。私があなた方を安心させるために、わざと欺騙の手紙を書いたのだといふものがあつたなら、其人は眼の明いた盲人です。其人こそ嘘吐です。どうぞ此手紙を上げる私を信用して下さい」という部分にはそれが強くあらわれている。これは、彼女の意図通りには解釈されないという事態、誤解に対する予防である。しかし、予防しなければならないということは、逆にコードに対する信頼がすでに放棄されているということを明らかにしている。予測が不可能であるからこそ、お延はこのような執拗な意図の確認を繰り返し始めるのだといえるだろう。

津田との間が決してうまくいってはいないことを、お延は当然承知している。にもかかわらず、彼女が語る「幸福」は〈嘘〉ではないという。この「幸福」は、「上部の事実以上の真相」「今私に丈解つてゐる真相」「然し未来では誰にでも解らなければならない真相」である。「私」の了解事項は、「私」のみの了解事項に過ぎない。共有された解釈コードがない以上、言葉はゲームの道具になりえない。「真相」としてのお延の言葉は、その意味で「技巧」でも〈嘘〉でもないのである。それは「公言」された「誓」い（七十八）として語られている。しかし聞き手にとって唐突なこの「誓」いが、承認される保証はない。お延は、直面した予測不能性を前提としたうえで、さらに承認を求めようとするときはじめて、（小林や清子とは違って）彼女のコードの中での言葉の一義性を強調し、同時に、彼女自身のコードを説明することになるのである。彼女は、コミュニケーションの非対称性を前提としながらも、語りかけることを決してあきらめていない。この点で、『明暗』という、対称性に支えられた閉鎖的で安定したコミュニケーション、もしくは硬直したディスコミュニケーションを語るテクストにおいて、お延はきわめて特殊な登場人物となっているということができるはずだ。

また、そのように承認済のコードに支えられた対称性を食い破ってお延が突き付けようとする言葉は、〈現実〉を呼び寄せるためのものである。津田と違って、お延は〈現実〉を生産していく言葉の力を非常に積極的に引き寄せようとしている。硬直とは全く反対の運動をここにみることができるだろう。両親への手紙にあるように、「事実」と「真相」とを区別するお延は、「今」の「事実」を、安定したものではなく、変容し続けるものとして受けとめているといえる。ここで、お延が目的とする幸福の具体的な内容が語られないことは、お延が思い描く結末が重要なのではなく、現在を変容させようとするその態度こそが重要なのだということを示しているといえる。彼女の生きている「今」は、「誓」われた地点へ向かうプロセスの中の一点である。予測不能なまま連続し変容していく時間の中の一瞬間である。彼女が提示しつづける一義性は、固定化するものではなく、次の瞬間には動いていくそうした一瞬間における一義性として理解できる。

「「誰でも構わない、自分の斯うと思ひ込んだ人を飽く迄愛する事によつて、其人に飽迄自分を愛させなければ已まない」／彼女は此所迄行く事を改めて心に誓つた。此所迄行つて落付く事を自分の意志に命令した」（七十八）。そのような意味で、この一節は、純粋な「愛」への信仰を表しているのではない。ここでお延は、明らかにすれ違っている津田との関係を動かし、「愛」という言葉へ〈現実〉を一致させていくことを宣言しているのである。「誓」いとは、言葉が絶対の力を持って〈現実〉を引き寄せる行為にほかならない。彼女はそれを「自分の意志に命令」する。そのとき言葉は「嘘」であってはならないのである。繰り返すが、お延が信じているのは、言葉にある、現実を構成していく力である。これはお延も学んだ男たちの言葉の使い方とは違う。「単に言葉の上丈」の〈批評〉や〈話術〉や〈世辞〉に自足しうる彼らは、言葉を巧みに使うことが力になることは知っていても、それが現実を構成していくこと、また構成してしまうということには無頓着だからだ。

そして、〈嘘〉つきな「技巧」の巧いお延から、「自分で自分の理屈を行為の上に運んで行く女」（百二十六）が生まれる。百二十四節から百三十節までのお秀とのやり取りの中では、同時に〈嘘〉の破綻が具体的に語られている。「お秀の気に入りさうな言辞」は「誇張と虚偽」として受け取られ、「お秀の手料理になる此お世辞の返礼」が返される。三度の〈嘘〉が吐かれた後、「正直の云ひつ競」が遂に始まる。津田との間においても、最後の「波瀾」（百四十六〜百五十節）を境に、「いざとなると口で云つた通りを真面に断行する」（百五十四）女へと反転していく。〈嘘〉の指摘し合いから始まった津田との最後の「波瀾」は、「実際此言葉によつて代表される最も適切な意味が彼の肚にあつた事は慥であつた」（百五十）という「妥協」という一言で終えられる。その内容は、お延を「受け合ふ」と「たゞ口で誓ふ」（百四十九）ことである。「誓」いが、やはりお延を納得させている。

この後のお延は一転して「正直」「無邪気」（百五十三）と形容されるようになる。最後に語られるのは「夫のため」に「此お肚の中に有つてる勇気を、外へ出さなくちやならない日」が来るという「予言」(百五十四)である。ここでも、現在は予言へ向かうプロセスの中の一瞬間として提示されているといえる。「雲を摑むやうな」と形容される、お延の予言の内容の抽象性は、小林の予言の内容が具体的であったのと対照的である。小林の予言では、社会的な「境遇」からくる津田の「余裕」が「事実」に「戒飭」されるという結果がかなりの言葉を費やして説明される(百五十七/百五十八/百六十七)。しかし結局は小林の「思想」「議論」による解釈であるため、津田は了解せず「無意味」なものとされる。小林の予言が彼自身のコードの中で自足的に分節化されているため津田に通じないのに対して、お延の予言は結果の予測を欠くばかりか現在の不確定性を提示するのであり、それが津田を気味悪がらせる。お延自身も言葉を完全にコントロールしているわけではない。語り手は彼女の外に「自然」が存在していることを語る。コントロールをあきらめ「自然」を受け入れる地点が、お延の変容の地点でもある。そして、その予言がその時点の彼女にとって「本当」の予感であることだけがやはり「真剣に」確認されている。予測不能な事態がくること、現実は変容することを前提に、瞬間瞬間の彼女にとっての現在を「正直」に説明すること。それが、お延が『明暗』の中で最後に提示する言葉の使い方である。

## 六　お延の可能性

お延の言葉の使い方、コードを明らかにし一義性を引き受けること、そしてお延が喚起する、言葉の現実規定の力とその現実をプロセスの一瞬間としてとらえることからくる不確定性は、他者をコントロールすることではなく、他者と出会うことを予感させ、「相対化」の物語として読まれてきた『明暗』を読み変える要となっている。本章のはじめに述べたように、『明暗』はすべての登場人物を偏りなく「相対化」し、誰をも特権化しないと考えられてきた。柄谷行人は「どの人物をも、中心的・超越的な立場に立たせず、彼らにとって思いどおりにならず見とおすこともできないような〝他者〟に対する緊張関係においてとらえた[11]」という。そうした読みが提示するのは、すべての登場人物が、さまざまなレベルで並立した世界である。柄谷が指摘するような「異様な緊張感」はたしかに語られている。しかし、それは単発的で持続されることがない。そこにあるのが硬直したディスコミュニケーションであることはすでに述べたとおりである。

漱石テクストには、言葉の非対称性に関する言及がある――たとえば小森陽一は『こゝろ』を「非対称でしかない他者たちの物語」として読む[12]――が、『明暗』はそうした系譜にあって、「日常[13]」のコミュニケーションの様相、つまり対称性が幻想されていること、階層が存在していることを語っていると考えられる。複数のコードは完全に対等に成立しているわけではなく、たとえば学習する側と学習される側があることを明示する。『明暗』に語られているのは、言葉の使用における力学に関する問題である。「異様」なのは主人公である津田という〈中流階級〉の〈男〉の鈍感さであり、彼の周囲に生じるディスコミュニケーションの深さである。それを無視し、何ものをも特権化しない「相対化」のみを『明暗』に読むことは、こうした非生産的で安定したディスコミュニケーションを言い換え擁護する危険性をはらみ、固定的な階層性を覆す亀裂を見落とすことになるのではないだろうか。

亀裂を生むのはお延である。彼女は、『明暗』が一方で執拗に語るそうした安定性からはみ出す。他の登場人物とは異なる特殊性を彼女が付与されていることを見落とすわけにはいかない。お延によって提示されるのは、変容することとそのものを引き受け、しかもそれによって病むことのない主体のあり方である。お延には、自らの「幽霊」(百七十五)に怯える津田の自己同一性へのこだわりを超えた主体のあり方を読むことができる。お延の物語の冒頭を思い出してみたい。四十五章、劇場へ向かうお延は次のように語られる。「車夫の駆方」に「感染」し「柔らかで軽快な一種の動揺」を楽しみ、劇場に着いてからは「眼の前に動く生きた大きな模様の一部分となつて、挙止動作共悉く是から其中に織り込まれて行くのだといふ自覚」を楽しむ。ここには確固とした主体などはない。また、「斯うして新らしい俥で走つてゐる道中が現に刺激であると同様の意味で、其所へ行き着くのは更に一層の刺激であつた」という一文は、プロセスの瞬間瞬間を生き続けるお延の主体のあり方を、象徴しているといえるだろう。「永久に新しい感じ」を受け続ける感受性をもった、流動的な主体の有り様である。

津田はその逆である。冒頭、病室では医者の言葉の真実を確認するため「一寸眼を医者の上に据ゑ」(一)、お延が「嘘よ」と言った後は「猶しばらく細君から眼を放さなかつた」(四)、吉川夫人の「本意を突き留め」る時には「黙つて相手の顔色丈を注視した」(十一)と独特な注視状態が繰り返される。先にも述べたとおり、津田はこうして見つめながら、彼らのコントロールを避け優位に立つため一歩退く。これが、津田の基本的なあり方であり、動揺に対してきわめて消極的な主体性が語られている。

あらためて考えてみれば、これまでの漱石テクストが語らなかった、男の言葉を学習する女という特殊性こそが、そもそも主体の複数的な成立を示していることに気づく。学習した能力があくまでも第一ではなく「第二の天性」であることは、お延が単純に叔父的なものを内面化しそれに同一化しているのではないことを明らかにしている。他者を学び複数の天性をもつお延は、そもそも同一性に支えられた主体という概念とは遠いところにある。他者を目の前にしたときの主体の自己同一性の崩壊などという問題は、彼女にとって危機になりえない。言葉の非対称性を自明のものとして引き受け、しかも語りかけ続けるお延に、〈嘘〉を可能にする安定した意味作用を覆していく力を読み込むことができるだろう。変容を生きるお延に他者との出会いを予感することすらできるのではないだろうか。『行人』の一郎・『こゝろ』の先生・『道草』の健三、言葉を操ることの破綻と自己同一性の不安定とを特徴とする登場人物を主人公としてきた漱石テクストにおいて、『明暗』のお延は、コミュニケーションの現場に残った唯一の女として、言葉と同一性の動揺を他者との出会いの予感に読み変える可能性を秘めた特殊な登場人物となっていると思われる。

## 七　『明暗』における漱石的三角形

最後に『明暗』の三角形について述べよう。

強固に構造化された差異によって対立する男と女は、漱石テクストでは繰り返しジラール的な三角形におかれてきた。三角形の二者として模倣関係をつくるのは男と男であり、「『三四郎』から『道草』にいたるまで、きまって女性は、主人公を翻弄する、到達しがたい不可解な〝他者〟としてある」[14]といわれるように、女はその模倣される欲望の対象として「他者」の名のもとに排除されている。それらのテクストの中では男と女は衝突しない。

それでは『明暗』はどうなのだろうか。『明暗』には津田を二者関係の一項とする三角形はない。唯一相手になりそうな小林は、模倣どころか、徹底的に津田と対立することになっている。漱石的三角形は破棄されているのである。女を挟んで男と男がつくる三角形がないとすると、物語はどこから生まれているのだろうか。おもしろいことに、『明暗』に語られる三角形は、津田を第三項としてお延とお秀が二者関係をつくる三角形、また同じく津田を第三項としてお延と吉川夫人が二者となる三角形となっている。つまり、三角形の二者関係は男と男ではなく、女と女の間に設定されている。三角形の構造そのものは維持されていても、男と女の役割が引っ繰り返されているのである。

『明暗』に語られる物語が始まる以前の構造は、清子を第三項に、津田と、津田の友人で現在の清子の夫である関からなる二者関係で成立していたと考えられる。『明暗』は、その三角形に決着がついたところから語り始められ、三角形そのものは語られない。しかもその三角形は清子が津田の前から消えたことによってすでに解体している。そのかわりに『明暗』で語られるのは、津田を第三項とする三角形という、これまでの漱石テクストにはない変異体なのである。二者関係から排除されているのは、津田であり、情報は彼を超えて行き来していく。この反転があってはじめて津田は、男と男の模倣関係を支える第三項として女を排除してきたことの負性をおうことになる。「すると暗い不可思議な力が右に行くべき彼を左に押し遣つたり、前に進むべき彼を後ろに引き戻したりするやうに思へた。しかも彼はついぞ今迄自分の行動に就いて他から牽制を受けた覚がなかつた。為る事はみんな自分の力で為、言ふ事は悉く自分の力で言つたに相違なかつた」（二）という冒頭の一節。『明暗』は、津田が「自分」そのものを疑い出すことから始まり、鏡に反転して映し出された「自分の幽霊」（百七十五）に出会うところで途切れている。津田の恐怖は、自己の主体性が剝脱された場に立たされる恐怖、第三項とされることの恐怖である。津田の「言葉」が女たちによって「嘘」へと劣化してしまうように、津田という男においては、男がもつジェンダーの特性が女との関係において反転し劣化していることに注意しなければならないだろう。

小森陽一は「男と男の物語」である『こゝろ』というテクストについて、女が「言葉の伝達回路そのものから排除されている」のは、「相対的な他者でしかないはずの一人の女が、言葉の意味を決定する絶対的他者となることを回避するため」だといった。[15] 問題は、女が相対的な他者たりえず、結局絶対的な他者、第三項になってしまうことにある。相対的な他者同士の葛藤は、女と男の間にはおこらないのか。

先にまとめたようにコミュニケーションの現場に残った唯一の女であるお延は、「夫のため」に「此お肚の中に有ってる勇気を、外へ出さなくちゃならない日」を待っている。お延の力があくまでも「夫のため」に行使されることは、二つの意味で興味深い。一つには、第三項におかれた他者である津田のために存在することになることで、三角形の構造そのものが変化することを予感させる点である。これが『明暗』における女が示す可能性である。ついに、『明暗』において、男を学習しかも男とは異なる方向に開かれていくお延という女が、「愛」という言葉の具体化を果たすのだろうか。

もう一つの点については、同時代に男と女を次のように語ったテクストを参照しよう。「どれほど匂ひの濃かい潤ひを吹つかけて見ても、あの男の心は砥石のやうに何所かへその潤ひを直ぐに吸ひ込んでしまつて、さうして乾いた滑らかなおもてを見せるばかりである」「自分の眼の前を過ぎる一とつ〳〵に対しても、自分の心の内に浸み込んでくる一人々々の感情でも、この男は自分と云ふものゝ上からすべてを辷らせて了つて平気でゐる」――田村俊子の『遊女』[16] の一節である。これは、津田に対する、お延の「良人といふものは、たゞ妻の情愛を吸ひ込むためにのみ生存する海綿に過ぎないのだらうか」（四十七）という言葉にそのまま重なってくる。田村俊子の描く女主人公「女作者」が、最後には「わざ〳〵」「自分の玩弄にするのもつまらない気がした」と男から離れていくことを考えるとき、同じ大正という時代の女であるお延が、なぜ「ツマラン坊」の津田にこだわり続けるのか、浮かんだ問いの答えを『明暗』の中に見つけることは出来ない。ただ、漱石テクストは、男と女の非対称な関係の可能性を、「女」の問題つまり「女」の解放として語るのではなく、あくまでも「男」と「女」の問題として、正確にいえば、「男」が「女」に相対的な他者としていかに関わるか、そして「男」であることがいかにそれを困難にしているかを語ろうとしているテクストなのだと思われるのである。お延は「男」に可能性を託された「女」だということだ。お延という「女」が津田にとって他者でなくなったわけではまったくない。他者性を維持しているからこその可能性である。本章で読んできたお延の可能性は、「男」の困難が生み出した抽象的なものだということを、最後に正しく確認しておこう。

(1) 三好行雄「『明暗』の構造」(『鷗外と漱石　明治のエートス』力富書房、一九八三・五)。その他にも、「意識の届かぬその存在自体」「裸形の目に映じる背面に闇をひかえた現実」(越智治雄『漱石私論』角川書店、一九七一・六)、「観念上の実験を日常生活という外側の世界から相対化」「生きる価値の相対化の中に身をよこたえる」(桶谷秀昭『夏目漱石論』河出書房新社、一九七六・六)、「すべてを包括する暗く大きな闇の世界」(伊豆利彦「『明暗』の時空」『日本文学』一九八四・一)、「徹底した相対化の眼」「徹底して日常性に執せんとしつつ、なおその日常の地平を切りひらいて〈存在〉そのものの深部へと降り立たざるをえぬ」(佐藤泰正『夏目漱石論』筑摩書房、一九八六・一一)などの指摘があり、枚挙に遑がない。

（2）夫婦と子供からなる世帯をつくることは、「家」という概念と「家庭」という概念を隔てる基本的な差異として提示され、「新家庭をして直ちに独立せしむるに如くは莫し」（『家庭雑誌』明二五・九）というように、「家庭」を実現するための最初の目標でもあった。
（3）前掲注（1）越智論文。
（4）前掲注（1）佐藤論文。
（5）関谷由美子「『明暗』の主人公―心トイフ舞台―」（『日本の文学』年刊一、有精堂、一九九二・一二）。
（6）前掲注（1）桶谷論文。
（7）清子に会うための温泉行きは、痔の療養のためと偽られ、さらに、同行したいというお延を阻止するために、経済的に無理があると偽られる。
（8）U・エーコ「2・5　内容と指示物」（『記号論Ⅰ』一九七六、池上嘉彦訳、岩波書店、一九八〇・四）。
（9）この点では津田の〈嘘〉論を言語使用論に重ねることができる。たとえばウィトゲンシュタインは「嘘もまた言語ゲームのひとつ」とし、言葉の使用はコードの承認のもとで初めて可能になることを論じる。ただし同時に、コードを完全に把握することや完全にそれにのっとって行為することの不可能性がつねに確認され、コミュニケーションの非対称性に言及している。津田はそうした非対称性にはきわめて鈍感である。『哲学探究』（一九五三、藤本隆志訳、『ウィトゲンシュタイン全集』第八巻、大修館書店、一九七六・七）および『確実性の論理』（一九六九、黒田亘訳、『ウィトゲンシュタイン全集』第九巻、大修館書店、一九七五・六）参照。
（10）吉川夫人は言葉のゲームに参加する一面をもつ。とくに継子の見合いの場での「技巧」は見事に成功している（五十二～五十五）。しかし彼女は、突然「事実」を口にし、家庭の女たちの方へ滑り込んでしまう。
（11）柄谷行人「解説」（新潮文庫『明暗』一九八五・一二）。前掲注（1）の諸論にも同一の指摘があるが、『明暗』が語る他者性を読まないそれらの論は柄谷の読みとも異なり、より静かな相対性を提示してきたといえる。
（12）小森陽一「「私」という〈他者〉性―『こゝろ』をめぐるオートクリティック―」（『文学』季刊三-四、一九九二・一〇）。ほかに、柴市郎「『こゝろ』論―「独立」と「関係」―」（同上）、押野武志「「静」に声はあるのか―『こゝろ』における抑圧の構造―」（同上）など。

(13)「日常」という語は、「不定形」な状態の引喩として『明暗』論において頻繁に用いられてきた術語である。が、本章では『明暗』における「日常」を、むしろ固定的な制度性を引喩するものとして考えている。
(14) 前掲注(11)。
(15) 前掲注(12)小森論文。
(16) 田村俊子「遊女」(『新潮』大二・一)。『誓言』(新潮社、大二・五)所収の際に「女作者」と改題。引用は初出によった。

# あとがき

「文学」という領域に関わって研究をはじめて、まだ十年ほどである。卒業論文では漱石の『行人』を扱って家族の問題について考えた。修士論文では、それをもう少し広げて歴史的な文脈に配慮を加え、田山花袋の『生』や島崎藤村の『家』などとあわせて漱石の後期の作品を扱った。「「家庭」という主題」という題であった。そのころから変わらないのは、歴史的なものへの関心と、フェミニズムへの関心である。もちろん、具体的な論の展開や作業の仕方は学ぶにつれて変化してきたが、関心そのものは一貫して持続している。たぶん、これから先も、こうした関心のもとに仕事をすることになるだろうという予感がある。

この二つの関心は、わたし自身の居場所を確かめたいという欲求と不可分なものとしてある。生きているわたしの居場所を確定することが不可能なことはよくわかっているが、つねに説明を試み続けることは大切なことだろうと考えている。意味づけるという行為が現実に対して暴力的に働くということも理解しているが、だからといって意味づけから逃れられる筈もないわけで、つねに間違うということを前提としたうえで意味を生み続けていくつもりである。本書での試みも、そのような姿勢で行った。

「彼らの物語」という題名をつけたように、ここでは積極的に、男性ジェンダー化した「文学」が成立し流通していく過程を描き出してみた。「彼ら」となる主体は、実体としては、男性である場合も女性である場合もあるだろう。そのような主体のレベルとは異なる、抽象的なあるいは理念的なレベルで「文学」が男性化するということについて説明してみた。その意味で、本書の試み自体が大きなひとつの物語の記述になっているだろうと思う。

物語を生むことの暴力性を認めたうえで、大きな筋道を書いてみたいという強い欲望があった。もちろん、わたしがここで描いた物語が唯一絶対の真実をあらわしているなどとは考えていない。むしろ、ここでの作業の意味は、これから相対化していくべきものとしての大きな物語を描くことにあるといってもよい。わたし自身のこれからの仕事にとっても必要な作業であったが、出来るだけ多くの人とともに、ジェンダーと「文学」の関係について議論を重ねていくための足がかりとしたいと考えた。そのような大それた目論見には不釣り合いな未熟な出来であったかもしれないが、ご批判ご意見をいただくのを、何より心待ちにしている。とにもかくにも、ジェンダー分析が充実していくことを願っている。

本書は、一九九七年、名古屋大学大学院文学研究科に課程博士学位請求論文として提出した「ジェンダーと日本近代文学—明治三十年代から大正中期まで—」に全面的な加筆・修正を加えたものである。学部時代から指導を賜った山下宏明先生、長島弘明先生、田島毓堂先生、また博士論文の審査をして下さった村上学先生、阿部泰郎先生、釘貫亨先生、神尾美津雄先生、そして近代文学そのものについてさまざまに教えて下さった助川徳是先生、厳しく暖かく指導して下さった先生方にこの場をかりて深くお礼申し上げたい。

また、これまでに参加してきた読書会や研究会のみなさんにもお礼を申し上げたい。そうした場によって与えられた刺激や力は非常に大きかった。一人で出来ることの限界を、大きく広げていただいたと思う。現在、より具体的な共同研究のおもしろみにも目覚めつつあるが、これまでの有意義な経験があるからこそだと思う。

出版にあたっては、名古屋大学出版会の橘宗吾さんにお世話になった。構成の変更など、博士論文から本書のかたちにまとめるに際して、いくつもの有益な示唆をいただいた。わたしの意図を深く理解して下さる読者に出会う喜びを、味わわせてもいただいた。はじめての著書で不安の多いところ、優秀な編集者に出会うことが出来たのは幸運だったと思う。また勤務先の神戸女学院大学からは出版助成を受けることができた。おかげで本書を早く刊行することが可能になった。感謝している。

そして、両親への感謝を記しておきたい。いつも見守られているという実感に支えられてきた。根本的に打たれ強い性格に育ててもらったことも有り難かった。

最後に、中里見博に感謝したい。言葉を使うことの大切さとおもしろさと危なさを、彼との関係の中から学んだと思う。

この十年ほどの時間に、いくつかの人生の選択をして、ここにいる。その中でわたしは、自分のことをフェミニストであると自認するようになった。これからもフェミニストというレッテルを、楽しんで引き受け、楽しんで走っていきたいと思う。

一九九八年三月

著　者

# 初出一覧（ただし、全面的に加筆・修正している）

序　章　書き下ろし

第一章　「《読まない読者》から《読めない読者》へ—「家庭小説」からみる「文学」の成立とジェンダー化過程—」『神戸女学院大学論集』四四-一、一九九七・七

第二章　「『道草』と自然主義における「金」の問題—小説家という〈職業〉—」『名古屋大学国語国文学』七四、一九九四・七

第三章　「『煤煙』における誤読行為の歴史的意味—そして、『峠』における誤読行為について—」『日本文学』四五-一、一九九六・一

第四章　書き下ろし

第五章　「女の顔と美禰子の服—美禰子は〈新しい女〉か—」『漱石研究』二、一九九四・五

第六章　「『行人』論—「次男」であること、「子供」であること—」『日本近代文学』四六、一九九二・五

第七章　「『こゝろ』的三角形の再生産—『中央公論』大正七年七月定期増刊「秘密と開放」号における類似とその無視—」『神戸女学院大学論集』四二-二、一九九五・一二

第八章　「逆転した『こゝろ』的三角形—大正中期における水準の渾然化—」『名古屋近代文学研究』一三、一九九六・四

第九章　書き下ろし

第十章　「『明暗』論—女としてのお延と、男としての津田について—」『文学』季刊五-二、一九九四・四
「『明暗』論—〈嘘〉についての物語—」『日本近代文学』五〇、一九九四・五

## マ　行



## ヤ・ラ・ワ行

## タ　行



## ナ　行



## ハ　行

# 人名・作品名索引

ただし，注（本文括弧内・章末）の部分は含んでいない。

## ア　行



## カ　行



## サ　行

《著者略歴》

飯田祐子（いいだ ゆうこ）

1966年　愛知県に生まれる
1995年　名古屋大学大学院博士課程後期満期退学
　　　　神戸女学院大学研究助手
1996年　神戸女学院大学専任講師，現在に至る
1997年　名古屋大学より博士号（文学）取得

彼らの物語

1998年6月30日　初版第1刷発行

定価はカバーに
表示しています

著　者　飯　田　祐　子

発行者　平　川　宗　信

発行所　財団法人　名古屋大学出版会
〒464-0814　名古屋市千種区不老町名古屋大学構内
電話(052)781-5027/FAX(052)781-0697


Printed in Japan

印刷 ㈱クイックス/製本 飯島製本㈱

ISBN4-8158-0342-0

乱丁・落丁はお取替えいたします。